【編集方針】

原著にある著者自身の括弧内注釈について日本語版では〔〕で示し、日本語版編集部による人名・用語の注釈などは（）で示した。

表紙イラスト：　佐藤秀峰
表紙デザイン：　木村真樹

SURVIVAL OF THE RICHEST

ESCAPE FANTASIES OF THE TECH BILLIONAIRES

デジタル生存競争

誰が生き残るのか

ダグラス・ラシュコフ

翻訳：堺屋七左衛門

マーク・フィリッピ（著者と活動を共にしたカイロプラクティックの実践者）
マイケル・ネスミス（ザ・モンキーズのメンバー）
ジェネシス・P・オリッジ（イギリスのバンド、スロッビング・グリッスルのリーダー）

あなたたちがここにいれば良かったのに。

目次

はじめに

マインドセットとの出会い

豪華なリゾートでの講演

超豪華なリゾートに招待されて、講演を依頼されました。私の想像では、100人ほどの投資銀行家が対象なのだろうと思いました。その謝礼は今までに頂いたことがある講演料よりもはるかに大きい金額で、公立大学教授としての私の年収の約3分の1に達するほどでした。「テクノロジーの未来」に関する見通しについて話すというものです。

私は、デジタル技術が人間の生活に与える影響について本を書いている人文科学者ですが、よく未来学者と間違われます。未来について、しかも富裕層に向かって話をするのは、私の好みではありません。質疑応答は、必ず言葉遊びゲームのようになってしまいます。AI、VR、CRISPR (Clustered regularly interspaced short palindromic repeats の略で、ゲノム編集技術の一つ) など、証券市場の銘柄記号みたいな最新技術のバズワードについて、私の見解を求められます。聴衆が関心を持っているのは、その技術のしくみや社会に対する影響ではなく、その技術に投資すべきかどうかの二者択一ですから、私には不適任です。しかし、お金がものを言います。私はこの仕事を引き受けました。

移動はビジネスクラスの飛行機でした。機内では、ノイズキャンセリングヘッドホンを貸してくれたり、温めたミックスナッツを出してくれたりしました「そう、ナッツを温めているのです」。そして、私は、MacBook を使って講演の構成を考えました。成長重視の収奪的な資本主義ではなく、デジタルビジネスにもっと力を注ぐことによって、循環経済の原理を発展させることができるはずです。しかしこのとき、私の言葉が持つ倫理的価値も、航空券と一緒に購入したカーボンオフセット（温室効果ガスの削減活動に投資すること等により、排出される温室効果ガスを埋め合わせるという考え方）も、今、私が行っている環境破壊の埋め合わせにはならないことを感じてつらい気分でした。この飛行機の下に見えている人々や土地を犠牲にして、私は住宅ローンや娘の奨学金を返済するための資金を得ようとしているのです。

空港にはリムジンが待っていて、すぐに砂漠のリゾートへ向かって走り出しました。私は、運転手との会話を試みて、この地方で活動しているUFOを信じる宗教について、あるいは、狂乱状態のニューヨークとはまるで違う荒涼としたこの地形の美しさについて話しました。リムジンの後部座席にいつも座っている人々とは違う種類の人間なのだと運転手にわかってもらおうとしていたのです。運転手も逆の立場で同じことを考えていたようで、自分はフルタイムの運転手ではなく、「タイミングの悪い取引」を何度か経験して運が傾いてきたデイトレーダーであると打ち明けました。

太陽が地平線に沈み始めたころ、すでに3時間もこの車に

砂漠のリゾート

本文のリゾートがここであるかは確かではない。世界の各所にはこんな驚くほどの豪華な施設があるという。

乗っていることに気が付きました。いったいどのような金持ちのヘッジファンドの人たちが、空港からこんなに遠い場所まで会議のためにやってくるのでしょうか。そのとき、見えました。高速道路の隣に並行して私たちと競争しているかのように、小型ジェット機がプライベート飛行場に着陸しようとしていました。もちろん、そうですよね。

次の絶壁を通り過ぎたところに、今まで見たことのないほど豪華な、しかし隔離された場所がありました。とにかく何もない土地の真ん中にあるスパ&リゾートです。大きな岩の構造物が点在する中に、現代的な石とガラスの建物が、砂漠の果てしない景色を見渡していました。チェックインする間、接客係以外の人は誰も見かけませんでした。そして、私が宿泊する個人用「パビリオン」にたどり着くのに、地図を見なければなりませんでした。そこには私専用の露天風呂が付いていました。

翌朝、おそろいのパタゴニアのフリースを着た2人の男がゴルフカートで迎えに来て、岩や木々の間を通って会議場へ連れていってくれました。「ここでコーヒーを飲みながら準備してください」と言って、控室と思われる場所に私を残していきました。しかし、マイクを身に付けたり、舞台へ案内されたりするのではなく、この部屋に聴衆が入ってきました。彼らは、テーブルのまわりに座って、自己紹介をしました。5人の極めて裕福な人たち、全て男性で、IT投資とかヘッジファンドの世界で上層部にいる人々です。少なくとも、そのうちの2人は10億ドル以上の資産をもつ大金持ちです。ちょっと雑談をしているうちに、彼らは、私が用意してきたテクノロジーの未来には全く興味がないことがわかりました。彼らは質問をするために来ていたのです。

やはり予想どおりの質問を始めました。ビットコイン(インターネット上の通貨である仮想通貨の一つ)か、イーサリアム(仮想通貨の一つ。ヴィタリック・ブテリンによって開発されたプラットフォーム内で使用される)

か？　仮想現実か、拡張現実か？　量子コンピューターを最初に実現するのは、中国か、グーグルか？　しかし、彼らは、あまり理解できていないようです。そこで、私がブロックチェーンにおけるプルーフ・オブ・ステークとプルーフ・オブ・ワーク（いずれも仮想通貨の取引の正しさを誰かに承認してもらうしくみ）のそれぞれの利点について説明しようとした途端に、彼らは次の質問に進んでしまいました。彼らは、私をテストしているように思えてきました。知識というよりは、私の良心や慎重さを試しているようでした。

事件から逃げる

ついに、彼らが本当に関心のある話題に踏み込んできました。移住するべきなのはニュージーランドか、アラスカか？　どちらの地域が、来たるべき気候危機で受ける影響が少ないのか？　質問はより露骨になっていきます。気候変動と細菌戦争では、どちらがより大きい脅威なのか？　外部からの支援なしに生存できるようにするのは、どの程度の期間を想定しておくべきか？　シェルターには、独自の空気供給源が必要か？　地下水が汚染される可能性はどの程度か？　最後に、証券会社の社長が、自分専用の地下防空壕設備が間もなく完成する、と説明してから質問しました。

「事件発生後、私の警備隊に対する支配権を維持するにはどうすればよいでしょうか」。

この「事件」というのは彼らの婉曲表現なのでした。それは環境破壊、社会不安、核爆発、太陽嵐、まん延するウイルス、全てを停止させる悪意あるコンピューター侵入、などを意味しています。

この1つの質問だけで、残りの1時間を費やしました。武装警備隊が必要なのは、自分の敷地を侵入者から守るためだけでなく、怒った群衆から守るためでもあることを、彼らは知っていました。ある人は、適切な指示を出せば、10人ほどの海軍特殊部隊が自分の邸宅に向かってくれるよう、すでに手配しています。しかし、彼の暗号資産の価値がなくなってしまったら、どのようにして警備員たちに給料を払うのでしょうか。最終的に警備員が誰に従うかを勝手に決めようとするのを、どうすれば防ぐことができるのでしょうか。

この億万長者たちは、自分だけが開く方法を知っている特別なダイヤル錠を食糧倉庫に設置することを考えました。あるいは、生存を保証する見返りとして警備員に「しつけ首輪」のようなものを付けさせるとか。あるいは、もし技術開発が間に合えば、警備員や作業員として働くロボットを作るとか。

私は、彼らの説得を試みました。協力と連帯によって社会を良くすることが、集団的、長期的な人間の課題に対処する最も良い方法だという議論を展開しました。将来、警備員が忠誠を示すように仕向ける方法は、「しつけ首輪」ではなく、今すぐ、彼らを友達のように扱うことです。弾薬や電気柵だけに投資するのではなく、人間そのものと人間関係に投資してください、と。彼らは、ヒッピー思想のようにも思える話を聞いて、あきれた表情をしていました。そこで、私は、生意気にも、このように提案しました。「警備隊長が、明日、あなたの喉に切りつけないようにする方法は、今日、彼の娘の成人式にお祝い金をあげることです」。

彼らは笑いました。少なくとも彼らが私に払った謝礼に見合う娯楽が得られたことでしょう。同時に、彼らが少し腹を立てていることも見て取れました。私は彼らの話を真剣に受け止めていなかったのです。しかし、それもしかたないことです。この集団は、私が今まで対面した中でも、最も裕福で最も権力を持っている人々でした。彼らは、この場所に集まって、マルクス主義のメディア研究者に向かって、世界が滅亡する日に備える防空壕をどうするかについて、アドバイスを求めていたのでした。そのとき初めて、私は理解しました。少なくともこの紳士たちにとっては、これこそが「テクノロジーの未来」についての話だったのです。

テスラ創業者のイーロン・マスクの火星植民地化、パランティアのピーター・ティール（ペイパルの創業者。パランティアはデータ分析ソフトの企業）による老化逆転プロセス、あるいは人工知能開発者のサム・アルトマン（OpenAIの共同経営責任者）とレイ・カーツワイル（未来学者でAI研究の権威）による頭脳をスーパーコンピューターにアップロードする計画などにヒントを得て、この富豪たちは、世界をより良い場所にするためではなく、人間のあらゆる条件を超越するためのデジタルの未来に向かって準備していたのです。彼らの並外れた財産や権力がもたらしたのは、気候の変動、海面の上昇、大量の人口移動、世界的パンデミック、移民排斥、資源枯渇など、現実に今存在する危険から自分たちを隔離するという考えに取りつかれるという結果でした。彼らにとって、「テクノロジーの未来」とは、たった1つの意味しかありません。他の人間から逃れる、ということです。

この種の人たちは、以前、技術が人間社会にもたらす大きな恩恵について、著しく楽観的な事業計画を世界中にまき散らしていました。今の彼らは、技術的進歩を、いわ

グレッド・アルトマンのコラージュ画像

サム・アルトマンとレイ・カーツワイルの頭脳をスーパーコンピューターにアップロードする「マインド・アップローディング」計画のイメージ。

ば脱出用の非常口を見つけた人が勝つというテレビゲームに矮小化してしまっています。そのゲームの勝者は、宇宙へ移住するベゾスでしょうか、ニュージーランドの広大な私有地へ避難するティールでしょうか、それとも、仮想空間のメタバースへ逃げ込むザッカーバーグでしょうか。しかし、大惨事が起こると考えているこの億万長者たちは、デジタル経済における暫定的勝者でしかありません。この考え方を活発化させた原因である適者生存というビジネス環境での仮のチャンピオンです。

もちろん、いつもこんな状況だったわけではありません。1990年代の初めごろ、短い期間ですが、デジタルの未来は限りなく広がっていると思われた時期がありました。軍用の暗号や防衛ネットワークから始まったにもかかわらず、デジタル技術はカウンターカルチャーの遊び場になりました。そこには、全てを巻き込んだ分散的な参加型の未来を作り出す可能性があると思われていました。実際、私が1991年に「デジタル・ルネサンス」と名付けたのは、集団としての人間の想像力が持つ無限の可能性に関するものでした。それは、数学のカオス理論や量子物理学から、ファンタジー・ロールプレイング・ゲームまで、あらゆるものに及んでいました。

ビジネスになったインターネット

1980年代のサイバーパンク時代には、かつてないほどのつながりと連携が可能になり、私を含めて多くの人たちが、人間は思い通りの未来を作り出すことができると信じていました。私たちはサイバースペースとサイケデリック（幻覚剤）、コンピューターハッキングとコンシャスエボリューション（自らによって選ぶことのできる意識的な進化）、オンラインネットワークとレイブ（大規模なエレクトロニック・ダンス・ミュージックのパーティー）を結びつける『リアリティーハッカーズ』、『フリンジウェア』、『モンド２０００』というような雑誌を読みました。

一方的な因果関係が支配する現実世界、上下関係による等級付けなどは、新たに出現する創発的で相互依存する関係のフラクタル（部分と全体が相似になっている図形）に取って代わられるはずでした。カオスはランダムではなく、リズミカルなのです。地図製作者が作った経度と緯度の格子線を通じて海を見るのではなく、水の波が持つ基本的なパターンや動きを理解して海を見るようになります。デジタルカルチャーに関する私の最初の著書『サイベリア』で、私は「波は上々」と宣言しました。

しかし、誰も私たちを真剣に受け止めてくれませんでした。実際に、その本は、１９９２年に出版社が出版を取りやめました。出版社は、出版予定の１９９３年末ごろにはコンピューターネットワークのブームが過ぎ去っていると考えたからです。その後、１９９３年に雑誌ワイアードが発刊されると、インターネットの出現はビジネスチャンスであることが再認識されて、権力と資金を持つ人々がそのことに気付くようになりました。ワイアード創刊号の色鮮やかなページでは、「津波が来た」と宣言しています。その記事は、そのページに掲載されたシナリオプラ

レイブ

OZORAフェスはハンガリーで毎年開催されるサイケデリック・トランスの野外フェスティバル。

ンナーや未来学者の動向を把握している投資家だけが、この波を乗り越えられるという内容でした。
　これは、サイケデリックなカウンターカルチャーやハイパーテキストアドベンチャー（ハイパーテキストを利用したアドベンチャーゲーム）、集合意識の話ではなくなりました。デジタル革命は、本当は革命でなくて、ビジネスチャンスだったのです。すでに死滅しそうになっていたナスダック証券取引所にホルモン剤を注入する、あるいは、１９８７年のバイオテック暴落以来、仮死状態だった経済がさらに数十年成長できるようにする、というチャンスでした。

フラクタル

シェルピンスキーガスケットと呼ばれるフラクタル図形の一つ。図形全体と相似な形を含むような図形のこと。

　ドットコムブーム（１９９０年代に起こったインターネット関連企業の実需投資や株式投資が、実態を伴わない異常な高値を起こしたこと）により、みんながＩＴ業界に大挙して戻ってきました。インターネットジャーナリズムは、新聞紙上で文化とメディアのページから経済のページに移りました。既存の大企業は、ネットに新しい可能性を見出しましたが、それは相変わらずいつものようにお金を搾り取るためでした。その一方で、前途有望な若い技術者たちは、ユニコーンＩＰＯ（設立から10年以内で企業評価額が10億ドル以上のテクノロジー関連企業による株式公開）や数百万ドルの資金に誘惑されました。デジタルの未来は、株式や綿花の先物取引のように、予測してお金を賭けるものだと理解されるようになりました。同様に、技術のユーザーは、技術の力を得られるクリエーターとしてではなく、操作されるべき消費者として扱われるようになりました。ユーザーの行動が予測可能であればあるほど、賭けは確実になります。

新たに発展しつつあるデジタル社会では、ほとんど全ての発言、記事、研究、ドキュメンタリー、商品や技術のリポートが、株式市場の商品と関連付けられました。未来は、現時点での選択や希望を通じて人類のために創造するものではなく、ベンチャーキャピタルと一緒に賭けをする対象として、受動的に出現する運命の決まったシナリオになりました。

これによって、人々の行動から道徳的な意味が薄れていきます。技術開発は、集団的な繁栄を目指す物語でしたが、富の蓄積を通じて個人的な生き残りを図るものになりました。さらにひどい話として、この状況悪化に関する本や記事を書いてみてわかったことですが、この状況について注意を促すと、なぜか、市場の敵とか技術反対主義の頑固者と言われるようになります。結局、投資家たちにとっては技術の成長と市場の成長は、いずれも同じであり、必然的であり道徳上好ましいものだと理解されるようになったということです。

少数のために多数の貧困化を容認するという現実的な倫理に対しては批判的であるはずのメディアや言論界の大部分は、市場感覚に圧倒されて屈服してしまいました。予測されるハイテク未来について、抽象的な言葉遊びが議論の主流になりました。株式トレーダーがスマートドラッグを使用するのは公平なのか。子供が外国語のために脳移植を受けてもよいのか。自動運転車はその乗客の命よりも歩行者の命を優先すべきか。最初の火星植民地は、民主的に運営されるべきか。私のDNAを組み換えたら、私のアイデンティティは脅かされるのか。ロボットは権利を持つべきか。

このような議論は、今でも行われていますが、哲学的には面白いかもしれません。しかし、法人資本主義という名のもとで、勝手気ままに行われる技術開発によって生み出される、道徳上の難題に対処するには不適当です。デジタルプラットフォームは、元々搾取的かつ収奪的だった市場［たとえば巨大スーパーマーケットのウォルマート］を、より非人間的である後継者［たとえばアマゾン］に変えてしまいました。大部分の人は、自動化された作業、非正規雇用による経済、地元のジャーナリズムや地元の小売店の消滅などの不都合に気付いています。

FairPhone B.V.

Fairphone4

海外通販サイトで、Fairphone 4は税別価格415.83英ポンド（約62,700円）で販売されている。

人間を封じ込める

しかし、全速力で進むデジタル資本主義は、地球環境、世界中の貧しい人々、さらには文明の未来に壊滅的な影響を及ぼしています。私たちのコンピューターやスマートフォンの製造は、組織化された奴隷労働に今でも依存しています。このような行為は、深く定着しています。Fairphone（フェアフォン）という企業は、従業員を公正な条件で雇用し倫理的に正しく携帯電話を製造販売することを目的に設立されましたが、それは不可能であることがわかりました［この創業者は、今では残念そうに、その製品を“fairer”phone（よりフェアな電話）と呼んでいます」。

その一方で、レアアース金属の採掘や高度なデジタル技術製品の廃棄によって、人間の居住環境が破壊されて有害廃棄物のゴミ捨て場になり、貧困化した先住民の子供や家族がそのゴミを拾って選別して、利用可能な材料をメーカーに販売しています。メーカーは、皮肉なことにこれを「リサイクル」と称して、環境保護および社会を良くする活動の一環だと言っています。

私たちは、いわばVR（Virtual Reality の略で、仮想現実）ゴーグルで目隠しされて代替現実の世界に入り込んでいるので、このような「見えないものは忘れられる」という、貧困と有害物質を企業の外部に押し付ける行動はなくなりません。それどころか、長い間、社会、経済、環境に対する影響を無視していると、問題はより大きくなります。そして、その先には、さらなる後退、孤立主義、終末論的な空想がはびこるようになり、もっとでたらめな技術や事業計画が生まれます。このサイクルは、自己増殖します。

このような世界の見方になじんでしまうと、他の人間こそが問題であるように見えてきて、技術は彼らを制御して封じ込めるものだと思われるようになります。面白くて癖のある、予測不可能で不合理な人間の性質は、特徴ではなくて欠点として扱われるようになります。技術は、それ自身に固有の偏向が内部に隠されているにもかかわらず、中立的だと信じられています。技術の誘導によって人間が何らかの良くない行動をとってしまっても、それは人間の奥深くにある邪悪な部分のせいになります。人間が持って生まれた強い野蛮さが、トラブルの原因であるかのように見られます。地域のタクシー産業の非効率性が、人間のドライバーを破産させるアプリによって「解決」されるのと同じように、厄介な人間の心は、デジタルまたは遺伝子のアップグレードで修正できることになります。

技術的解決を目指す人たちの信念によれば、究極的には、人間の意識をコンピューターにアップロードすることにより、あるいは、うまくいけば技術そのものが人間の進化した後継者になることにより、人間の未来は、最高潮に達します。グノーシス派（神秘的、直観的な神の啓示の体験による救済を得る宗教思想）の信者のように、私たちは、人間の発展における次の超越的段階に入ることを待ち望んでいます。罪や苦しみ、とりわけ経済的な困難とともに自分の身体を後に残して、そこから抜け出そうとしています。

映画やテレビは、このようなファンタジーを見せてくれています。ゾンビ映画などでは、人間が完全には死んでいない、この世の破滅以後を描写しています。このような番組を見ると、未来は残された人間たちの間で行われるゼロサムゲームである、と視聴者が想像するようになります。あるグループが生存できるのは、他のグループが絶滅した場合である、という具合です。最も前向きな考え方をしているSF作品であっても、現在は、ロボットが人間よりも知能や倫理観が優れているように描写しています。そこでは人間は常に数行のプログラムに簡略化され、人工知能は、より複雑で意志的な選択を学習しています。

バイオスフィア2

現実の地球環境に準ずる人工の閉鎖生態系。1991年、1994年の2回しか実験が行われなかった。

人間と機械の間で、そのように完全に役割の反転が起きるということを正当化する論理は、大部分の人間が本質的に無価値であり、軽率で自己破壊的だという仮定に基づいています。そこで、人間を変えてしまおうとか、人間から離れて逃げようということになります。このようにして、電気自動車を宇宙に打ち上げるIT系億万長者が出現します。これは、ある億万長者が企業を宣伝するというだけではなく、それ以上の何かを象徴しているようです。少数の人々がロケットでの地球脱出に成功して、火星の隔離ドームの中でどうにかして生き延びるのかもしれません。ただし、数百億ドルを使った2回にわたるバイオスフィア実験では、そのような隔離ドームは、この地球上でも維持できませんでした。この計画の結末は、人類の集団移住ではなくて、エリートのための救命ボートにすぎないでしょう。実際に思考し呼吸する大部分の人間は、脱出が無理であることを理解しています。

排ガスから逃れる自動車

私は、輸入品の氷山の水をちびちびと飲みながら、人間社会における素晴らしい勝者たちの想定する地球滅亡の日のシナリオについて考えていたときに気が付きました。この人たちは、実際には敗者なのです。私を砂漠へ呼び出して、防空壕戦略についての意見を求めた億万長者たちは、経済ゲームの勝者というよりも、むしろ制約のある経済ゲームのルールによる犠牲者です。何よりも彼らは、「勝利」とは、自分たちが金儲けをすることによる害悪から自らを隔離するのに十分な資金を稼ぐことである、という考え方に支配されています。それは、まるで自分の排ガスから逃れるために高速で走る自動車みたいなものです。

このようなシリコンバレーの逃避的な態度を「マインドセット（無意識の思考パターン）」と呼ぶことにしま

しょう。この考え方は、勝者が何らかの方法で他の人類を置き去りにして逃げられる、とその支持者に信じさせています。もしかすると、最初からずっと、それが彼らの目的だったのでしょう。おそらく、人間性に配慮しないこの運命論的な行動は、暴走したデジタル資本主義の結果ではなく、その原因なのです。他人や世界をこのように扱う態度は、経験的科学、個人主義、性的支配、さらには「進歩」そのものが持つ、反社会的傾向にさかのぼることができます。

エジプトのファラオやアレキサンダー大王の時代から、専制君主は、偉大な文明の頂点に存在して上から文明を支配しようとしてきました。しかし、現代社会で最も権力を持つ人々は、自らの征服行動の影響によって、世界そのものが人々の住めない状態になると考えています。これは、今までに例のないことです。さらに、彼らの感覚の基礎となっている技術を、人間社会の構造そのものに取り込んでしまいました。世間にはアルゴリズムと人工知能が満ちあふれて、独善的で孤立主義的な物の見方を促進しています。このような反社会的な考えを支持する人々は、その見返りとして、現金と、他の人々に対する支配権とを獲得しています。これは自己増強するフィードバックのループであり、今までになかったものです。

「マインドセット」は、デジタル技術によって、また、彼らが得た前例のない富の不均衡によって強まっています。そのおかげで、彼らは容易に危害を他人に押し付け、また、ひどい扱いを受けてきた人々や場所からの離脱が可能になっています。後で説明するように「マインドセット」は、断固とした無神論と唯物論による科学主義、技術で問題を解決するという確信、デジタルプログラムが持つ偏向に対する固執、人間関係をマーケットの事象と見る考え方、自然および女性に対する不安、全く独自で前例のないイノベーションこそが貢献であると考える必要性、そして未知のものを支配して活気を奪うことにより無害化しようとする衝動に基づいています。

しかし、これらの仮想的ピラミッドの頂点に立つ億万長者たちは、永遠に私たちを支配するのではなく、熱心にゲームの最終ステージを目指しています。マーベル（アメリカのコミック出版社）のベストセラーの筋書きのように、「マインドセット」の構造においては最終ステージが必要とされています。あらゆるものは、1か0か、勝者か敗者か、救われるか呪われるか、に区別されなければなりません。実際に、気候非常事態や大量の人口移動などの目前に迫った破滅的状況は、この神話を裏付けており、自らをスーパーヒーローと考えている彼らに対して、人生の最後にフィナーレを演じる機会を与えるでしょう。また、「マインドセット」には、宗教的な信念に基づくシリコンバレーの人々の確信も含まれています。それは、彼らが何らかの方法で物理、経済、倫理の法則を破る技術を開発することができて、世界を守ることよりも良い何かを彼らに提供する、というものです。すなわち、彼ら自身が生み出したこの世の終末から自分たちが脱出する手段です。

◇原注　はじめに

◇ Elon Musk colonizing Mars: Mike Wall, "Mars Colony Would Be a Hedge against World War III, Elon Musk Says," March 28, 2018, *Space.com*,https://www.space.com/40112-elon-musk-mars-colony-world-war-3.html.

◇ Peter Thiel reversing the aging process: Maya Kossoff, "Peter Thiel Wants to Inject Himself with Young People's Blood,"August1, 2016, 2021, *VanityFair*,https://www.vanityfair.com/news/2016/08/peter-thiel-wants-to-inject-himself-with-young-peoples-blood.

◇ uploading their minds: Alexandra Richards, "Silicon Valley billionaire pays company thousands 'to be killed and have his brain digitally preserved forever,' " *Evening Standard*, March 15, 2018, https://www.standard.co.uk/news/world/silicon-valley-billionaire-pays-com-pany-thousands-to-kill-him-and-preserve-his-brain-forever-a3790871.html.

◇ "fairer" phones: Bas Van Abel, interview with Douglas Rushkoff, *Team Human* podcast, March 29, 2017,https://www.teamhuman.fm/episodes/ep-30-bas-van-abel-fingerprints-on-the-touchscreen.

◇ cars into space: Joel Gunter, "Elon Musk: The Man Who Sent His Sports Car into Space," *BBC*, February 10, 2018,https://www.bbc.com/news/science-environment-42992143.

◇ Biosphere trials: Steve Rose, "Eight Go Mad in Arizona: How a Lockdown Experiment Went Horribly Wrong," *Guardian*, July 13, 2020,https://www.theguardian.com/film/2020/jul/13/spaceship-earth-arizona-biosphere-2-lockdown.

第1章　隔離の方程式

億万長者の防空壕戦略

逃げることが重要

ニューヨークへ戻る飛行機に乗るまで、私は「マインドセット」が意味するところをずっと考えていました。それはどこから来たのか。何がそれを生み出したのか。その主要な教義は何か。誰が本当の信者なのか。さらに言えば、私たちはそれに抵抗できるのか。そして、飛行機が着陸する前に、この驚くべき状況との不思議な出会いについての記事を投稿しました。

投稿とほぼ同時に、億万長者のプレッパー（破滅の日のために準備する人）の要求に応える仕事をしている企業からいくつもの問い合わせを受け取りました。いずれも、記事に書いた5人に紹介してほしいというものです。連絡があったのは、災害に耐えられる物件を専門にしている不動産業者、これで3件目になる地下居住プロジェクトの予約を受け付けている会社、そして、さまざまな形態の「リスクマネジメント」を提供する警備会社などでした。

しかし、私が注目したメッセージは、ラトビアにある米国商工会議所の元会頭からのものでした。J．C．コール氏は、ソビエト帝国の崩壊を目撃し、その後、ほとんど何もないところから実際に機能する社会を再構築する様子を見てきました。また、米国や欧州連合の大使館の家主でもあったので、警備システムおよび脱出計画についても豊富な知識がありました。最初の電子メールには次のように書いてありました。

「あなたは、確かに蜂の巣をつついてしまったようです。防空壕に隠れている富裕層には、警備チームの問題があります。……私としては、『今すぐ、警備チームを本当に大切に扱いなさい』というあなたの助言は正しいと思いますが、その考え方をさらに拡張して、もっと良い結果を生むより良いシステムがあると考えています」。

コール氏は、続けて次のように説明しました。

「私たちの敵によって、または母なる自然によって、あるいは単なる偶然によって発生するグレースワン（灰色の白鳥）、すなわち、予測可能な大惨事としての〝事件〟は必ず起こります。この状況をSWOT分析（強み＝Strength、弱み＝Weakness、機会＝Opportunity、脅威＝Threat）すると、惨事に備えるためには、それを防止するのと全く同じ対策が必要だという結果が得られました。私は、ちょうど、ニューヨーク付近にセーフ・ヘイブン・ファームズを設立しようとしているところです。これは、〝事件〟に最も適切に対処すると同時に、準有機栽培農場として社会に貢献するように計画されています。ニューヨーク都心部から車で3時間以内の場所にあり、もしものときにも十分な近さです」。

大惨事への対応方法として、単なる逃避より魅力的な情報です。セキュリティクリアランス（国家機密取扱認定）を持ち、現場経験があり、食料の持続可能性に関する専門知識も備えているプレッパーが、ここにいます。この人は、目前に迫っている惨事に対処する最も良い方法は、他人を扱う態度、経済、そして地球を今すぐに変えることであり、同時に、完全武装の海軍特殊部隊が警備する億万長者向けの完全に自給自足で秘密の住宅兼農場を開発することである、と考えています。

現在、コール氏は、セーフ・ヘイブン・プロジェクトの一環として2箇所の農場を開発しています。プリンストン郊外にある第1農場は、「警察が機能している間は、稼働できる」ようになっています。もう1つの農場は、ペンシルベニア州ポコノ山脈のどこかにありますが、詳細は秘密です。「その位置を知っている人が少なければ少ないほど、望ましいのです」と、コール氏は言います。昔のテレビドラマ「トワイライトゾーン」(邦題：ミステリーゾーン)で、核戦争の危機に際してパニックになった近隣の住民が、ある家庭の核シェルターに乱入してくるという話を引き合いに出して、説明していました。

「安全な避難場所で重要なことは、軍隊ではOpSec(Operational Security)と言っている運用上のセキュリティです。サプライチェーン(物資や商品の供給ライン)が途切れた場合、食料が配送されなくなります。新型コロナウイルスのせいで人々がトイレットペーパーの争奪戦を始めたのは、その予告編のようなものです。食料が不足すれば、悲惨なことになります。したがって、万一に備えて投資する賢明な人は、それを内密にしなければなりません」。

コール氏がニューヨークまで来て私に説明すると言いましたが、私は実物を見たいと思いました。彼は喜んで、私をニュージャージーに招待してくれました。

「長靴を履いてください。地面がぬかるんでいます」。

そして、私に尋ねました。

「射撃をしてみますか」。

農場そのものは、ヤギやニワトリを飼育する他に、乗馬センターおよび戦術訓練施設としての役割を果たしています。コール氏は、ピストルの持ち方と撃ち方を教えてくれました。悪者の形をした標的に向かって撃ちながら、ピストルの弾倉に合法的に装填できる弾丸の数をダイアン・ファインスタイン上院議員が勝手に制限した、と文句を言っていました。コール氏は、この分野については何でも知っています。私は、さまざまな戦闘シナリオについて質問しました。大勢の悪党が農場に侵入してきたら、どのように防衛すればよいのでしょ

うか。コール氏の答えは、

「防衛しません。プレッピング（破滅の日のための準備）の最重要事項は、逃げることです」というものでした。

もちろん、コール氏が建設しているような施設を保有しているならば、状況は少し変わってきます。

「あなたの家族を守る唯一の方法は、集団で対処することです」とコール氏は言います。それこそが、彼のプロジェクトの重要な点です。1年またはそれ以上にわたって、避難場所を正常に維持できるチームを結成するとともに、備えをしていなかった人々、つまり避難場所に入れなかった人々からその避難場所を防衛するのです。

「市の警察の特殊部隊がこの農場を見に来ました。彼らは、トラブルの兆候が少しでもあればここに来てくれると言っています」。


さらにコール氏は、若い人々に持続可能な農業の研修を受けさせること、各拠点に医師と歯科医師を少なくとも1人ずつ確保することを目指しています。


10代の少女が馬に乗って障害飛越の練習に来たので、私たちは射撃を終わることにしました。そこから本館への帰り道で、コール氏が大使館施設の設計の際に学んだ「多層防御」について説明してくれました。敷地全体を囲む柵、立ち入り禁止の看板、番犬、監視カメラ……。このような防御対策は、全て暴力的衝突を防止するためのものです。コール氏は、少し間を置いて、入口に続く道路を眺めながら言いました。

「正直に言えば、私は、銃を持ったギャングよりも、入口に赤ん坊を抱いた女性が食べ物を求めて立っている状況を憂慮しています。そのような道徳的な態度を決めなければならない状態には直面したくありません」。

事件を見ないことにする

だからこそ、コール氏は、単に億万長者向けの隔離された武装避難施設を建設するだけでなく、地元住民が所有する持続可能な農場の実験場を設置することによって、他人がそれをまねできるようにして、最終的には米国の食料安全保障の確保に役立てたいと考えているのです。巨大農業企業が好む「ジャストインタイム」の配送システムのせいで、この国の大部分は、停電あるいは交通の途絶などの小規模な危機に対しても影響を受けやすくなっています。その一方で、農業の集中化によって、ほとんどの農民は、都会の消費者と同じように長いサプライチェーンに完全に依存するようになりました。コール氏は、鶏小屋を私に見せながら、次のように言いました。

「大部分の卵農家は、業者に支配されていてニワトリを育てることすらできません。彼らは、ひよこを業者から購入しています。私は、雄鶏も飼っています。だから、卵からひよこをかえらせてニワトリを育てられるのです」。

コール氏は、ヒッピーの環境保護主義者ではありません。ヒラリー・クリントンに言及するときは（崇拝的にではなくて）単に「彼女」と言うだけですし、米国のディープステート（闇の政府）の失策や来たるべき石油戦争について、ネット上で記事を公開しています。しかし、そのビジネスモデルは、私が億万長者に伝えようとしたのと同じ共同体主義の精神に基づいています。飢えた群衆が入口に押し寄せてくるのを防ぐ方法は、今すぐ人々の食料安全保障を広く確保することだと考えています。したがって投資家たちは、300万ドルを使って、伝染病、太陽嵐、送電網の崩壊などを乗り切るためのセキュリティを最大限に備えた施設を得るだけではありません。そもそも破滅的な出来事が発生する確率を低減させて、利益を生む可能性のある地元農場ネットワークの権利に出資することにもなるのです。この事業は、都市封鎖という事態を迎えたときに、門の前の飢えた子供たちができるだけ少なくなるように最善を尽くすはずです。

今のところ、J.C.コール氏は、このような持続可能なアメリカン・ヘリテージ・ファームへの投資について、誰からも賛同を得ることができていません。これは、この構想に誰も投資したがらないという意味ではありません。注目と資金を集めるような計画は、通常は、この種の人々がみな助かることを目指す共同体的な要素を含んでいないということです。多くの場合、そのような計画は、ものごとを独力で解決したい人を対象としています。億万長者のプレッパーの大部分は、農民のコミュニティーと良い関係を築く方法を学びたいとは思わないのです。あるいは、その資金を広く人々のための食料維持プログラムに使いたいとも思いません。安全な避難場所が必要だという考え方は、道徳的ジレンマを防止するというよりも、それを億万長者の視界から消すことに関心があるのです。

安全な避難場所を本気で求めている人々の多くは、プレッパーの建設会社に依頼して、自分がすでに所有している敷地のどこかにプレハブの頑丈な防空壕を埋設しています。テキサスにあるライジングSカンパニー(Rising S Company)は、防空壕や竜巻シェルターの製作や設置を行っています。小さいところでは4万ドルの8フィート×12フィート(約2.3m×約3.7m)の非常用避難場所から、最上級製品としてプールやボウリング場を完備した830万ドルの豪華な「アリストクラト(Aristocrat)」シリーズまでそろっています。同社のウェブサイトでは、低価格のモデルは実物の写真が掲載されていますが、大型モデルはバーチャル動画で紹介されています。おそらく、大きなサイズのものは、実際にはほとんど建設されていないものと思われます。

いずれにしても、かなり質素な施設です。ジェームズ・ボンドの映画に出てきそうなシェルターというよりも、輸送用コンテナを改造したような感じです。元々この会社は、暴風雨のための一時的な家庭用シェルターを扱っていましたが、その後、破滅的大惨事に備える長期的な事業に参入しました。会社のロゴに3つの十字架を使っているところを見ると、同社の事業は、SF的なシナリオに沿って行動する億万長者の「テック男子」向けというよりも、米国でも保守的な共和党支持者の多い州にいる熱心なキリスト教信者のプレッパーを対象にしているように思われます。

環境は密閉できない

多くの億万長者、より正確に言えば、上昇志向の強い億万長者が、実際に投資している物件には、もっと変わったものがあります。ビーボス（Vivos）という会社は、冷戦時代の弾薬庫、ミサイル格納庫、その他、世界各地の強固に造られた施設を流用した豪華な地下のマンションを販売しています。クラブメッドのリゾートの小型版みたいに、プール、ゲームセンター、映画館、レストランなどの大規模な共用部分が付いた、個人または家族向けのプライベートスイートです。また、チェコ共和国にあるオッピドゥム（Oppidum）という超エリート向けシェルターは、億万長者クラスを対象としており、居住者の長期的な精神的健康にも十分配慮していると言っています。そこでは模擬的な自然光を提供しており、模擬太陽光に照らされた庭園エリア付きのプールの他にも、ワイン貯蔵庫など、富裕層がくつろいで過ごすための設備を備えています。

しかし、よく検討してみると、このような強化されたシェルターが、実際に居住者を現実世界から保護する可能性は低いのです。その理由の一つとして、地下施設の生態系は、極めて脆弱です。本物の現実世界では、生態系の多様性が影響を緩和する役割を果たして、破滅的な大惨事から居住者を保護します。自然の中では、疫病、干ばつ、侵入者などがある生物種を脅かすかもしれませんが、他の生物種によって影響がうまく緩和されます。一方、屋内の密閉された水耕栽培農園は、汚染に対して脆弱です。湿度センサーとコンピューターで管理された注水システムを備えた機械式農場は、サンフランシスコ湾岸地域にあるベンチャー企業の屋上にあるならば、ビジネスプランとしては優れているように見えます。パレット内の表面の土が、あるいは一部の作物の状態が悪くなれば、単純に取り出して交換できます。しかし、この世の終わりに備える密閉された「栽培室」では、そのようなやり直しができません。

シェルターについての「すでにわかっている」想定外事項だけでも、生存の希望を打ち砕くのに十分です。しかし、だからといって、裕福なプレッパーが準備をやめるわけではなさそうです。ニューヨークタイムズの報道によれば、新型コロナウイルスの感染の広がりに際して、プライベートアイランドを専門に扱う不動産業者には、問

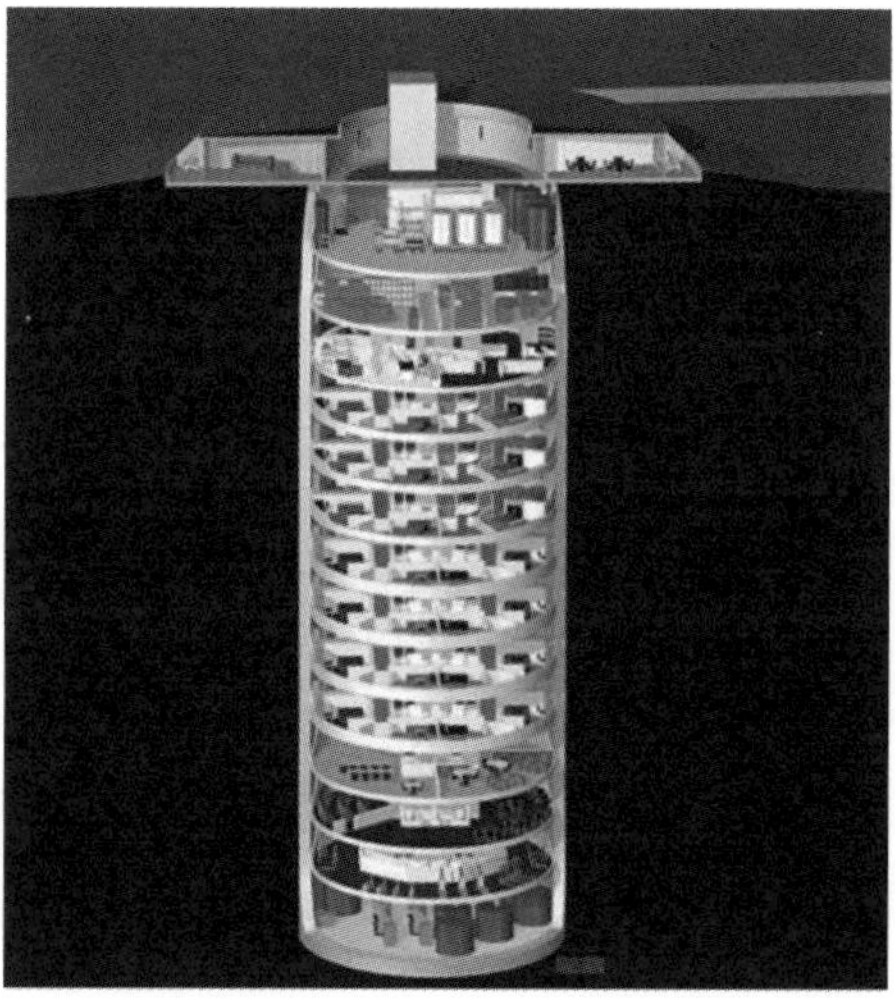

Vivos
世界各地で、冷戦時代の弾薬庫などを流用した、豪華な地下のマンションの販売。

い合わせが殺到したということです。その問い合わせでは、ヘリポートを設置する敷地に加えて、農業をするのに十分な土地があるかどうかが重要な関心事でした。しかし、プライベートアイランドは、疫病の流行が過ぎ去るのを一時的に待つには良いでしょうが、自給自足する海上の要塞に仕立て上げるのは、見かけほど容易ではありません。小さい島では、基本的な食料の輸送は、飛行機または船に完全に依存しています。太陽光発電パネルや水ろ過装置は、定期的に交換修理しなければなりません。そのような場所に住む億万長者は、産業文明に組み込まれた私たちよりも、もっと複雑な供給網に依存して生活しています。

いずれにしても、環境が完全に密閉されることはありません。あらゆるものは、あらゆる場所に行くことができます。有毒ガス、病原菌、放射線は、どんなに考え抜かれたバリケードでも通過して広がって漏れていきます。精密なエアフィルターは、定期的に交換しなければなりませんし、フィルターがあっても漏洩する場合があります。中国からの大気汚染や、欧州およびカリフォルニアの山火事は、すでに遠くの大陸まで届いていて、エベレストやカトマンズでも測定できるほど環境を汚染しています。発がん性のあるマイクロプラスチックは、一般的な欧州の都市と同じように、北極の氷にも大量に含まれています。世界自然保護基金の研究によれば、平均的な米国人は、食物を通じて1カ月にクレジットカード約1枚分のプラスチックを体内に取り込んでいます。ニュースを見ればわかります。もう逃れる方法はないのです。

私を呼び出して脱出戦略についてアドバイスを求めた億万長者たちは、きっとこのような限界に気付いています。これは何かのゲームだったのでしょうか。ポーカーテーブルに座った5人の男たちが、それぞれ自分の脱出計画が最も優れているという賭けをしていた、とか……。私は、中立的なディーラーの役割を期待されていたのでしょうか。それとも、ファンタジーRPG（ロールプレイングゲーム）のゲームマスターとして、彼らの書いたそれぞれのシナリオに判定を下す役割だったのでしょうか。

実際には、それ以上のことが行われていました。彼らが遊び半分だったのであれば、私を呼んだりしなかったでしょう。ゾンビによる世界の終わりを描いたマンガ本の作者を呼び出したはずです。防空壕計画の有効性確認試験をしたかったのであれば、ブラックウォーター（米国の民間軍事会社）または国防総省の専門家に依頼したでしょう。彼らは、それらとは違う何かを求めていたようです。彼らの話は、大惨事への対応についての質問をはるかに超えて、政治や哲学に踏み込んでいました。「事件」の際には個人の権利、主権、統治権、自治はどうあるべきなのかというような話です。

私が呼び出されたのは、実際の防空壕戦略を評価するためではなく、また、脱出の取り組みを正当化するのに使っている哲学や数学を判定するためでもありません。彼らは、私が「隔離の方程式」と名付けたものを解こうとしていたのです。彼らが金儲けをすることによって生み出したこの現実世界から、自分たちを隔離するのに十分な資金を稼ぐことができるかどうか。世界の終末が来たとき、またはそうでなくても、他の人々を置き去りにして、彼らが首尾よく生き延びるための正当な根拠があるかどうか。

彼らは「マインドセット」の支持者なので、最初から集団的政治形態を拒否しています。そして、十分な資金と技術があれば、ある個人の好みに合わせて世界を変えられるという思い上がった考えを持っています。彼らのさまざまな自己統治脱出計画は、テクノリバタリアン（技術の進歩と個人の自由を重視する人々）の世界構築ファンタジーと同じようなものです。たとえば、スーパー億万長者による火星の植民地化競争が行われていますが、彼らの計画は、それをこの地球上で実現しようとしています。いずれにしても、惑星を人間が住めるように改造して実際に宇宙に進出できるのは、１兆ドル以上の資産家だけでしょう。私に地球滅亡の日のアドバイスを求めたあの集団は、自分たちが「低レベルの億万長者」だと認めています。彼らは、せいぜい、イーロン・マスク（テスラのオーナー）、リチャード・ブランソン（ヴァージン・アトランティック航空のオーナー）、あるいはジェフ・ベゾス（アマゾンのオーナー）の宇宙船に乗せてもらえるかどうか、というところでしょう。さらに、高レベルの資産家たちであっても、どこかを植民地化できるのは、少なくとも数世代先になりそうです。

海へ逃げるというおとぎ話

もう少しだけ妥当なテクノユートピアの脱出ファンタジーとしては、海上に人工都市を造るというシーステディング（Seasteading）運動があります。何年か前にいくつもの雑誌記事が飛び交いましたが、気候による大災害、社会の混乱、経済崩壊に対する持続可能な解決策を約束するというものです。「アクアプレナー」（水関連企業家）が思い描いているのは、ゲーム「マインクラフト」と映画『ウォーターワールド』が合体した未来の世界です。巨大なハイテクのいかだを使って、クリーンで再生可能な海洋温度差発電で電力を得て、石油を掘削している陸上の人間の文明から脱出して、裕福な人々が、自由に浮かぶ独立した都市国家に住む構想です。この種の誇大広告は、徐々に少なくなってきたようですが、何人かの億万長者や、国連およびMITなど一部の公的組織は、今でも人類を海に帰らせる計画に取り組んでいます。

シーステディングの提唱者たちは、あらゆる話を、持続可能性、環境保護、そして、新型コロナウイルスや気候変動による混乱から逃げ出すことに結びつけているようです（すでに海上に住んでいれば、海面上昇は恐くない？）。しかし、究極的には、彼らがこの大地から立ち去ろうとしているのは、必ずイデオロギー的な動機に行き着きます。シーステディング研究所のミッションステートメントには、それがわかりやすく書いてあります。「多様性のある社会的、政治的、法的制度の実験およびイノベーションを実現するための、永続的、自治的な海洋コミュニティーを創設する」。

つまり、このような海洋計画に投資しているIT起業家たちは、初期のインターネットを連想させるような、何でもありの西部開拓時代を取り戻そうとしているのです。それは、水とはほとんど関係なく、政治的な自治、すなわち、逃避を目的とする「マインドセット」だけに支配されて生活する自由を目指すものです。こうしたアクアプレナーは、これまでの国民国家の保守的な考え方による束縛や規制を受けずに、超リバタリアン（自由主義者）的な実験として自由に文明を再構築しようとしています。彼らは、すぐに新しい形の政府の試作版を作り出して、市民の権利や集産主義をどのように扱うべきかを判断するでしょう。シーステディング研究所のウェブサイトでは、次のように説明しています。

「人類は、農業革命を経験し、さらに、商業革命や産業革命も経験しました。統治革命も、あってしかるべきです。海へ行きましょう」。

海は、彼らの目的のための手段なのでしょう。つまり、自分自身の忠誠心、価値観の表明、法律を守る責任などを完全に尊重しながら、つまり「民主主義的」でありながら、国の統治権を徹底的に再構築するための手段だということです。

それは、ある種のアンカンファレンス（従来の会議のようにトップダウンでなく各参加者が話したい内容を発表する会議）のような考え方です。それぞれの個人や家族が、自分専用の浮かぶハイテク別荘、すなわち「ナノ国家」（微小な国家）を建設したり購入したりして、最適な政府の形態を提供するどこかのクラスター国家（ナノ国家の集団としての国家）へ流れていきます。ソーシャルネットワークがユーザーを求めて競争したり、あるいはバーニングマン（ヒッピー文化と関連の深い、アメリカの巨大アートイベント）のキャンプが参加者を集めるために競争したりするのと同じように、何でもありの自由市場で、〝スタートアップ〟社会が居住者を求めて競争するのです。さらに、国家による規制がないので、アクアプレナーは、遺伝子工学、クローン作成、ナノテクノロジーなどに法的または倫理的制約が課される国では不可能な技術開発や科学的ブレークスルーを達成できるでしょう。

環境保護の緊急性や夢のある技術革新という皮をかぶった、このような自己統治ファンタジーは、テクノリバタリアンのエリートの欲望、すなわち、議会による調査や独占禁止法の規制、時代に逆行する技術恐怖症などの制約から逃れたい、不利なゲームを放棄してどこか別の場所でプレイしたい、という考え方が表に出てきたものです。

陸上、海上、あるいは宇宙でも、この自己統治の探求は、世界の終わりに対する備えの事例というよりも、その陰に隠れていた、ITエリートによるアイン・ランド（リバタリアンに影響を与えた米国の小説家）的なファンタジーであることを暴露しています。人類の中で最も合理的で生産性の高い人々が、自己の利益を追求するために脱出して、自分たちのための独立した経済を構築する権限を持ち、その行動による道徳的な結果を考慮する必要はない、というファンタジーです。

◇原注　第1章

◇ posted an article: Douglas Rushkoff, “Survival of the Richest: The Wealthy Are Plotting to Leave Us Behind,” *Medium*, July 5, 2018,https://onezero.medium.com/survival-of-the-richest-9ef6cddd0cc1.

◇ publishes pieces: J. C. Cole, “American Gray SWANS USA 14 Feb 2019,” Public Intelligence Blog, May 17, 2019,https://phibetaiota.net/2019/02/jc-cole-america-first-rooted-in-small-sustainable-distributed-farms-localize-localize-localize/, accessed September 20, 2021;and J. C. Cole, “American Gray Swans-June 2021 # 1 ’Only June 2021 Petroleum Events and Other Curious Happenings!,” *Public Intelligence Blog*, July 14, 2021,https://phibetaiota.net/2021/07/jc-cole-american-gray-swans-june-2021-1-only-june-2021-petroleum-events-and-other-curious-happenings/, accessed September 20, 2021.

◇ Rising S Company: Rising S Company, “All Steel Bunkers and Bomb Shelters,” https://risingsbunkers.com, accessed June 30, 2021.

◇ luxury underground apartments: Elizabeth Stamp, “Billionaire Bunkers: How the 1% are preparing for the apocalypse,” *CNN*, August 7, 2019,https://www.cnn.com/style/article/doomsday-luxury-bunkers/index.html.

◇ the Oppidum: Jim Dobson, “Inside the World’s Largest Private Apocalypse Shelter, The Oppidum (New Images),” *Forbes*, November 5, 2015,https://www.forbes.com/sites/jimdob-son/2015/11/05/billionaire-bunker-inside-the-worlds-largest-private-apocalypse-shelter-the-oppidum/?sh=675141ef6ad6.

◇ real estate agents specializing in private islands: Heather Murphy, “The Island Brokers Are Overwhelmed,” *New York Times*, October 9, 2020,https://www.nytimes.com/2020/10/09/realestate/private-islands-coronavirus.html.

◇ Cancer-causing microplastics: Jamie Wheal, *Recapture the Rapture: Rethinking God, Sex, and Death in a World That’s*

Lost Its Mind (New York: HarperCollins, 2021).

◇ World Wide Fund for Nature study: Wijnand de Wit and Nathan Bigaud, "No Plastic in Nature: Assessing Plastic Ingestion from Nature to People," World Wide Fund for Nature, 2019,https://d2ouvy59p0dg6k.cloudfront.net/downloads/plastic_ingestion_web_spreads.pdf.

◇ "aquapreneurs": Joe Quirk and Patri Friedman, *Seasteading: How Floating Nations Will Restore the Environment, Enrich the Poor, Cure the Sick, and Liberate Humanity from Politicians* (New York: Free Press, 2017).

◇ humanity's return to the sea: "Busan UN Habitat and OCEANIX Set to Build the World's First Sustainable Floating City Prototype as Sea Levels Rise," UNHabitat.org, November 18, 2021,https://unhabitat.org/busan-un-habitat-and-oceanix-set-to-build-the-worlds-first-sustainable-floating-city-prototype-as.

◇ "To establish permanent":https://www.seasteading.org.

◇ "We've had the agricultural revolution":https://www.seasteading.org.

第2章　合併と買収

彼らは出口戦略を必要としている

コンピューターと幻覚剤

これは、デジタル技術が人間の文化を変える、と私たちの大部分が思っていた状況とは異なります。

私自身が初めてコンピューターに触れたのは、中学3年生のときでした。地域の教育委員会が、学校の記録管理のためにIBMの大型計算機を購入しました。そして、後からの思い付きで、興味のある生徒のために数学科事務室に3台の端末を設置しました。もちろん、子供たちは、大人の管理者よりも早く学校のコンピューターシステムに詳しくなりました。毎日のように、コンピューターオタクたちが教室から呼び出されて、教員の給与明細や生徒の成績表を扱うシステムの不具合を調整しました。そこには独自の文化として、他人へ奉仕する、新人に教える、全てを共有する、という精神がありました。

その精神は必要なものでしたし、コンピューター文化を支配するより広い精神でもありました。パーソナルコンピューターは、まだありませんでした。人々は、どこか別の場所にある大型計算機に接続された端末で作業をしていました。これは、全員が、計算機資源、すなわち限られた計算能力を共有して分け合う必要があることを意味しています。初期のソフトウェアの大部分は、この共有を調整する仕事をしていました。たとえば、ハードドライブのどの部分に各ユーザーのファイルの「ディレクトリ」を収容するか、あるいは、誰が、いつ中央処理装置でプログラムを実行するか、というようなことです。

当然ながら、このようなユーザーが書いたソフトウェアは、「シェアウェア」でもありました。自分の書いたソフトウェアの代金を請求するなんて、考えたこともありませんでした。プログラムが成功したかどうかの目安は、どれだけ広く使われるかでした。それが誇りでした。お金は関係ありません。実際のところ、当時の親たちは、子供がコンピューターに興味を持ったりすることを心配していました。人生を投げ捨ててテレビゲームにのめり込んで、生活費を稼がなくなるのではないか、と思ったのです。彼らは、何が本当に起こっているのか理解していませんでした。

起こっていることの巨大さを私自身が認識したのは、大学生になって、卒業論文を清書するために計算機室に行ったときでした。そこにいた大学院生が、私の作業を保存する方法を教えてくれたときのことを今でも覚えています。大学院生は、ファイルを「リードオンリー」（読み出しのみ）で保存すれば、他人が私のファイルを読むことができ、「リード・ライト」（読み書き可能）で保存すれば、私の保存したファイルに他人が書きこんだり変更したりできる、と教えてくれました。全てのファイルは、「リードオンリー」か「リード・ライト」のどちらかです。そのときは、単純なことだと思いましたが、計算機室を出た途端に、あらゆるものが今までと違うように見えてきました。世界にあるものは、何が「リードオンリー」で、何が「リード・ライト」なのか。お金は、なぜリードオンリーになっているのか。宗教はどうか。もしそれを変更すること、つまり「リード・ライト」ができたらどうなるか。世界の中で、人間が介入できないと決まっているものはどれだけあるのか。誰がそう決めたのか。私は、それまで、テレビというリードオンリーのメディア環境で育ってきました。つまり、観客でした。しかし、この状況は、変化しつつあるものだと気が付きました。

シリコンバレーに転居した私の友人たちは、コンピューターをプログラムするだけでなく、現実をプログラムするために、シリコンバレーを選んだのです。彼らは、中学校の数学科事務室にいたコンピューターオタクではありません。音楽と演劇に関する私の授業で知り合ったアーティストであり、幻覚剤のユーザーです。グレイトフル・デッドのファン、魔女術の信者、ブライアン・イーノの熱狂的なファンでもあります。豊富な幻覚体験を持つ幻覚剤コミュニティーのメンバーは、仮想的環境や、新しい方法による人間のコミュニケーションを考えるのが得意です。シリコンバレーのIT企業は、この想像力豊かなサブカルチャーの領域からプログラマーを積極的に探し出し、彼らのために特別な配慮をしました。たとえば、国防関係の請負業者として必要な薬物検査があるという情報を一部の従業員にだけ、非公開で早めに提供する、などです。

1960年代の幻覚剤ユーザーのヒーロー、たとえばLSDのグル(導師)ティモシー・リアリー、元メリー・プランクスターズ(ヒッピーのコミューン)のスチュアート・ブランド、グレイトフル・デッドの作詞家ジョン・バーロウ(もと市民活動家で「サイバースペース独立宣言」を書いた)たちは、コンピューター革命とは、戦後の軍事官僚機構やハイテク企業によるものではなく、ヘイトアシュベリー(サンフランシスコ市内にあるヒッピー文化発祥の地)の「新しい共同体」、『ホールアースカタログ』(スチュアート・ブランドが創刊したヒッピー向けの雑誌)、エサレン協会(カリフォルニア州にある宿泊研修施設。人間性回復運動に関するワークショップが行われた)の温泉浴場によって作られるものだという確信をカリフォルニアのカウンターカルチャーを信奉する若者にもたらしました。

1990年代の初めまでに、幻覚剤文化とコンピューター文化は、区別がつかない状況に発展しました。昼間にアップルでプログラムを書いているソフトウェア開発者は、家に帰ると、サボテンからペヨーテのつぼみをはぎ取って、一晩中トリップしていました。サン・マイクロシステムズで働いていた私の友人は、高性能コンピューターを使って、グレイトフル・デッドのショーで投影するフラクタル画像を作っていました。一時は、インテルが、サンフランシスコのレイブパーティーで実演展示するために、子供向けバーチャルリアリティー装置の試作品を作ったこともありました。

　私たちのインターネットに敵がいるとすれば、それは、私たちが遊ぶための道具を提供したり、私たちの時間に給料を払ってくれたりする企業ではなくて、政府でした。政府は、コンピューターを使って、戦争ゲームをしたり、若いハッカーをでっち上げの容疑で逮捕したり、オンラインでの私たちのコミュニケーションを検閲しようとしたりしていたのです。よく知られているように、インターネットは、元々、ARPANET（アーパネット）というネットワークであり、核戦争のような惨事の後でも軍隊の通信確保に役立つ分散型システムとして設計されたものですが、私たちは、その起源からできるだけ遠ざかりたいと思っていたのです。その一方で、FBIは、サンデビル作戦と呼ばれる一連の過酷な取り締まりを実施しました。私たちに人気のある10代のハッカーたちの自宅に踏み込んで逮捕して、彼らの家族を恐れさせせました。全て、被害を受けた人のいない比較的軽微な違反だったにもかかわらず、です。1996年には通信品位法が制定され、「わいせつ」なデータだけでなく「下品」だとみなされるもの全てを禁止することによって、私たちが情報の自由と考えていたものを制限しようとしました。

エサレン協会の温泉浴場

エサレン協会はスタンフォード大学の卒業生マイケル・マーフィーとリチャード・“ディック”・プライスによって1962年に設立された。

経済化されるサイバースペース

ジョン・バーロウによる1996年の「サイバースペース独立宣言」は、私たちの多くが感じていたこと、およびそれ以上のことを表現しています。

「産業社会の政府諸君、肉体と鉄でできたうっとうしい巨人諸君、私は、新しい精神のすみかであるサイバースペースから来た。未来の名において、私は、過去のものである諸君に向かって私たちを放っておくように要請する。諸君は、私たちから歓迎されていない。諸君は、私たちが集まるところに対する統治権を持っていない」。

つまり、政府は敵であり、人類のこの新しい集団的プロジェクトに対して介入されたくないと思っていたのです。ところが、私たちの大部分は、この宣言の末尾にある「スイスのダボスにて、1996年2月8日」という署名の行を見落としていました。有名な世界経済フォーラムの開催日と場所であり、グローバル資本主義の発祥の地です。

その時点では、宣言にある規制撤廃は、良いことのように思われました。私たちは、ただのレイバー（レイブの参加者）やサイバーパンクであり、薬物使用で私たちを逮捕する政府を恐れていました。私たちは、ジョン・バーロウが自由奔放なグレイトフル・デッドの作詞者だと知っていましたが、彼が若い頃にはリバタリアンとしてディック・チェイニー（米国の元副大統領）の選挙運動を統括していたことは認識していませんでした。私たちは、政府をインターネットから追放すると、私たちのフリースペースではなく企業による植民地化のフリーゾーンができるとは思っていなかったのです。私たちは、政府と企業の均衡した状態に気付いていませんでした。体内の菌類とバクテリアのバランスのように、一方を取り除くと、他方が猛威を振るい出すわけです。

私たちは、自分たちの新しい文明を作り出すことに興奮しすぎていて、そのような企業と政府の関係を考えていませんでした。私は、国連のワークショップに参加して、名札に「サイバースペースの住人」と表示したことを覚えています。今にして思えば、それが良いことだと思い込んでいたのです。

しかし、2000年1月10日の朝、ついに、私にとってのインターネットに変化がありました。ニューヨークタイムズの編集者から電話があって、その日の午後までに特集記事を急いで書くように依頼されました。私は、わくわくしました。私が1980年代からずっと書き続けてきたネットの文化がついに主流に躍り出て、あのニューヨークタイムズが、私のような片隅にいるサイバーパンクのライターに解説記事を依頼するようになったのです。しかし、編集者が私の記事に期待したものは、少し違っていました。立派な「オールドメディア」(新聞・雑誌・テレビ・ラジオなど、旧来から存在する報道媒体)企業であるタイム・ワーナーが、設立後10年程度のインターネット接続企業アメリカ・オンライン(AOL)に買収されるという発表がありました。これは、インターネットが本当に時代の波に乗ったということなのか。この合併が意味することをわかりやすい言葉で説明してほしい、という依頼でした。

チャンスを逃したくないとは思いましたが、これは、本当

ジョン・バーロウ

「サイバースペース独立宣言」は、16の短い段落で、外部の権力、特にアメリカ合衆国政府によるインターネット検閲への反論を述べている。

は私の担当分野ではありません。私は、メディアと文化に関するライターなのです。とにかく、ぶっつけ本番で書くことにしました。ニューヨークタイムズの編集者は、この合併を「デジタル経済の誕生」と見ていて、そうであれば、私が記事を書きたがるだろうと思ったようです。そこで、私は自身の立場、すなわちメディア学者であり、金融については無知な者としてこの買収を分析しました。フィルムライブラリー、雑誌の一大帝国、テーマパーク、映画撮影所、数千マイルに及ぶ有線テレビケーブルなどの資産を持つ由緒ある大企業タイム・ワーナーが、米国のほぼ全ての家庭に「10時間インターネット接続無料」のCDを送り付けていたAOLの連中と合併するのです。この契約によれば、両社が合併して一つの会社になり、AOLの株主が新会社の株の55％を所有し、タイム・ワーナーの株主は45％だけを所有することになります。

実質的に何も現物資産を持たないAOLが、どうしてこのような離れ業を達成できたのでしょうか。AOLは、数百万人のユーザーを集めていましたが、噂に聞くところでは、この数カ月は新規加入者の増加率が伸び悩んでいたようです。AOLにとって、この世紀の変わり目の時点で最高潮になっていたものは、資産ではなくその株価でした。

そのとき突然、私の中のテレビゲームマニアの感覚が働いて、この動きが理解できました。いわばAOLは、「ゲーム世界」の仮想のお金を使っていたのです。AOL創設者のスティーブ・ケースは、彼独自の通貨で資金（つまり株式）を得て、そのドットコム的な投機による実体のない資産から、現物資産を持つ現実の企業（タイム・ワーナー側）の過半数の株式への交換を実行したということです。さらに、今それを行うと決めたということは、彼がAOL株は史上最高値に達したと考えたからです。私から見れば、AOLによるタイム・ワーナー買収は、当時の米国の連邦準備制度理事会（FRB）議長アラン・グリーンスパンが「不合理な熱狂」と呼んだ、関連技術の株価が最高値を付けた状況を反映していました。それはドットコムブームがはじける直前のことでした。

そこで、私は、こうした内容の原稿を書いて、午後3時の締め切りまでに編集者へ送りました。1時間後、電話がかかってきました。

「この記事は掲載できません」と彼は言いました。

「みんなはこの合併が素晴らしいことだと言っているのに、あなたは、これは失敗するだろう、これはある種のおとり商法だ、という議論を展開しています」。

「そうです。タイム・ワーナーは、だまされています」と私は答えました。

「経済界のあらゆる人が、この合併は、オールドメディアにとってもニューメディアにとっても明らかに素晴らしいことだ、と言っているのに、否定的な記事を掲載することはできません」。

「そうだとすれば、経済界の誰かに書いてもらうべきでしたね」。

彼らは、そのようにしました。ビジネスの専門家による数百本の記事と同様に、ニューヨークタイムズの特集記事は、この合併の利点を絶賛しました。私が書いた記事は、ガーディアンに掲載されました。この新聞は、米国の資本主義に反対する意見も歓迎していたからです。しかし、圧倒的多数の意見は、ビジネスの歴史における潮流の変化を私たちは目撃している、というものでした。新興企業が成熟企業を飲み込んだ、ニューメディアがオールドメディアを征服した、創造的破壊、デジタル経済の夜明け、あるいはインターネット革命などと表現されていました。

インターネットの終わり

私から見れば、これはインターネット革命ではなくて、インターネットの終わりでした。私たちは、技術によって人間性を拡大する方法ではなく、衰弱した株式市場を活気づける方法に興味を持つようになったのです。デジタル文化に対する興奮、新しいメディアを通じて互いに交流する人々の魅力、あるいは一晩中テレビを見る代わりに無料で新しいソフトウェアを作っていた人々の意欲は、オールドエコノミーの株式市場での大事件を誇大広告するために利用されたのです。デジタルの技術革新は、世界を変えるのではなく、古いシステムを元の位置に改めてしっかりと固定する役割を果たしました。

2カ月後、ドットコムバブルがはじけました。ナスダック（NASDAQ）は暴落し、AOLタイム・ワーナーの合併を祝福したのと同じ新聞が、タイム・ワーナーのCEOでニューヨーク証券取引所の元理事でもあったジェラルド・レビンはとんでもない失敗をしたと非難しました。息子を亡くしたトラウマのせいで判断を誤ったのだと彼を責めました。そして、人々は、見かけ上、株主の2000億ドルの資金が蒸発したことに衝撃を受けました。インターネット革命はねずみ講だったとあざ笑いました。

さらに言えば、オールドメディアとニューメディアの融合は、インターネット文化の破壊的な価値をタイム・ワーナーに注入することができませんでした。合併後の会社は、冒険的にも革新的にもなりませんでした。全くその逆です。今まで以上に伝統的な大企業の気風を持ち、利益だけを重視する企業になりました。彼らは、CNNのテッド・ターナー（CNNの創業者。1996年にCNNはタイム・ワーナーと合併していた）を解雇しました。1980年代のケーブルテレビの風雲児は、この21世紀の「ニューメディア」企業にとっては、過激で野性的すぎると思われたのでしょう。また、印刷とデジタルメディアの「相乗効果」が約束されていたはずなのに、実際には、タイムやスポーツ・イラストレイテッドなど畏敬すべき資産の残り物を、オンラインの「拡張版」で薄めたものになりました。バナー広告を販売しましたが、その大部分は、印刷出版物の広告主への特典としてオンラインスペースを無料で提供するという結果に終わりました。

破壊的な破壊

さらに都合の悪いことに、新しい合併会社は、その株主に対して、莫大な評価額すなわち時価総額に見合った価値を生み出さなければなりません。当時のAOLの株価は、ダイヤルアップによるインターネット接続の成長に対する極めて投機的な期待に基づくものでした。しかし、AOLのインターネット加入者増加率は頭打ちになっていたので、新会社AOLタイム・ワーナーのオールドメディア側は、何が何でもその埋め合わせをする必要がありました。それは、デジタルが混乱している時代において、伝統的な出版社には難しいことです。そこで、新しい収入源を見つける代わりに、株主を喜ばせる実績のある伝統的な方法を採用しました。費用削減です。この会社は、従業員に「退職優遇制度」を提供し、調査費用を削減し、ウォータークーラーまで撤去しました。シックスフラッグス・テーマパーク（ディズニーランドに影響されて建設された北米各地にある遊園地）のような利益を生む資産も、さらには、ケーブルテレビ会社のロードランナーも売却しました。生き残るために、タイム・ワーナーは、最終的にはAOLを完全に切り離して、独立させなければなりませんでした。これで元のタイム・ワーナーに戻りましたが、資産も、従業員も、現金も、株価も失ってしまいました。

したがって、少なくともこの事例では、創造的破壊は、むしろ破壊的破壊に近い結果に終わっています。ＡＯＬの創業者スティーブ・ケースのチームは、高値をつけた株をまだ時間のあるうちに使う方法、すなわち出口戦略を何カ月もかけて探していたのです。デジタル革命に投資する代わりに、投資銀行のソロモン・スミス・バーニーに依頼して、買収の標的を見つけてもらいました。これは、決してニューメディア戦略ではありません。昔ながらの安く買って高く売るための駆け引きであり、それがデジタルファイナンスの圧倒的なバブルによって強化されたものにすぎません。後に、テッド・ターナーが独特な誇張表現を使って次のように解説しました。

「タイム・ワーナーとＡＯＬの合併は、ベトナム戦争やイラク、アフガニスタンでの戦争と同様に葬られるべき歴史だろう。これは米国で起こった最大級の惨事の一つに数えられるものだ」。

しかし、当時は、私は悲観的すぎると考えられていたのです。

このＡＯＬの失敗は、ねずみ講方式が初期のインターネットの基盤となっていることを暴露しました。その後に発生した、より広い範囲にわたるドットコム崩壊では、２００２年10月までにＮＡＳＤＡＱ指数の78％、５兆ドルが消滅しました。確かに、市場は最終的に回復しました。しかし、技術と資本との関係は、永遠に変化してしまいました。資金は新しい技術に財源を提供する手段だという見方は消滅し、新しい技術は、単に、

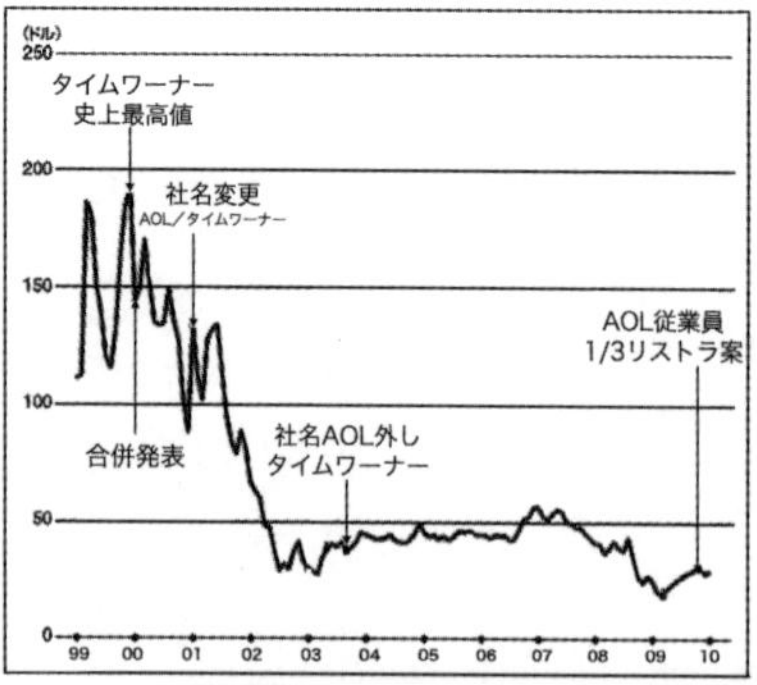

合併後の株価の低迷

2001年、タイム・ワーナーとAOLとの合併後たどった株価の低迷。

手っ取り早く資金を得るための手段になりました。

ドットコムバブルの崩壊で損失を被ったベンチャーキャピタルは、この失敗から教訓を得ました。彼らは、もはや、ハッカーに資金を提供して結果が出るのを待ったりしません。技術開発で本当に重要なことが何であるかを完全に理解したので、自分たちが主導権を握る必要があると考えました。それ以降、ベンチャーファンドから資金提供を受けることは、創業者が技術を使って達成しようと考えたことを実行するのではなく、そこから「ホッケースティック」型の成長曲線で投資家が最終的に1000倍のリターンを得られる可能性が最も高い事業の実行に「軸足を移す」という意味になりました。

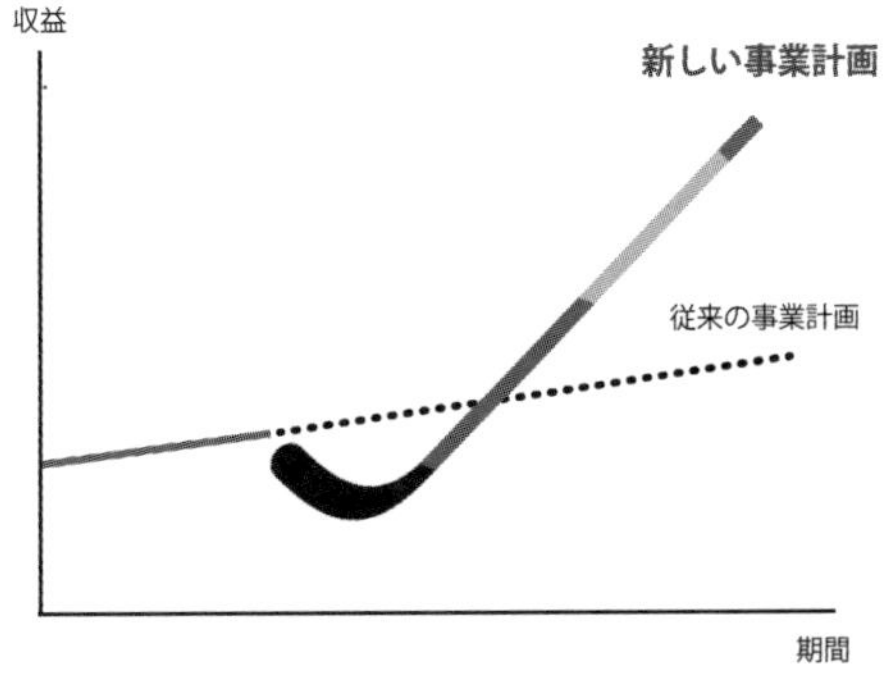

ホッケースティック
事業計画等でよくある、最初はへこむがその後ぐっと事業が伸びていく様子を指す。

マインドセットの始まり

ここで「マインドセット」が到来しました。

たとえば、グーグルは、ヤフーのトップダウン方式による分類システムよりも優れたウェブ検索方法を生み出すプロジェクトとして、スタンフォード大学の学生2人が始めたものです。彼らのボトムアップ方式のシステムは、ウェブサイトが相互にリンクしていると考えて、そのリンクを使って検索の順位を決めます。この会社は、検索結果の隣に「スポンサーのリンク」をいくつか表示するだけで、著しい成功を収めて利益を得ましたが、投資家はそれ以上のものを要求しました。グーグルにとって幸運なことに、何億人ものユーザーが行うウェブ検索には、全て「付随的データ」が発生しています。これは検索およびクリックの全履歴に加え、企業があまり気にしていなかった他の情報全てを含んでいます。ショシャナ・ズボフ（「監視資本主義」という概念を提唱した経済学者）がその著書『The Age of Surveillance Capitalism』（邦訳：『監視資本主義：人類の未来を賭けた闘い』）で年代順に解説しているように、検索結果を一般のユーザーに提示することを続ける一方で、グーグルは、より利益が得られる事業を始めました。ユーザーのデータを本当の顧客、すなわちマーケットリサーチャーに提供することです。マーケットリサーチャーが、対象となるユーザーを探して、そのユーザーの行動を操作するのに役立てるのです。

同様に、マーク・ザッカーバーグ（フェイスブック＝現メタの創業者）は、自分の〔おそらく借り物の〕夢を追いかけて大学をやめました。大学生が友人や恋人を得るためのオンラインソーシャルネットワークを作るという夢です。しかし、ピーター・ティールらの資金提供を受けた後、彼のビジネスモデルは、広告掲載からデータ販売へと転換しました。このプラットフォームに、私たちがより長く、より感情を込めて関われば関わるほど、フェイスブックは私たちについてより多く知ることができます。私たちのあらゆる投稿、「いいね」、リンク先のクリックは、記録され、分析されて、さらに多くの関わりを持つように仕向けられます。そこでは、多くの場合、私たちが扇情主義に弱いことを利用して、衝動的な傾向を強めるようになっています。社会に対する悪影響は、まだ完全には解明されていませんが、多くの技術評論家は、ソーシャルメディアがデータ抽出を重視することによって、実際には私たちが互いに疎遠になり、また現実の世界からも遠ざかる結果を招いているという本を書いています。要するに、ザッカーバーグの会社は、人々の力を強化するのではなく、人々を犠牲にして投資家を豊かにしているのです。

私たちはSNSで働かされている

フェイスブックによるデータ収集およびユーザー操作という行動が表面化したとき、私は、これらのプラットフォームでは「私たちはユーザーではなく、商品である」という講演をするようになりました。わかりやすい表現ですが、本当は少し違います。私たちは、これらのプラットフォームの商品というよりも、労働力なのです。私たちは、従順に記事を読み、クリックし、投稿し、リツイートしています。激怒したり、あきれたり、憤慨したりしています。そして、苦情を言ったり、攻撃したり、あるいは発言を否定したりします。これは、労働です。その受益者は株主です。AOLの失敗からシリコンバレーが実際に学んだことは、これらの企業の本当の商品は、「株式」であるということです。

ドットコムバブル崩壊後の、新しい改良版のシリコンバレーでは、極端な資本主義が支配力を持っています。デジタル技術が、最も重視されています。その理由は、多くの人を雇用しなくても規模を拡大できて利益を生むから、あるいは、このほうがよくある理由ですが、過度な期待をあおって株価を高騰させることに使えるからです「「ブロックチェーン」というようなトレンドの言葉を会社名に含む企業は、株価が4倍になりました」。AOLが無料のCDを郵送した例にならって、各企業は、費用を度外視して先を争って加入者を得ようとします。企業は、加入者の数が「できれば指数関数的に」拡大している間は、何年にもわたって損失を出し続けることができます。

しかし、全てが抽象的だというわけではありません。ユーザー数が「急上昇」すれば、株価の急上昇につながります。そうすると、IT企業は、その増加した資産を自由に使えるので、現実世界の政策を変更させるための議員に向けたロビー活動の軍資金にします。ウーバーやドアダッシュ（アメリカのフードデリバリーサービス大手）は、ドライバーを福利厚生の権利がある従業員として雇用するのではなく、低コストの独立した自営業者として契約することを認めてもらうために、数百万ドルをロビー活動に使っています。Airbnb（エアビーアンドビー）は、その軍資金で「独立したホスト（家主）が主導する地域組織」に補助金を提供しています。これらの組織は熱意を持つホスト同士がつながるフォーラムとして機能します。これを彼らは、地元自治体や市議会からの規制圧力に対抗するために利用するのです。グーグルは、2017年までは、ワシントンの政治家に対するロビー活動に他のどの企業よりも多く資金を使っていました。2020年の時点でも、フェイスブックに続いて2番目に多い額になっています。

デジタル企業は、物理的に制約されない、かつ指数関数的な成長を遂げているので、泥棒男爵の金ぴか時代（南北戦争後、米国で資本主義が急速に発展した時代）にも例がないほどの政治的および経済的な力を蓄積してきました。さまざまな調査によれば、経済的エリートは、政府の政策に対して多くの影響を与えているのに対して、「一般市民および大衆の利益団体による影響は、ごくわずか、またはゼロ」という状況です。大企業が自社の独占状態を守るためにロビー活動を行えば、小規模企業は競争力を失います。その結果、倒産や失業が増加します。労働者には、社会的な救済策がありません。彼らを失業に追い込んだ企業は、利益を出さず、税金を払っていないからです。最後の手段として、労働者は、ドアダッシュ、ウーバー、あるいはアマゾンメカニカルターク（アマゾンのウェブサービスの一つで、プログラムでは不可能な、人間の作業が必要な処理を多数の外部作業者に分散して委託するもの）のようなパートタイムの仕事に手を出します。このようにして、元はと言えば彼らの職を奪ったプラットフォームに依存する状況になります。

大規模ＩＴ企業の〔利益額ではなく〕時価総額は、多くの国それ自体の評価額に匹敵するほどになっています。労働者から見れば、持ち株によって億万長者、あるいは１０００億ドルの資産家になった人々は、最初は善意から事業を始めたとしても、最終的には「マインドセット」に屈服しています。彼らの会社と同様に、彼らは、他人を助けることに背を向けて、自分自身のキャピタルゲインを増やすことに専念する傾向があります。このような方法で資産を蓄えると、人間は自分が社会の一員であることを認識する能力に影響があるように見受けられます。

権力は共感を失わせる

ある研究によれば、人間は、権力を持てば持つほど、「運動共鳴」すなわち他人の動作をまねることが少なくなるようです。もちろん、権力を求める人々は、元々そのような傾向があるのかもしれません。しかし、他の研究では、人間が権力を持った後には、脳の前頭葉眼窩部に損傷のある患者と似た行動をする傾向があることを示しています。すなわち、財産と権力を得るという経験は、脳の「共感および社会的に適切な行動に重要」な部分を失うことに似ているのです。貧しい人々は、裕福な人よりも他人の感情を判断することが得意です。顔の筋肉の動きに基づいて「共感による推論」を行う彼らの能力は、はるかに優れています。

当然ながら、相関関係は、因果関係ではありません。また、財産と権力のある人が他人を思いやる能力を失う具体的なしくみは、まだ特定されていません。しかし、資本主義そのもの、少なくとも現在シリコンバレーで行われている資本主義は、敗者を無視する風潮が広がるのに加担しています。ニューヨーク大学の経営学の教授であるスコット・ギャロウェイは、次のように説明しています。

「資本主義とは、〔人間ではなく〕企業に対して愛情と共感を持つこと、適者生存のダーウィニズムを信奉すること、そして他人に対して厳しいことであると考えられる」（❖1）。

2008年のリーマンショックでは、政府は、すぐに銀行や企業を救済しました。また、新型コロナウイルスの危機に際して、パンデミックの影響は誰もが同じように受けていたのに、富裕層全体の資産は、最初の1年間で8兆9000億ドルから10兆2000億ドルに増加しました。

「マインドセット」が推進する「勝利」の形態は、人間や企業の勝利者が、必然的に取り残されてしまった人々を無視するべきだ、というものになっています。結局のところ、勝利とは、その性質上、自分が他の人々から離れた位置に立つことです。この分離こそがゲームの目的そのものなので、ピラミッドの頂点に到達した人々が、他の人間を見下すとしても驚くことではありません。怪しげな方法でそこに到達した人々は、それまでの道程で自分が残してきた破壊の跡を振り返りたいとは思わないでしょう。彼らは出口戦略を必要としています。そこで、彼らが踏み台として利用してきた人々から、遠く離れた所へ逃げていく未来を空想したがるのでしょう。そうすれば、罪や恥を、あるいは報復の恐れを感じる必要がなくなるからです。

❖原注　第2章

❖ 1 「資本主義とは……」：詳細については以下を参照。Scott Galloway, *Post Corona: From Crisis to Opportunity* (New York: Portfolio, 2021) および短いインタビュー Adam Shapiro, “Capitalism ‘Will Collapse on Itself’ without More Empathy and Love: Scott Galloway,” Yahoo!, December 1, 2020,https://finance.yahoo.com/news/capitalism-will-collapse-on-itself-without-empathy-love-scott-galloway-120642769.html

◇ Tech companies actively sought: Douglas Rushkoff, *Cyberia: Life in the Trenches of Hyperspace* (New York: HarperOne, 1994).

◇ “new communalists”: Fred Turner, *From Counterculture to Cyberculture: Stewart Brand, the Whole Earth Network, and the Rise of Digital Utopianism* (Chicago: University of Chicago Press, 2006).

◇ Operation Sundevil: Bruce Sterling, *The Hacker Crackdown: Law and Disorder on the Electronic Frontier* (New York: Bantam, 1992).

◇ “Governments of the Industrial World”: John Perry Barlow, “A Declaration of the Independence of Cyberspace,” Electronic Frontier Foundation, 1996,https://www.eff.org/cyberspace-independence.

◇ fungus and bacteria: Qi Hui Sam, Matthew Wook Chang, and Louis Yi Ann Chai, “The Fungal Mycobiome and Its Interaction with Gut Bacteria in the Host,” *International Journal of Molecular Sciences*, February 4, 2017,https://www.ncbi.nlm.nih.gov/pmc/articles/PMC5343866/.

◇ extolled the virtues of the deal: Saul Hansell, “America Online Agrees to Buy Time Warner for $165 Billion; Media Deal is Richest Merger,” *New York Times*, January 11, 2000,https://www.nytimes.com/2000/01/11/business/media-megadeal-overview-america-online-agrees-buy-time-warner-for-165-billion.html.

◇ the piece I wrote placed in the Guardian: Douglas Rushkoff, "Why Time Is Up for Warner," *Guardian*, January 20, 2000,https://www.theguardian.com/technology/2000/jan/20/onlinesupplement10.

◇ People blamed: Seth Stevenson, "The Believer," *New York Magazine*, July 6, 2007,https://nymag.com/news/features/34454/.

◇ hired investment bank Salomon Smith Barney: Tim Arango, "How the AOL-Time Warner Merger Went So Wrong," *New York Times*, January 10, 2010,https://www.nytimes.com/2010/01/11/business/media/11merger.html.

◇ probably borrowed: Steven Levy, *Facebook*: The Inside Story (New York: Blue Rider Press, 2020).

◇ stocks quadruple: Lisa Pham, "This Company Added the Word 'Blockchain' to Its Name and Saw Its Shares Surge 394%," *Bloomberg*, October 27, 2017,https://www.bloomberg.com/news/articles/2017-10-27/what-s-in-a-name-u-k-stock-surges-394-on-blockchain-rebrand.

◇ "independent, host-led local organizations": Dave Lee, "Airbnb Using 'Independent' Host Groups to Lobby Policymakers," *Financial Times*, March 21, 2021,https://www.ft.com/content/1afb3173-444a-47fa-99ec-554779dde236.

◇ Google was outspending: Shaban Hamza, "Google for the First Time Outspent Every Other Company to Influence Washington in 2017," *Washington Post*, January 23, 2018,https://www.washingtonpost.com/news/the-switch/wp/2018/01/23/google-outspent-every-other-company-on-federal-lobbying-in-2017/.

◇ outspent by Facebook: Lauren Feiner, "Facebook Spent More on Lobbying than Any Other Big Tech Company in 2020," *CNBC*, January 22, 2021,https://www.cnbc.com/2021/01/22/facebook-spent-more-on-lobbying-than-any-other-big-tech-company-in-2020.html.

◇ Numerous studies: Martin Gilens and Benjamin I. Page, "Testing Theories of American Politics: Elites, Interest Groups, and Average Citizens," *Perspectives on Politics* 12, no. 3 (2014): 564-81,https://doi.org/10.1017/S1537592714001595;Chris Tausanovitch. "Income, Ideology, and Representation," RSF: The Russell Sage Foundation Journal of the Social Sciences 2, no. 7 (2016): 33-50,https://doi.org/10.7758/rsf.2016.2.7.03.

◇ "citizens and mass-based interest groups": Martin Gilens and Benjamin I. Page, "Testing Theories of American Politics: Elites, Interest Groups, and Average Citizens," *Perspectives on Politics* 12, no. 3 (2014): 564-81,https://doi.org/10.1017/s1537592714001595.

◇ "motor resonance": Jeremy Hogeveen, Michael Inzlicht, and Sukhvinder S. Obhi, "Power Changes How the Brain Responds to Others," *Journal of Experimental Psychology: General* 143, no. 2 (2014): 755-62,https://doi.org/10.1037/a0033477.

◇ damage to the brain's orbitofrontal lobes: Dacher Keltner, "The Power Paradox," *Greater Good Magazine*, December 1, 2007,https://greatergood.berkeley.edu/article/item/power_ paradox.

◇ Government readily bailed out: Kumutha Ramanathan, "Former US Fed Governor Warns Global Economy Will Take a Long Time to Recover," *Yahoo! Finance*, October 23, 2020,https://finance.yahoo.com/news/former-us-fed-governor-randall-kroszner-global-markets-coronavirus-pandemic-recovery-warning-050012598.html.

第3章　母の子宮に戻りたい

テクノバブルに包まれた安全
泡の中に閉じこもる

「マインドセット」が単なるお金の産物でなくて、技術そのものの産物だとすればどうでしょうか。

1990年ごろ、幻覚剤使用者であり哲学者であるティモシー・リアリーが、初めてスチュアート・ブランドの著書『The Media Lab』（邦訳：『メディアラボ：「メディアの未来」を創造する超・頭脳集団の挑戦』、室謙二・麻生九美訳、福武書店、1988年）を読んだときのことを、私は覚えています。その本は、MITが建築学科の中に設置した新しいデジタル技術の研究所について書かれたものです。ティモシーは、丸一日かけて最初から最後までむさぼるように読みました。ところが、日が沈む頃、もうすぐ本の最後だというところで、彼は嫌気がさしてその本を部屋の反対側へ投げ飛ばしました。

「この索引を見てくれ。全ての人名のうち、女性は3％にも満たない。それがどういう意味なのかわかるだろう」。

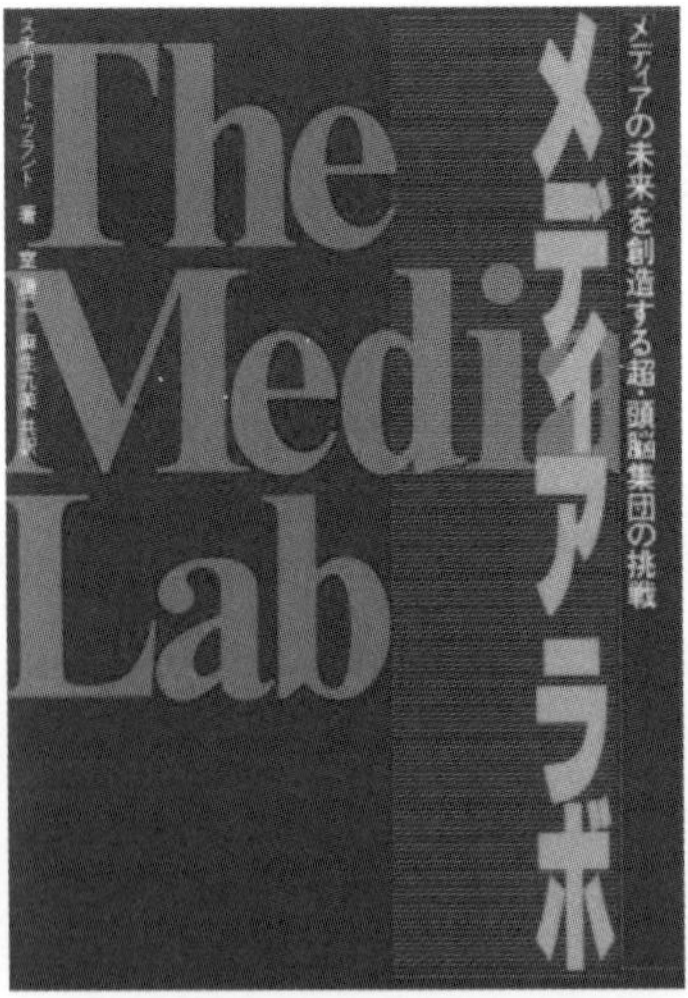

『The Media Lab』

『メディアラボ――「メディアの未来」を創造する超・頭脳集団の挑戦』日本語版（1988年、福武書店刊）。

確かに、女性、特に有色人種の女性は、コンピューターの基礎となる数学、プログラム、言語の開発に多く携わってきましたが、コンピューターサイエンスのエリートとしてのプロジェクトや経歴からは組織的に除外されてきました。

続けて、ティモシーは、メディアラボと、この技術的先駆者たちが目指しているデジタル世界の重要な問題点を説明しました。

「彼らは、子宮を再構築しようとしている」。

心理学者であるティモシー・リアリーが見たところでは、デジタルの未来を築こうとしているこの男の子たちは、彼らの実際の母親とは全く異なる理想的な女性をシミュレーションする技術を開発しているというのです。望み通りではなかった人間の母親とは違って、予測アルゴリズムが彼らの要求を計算して、直ちにそれを作り出すことによって、もめごとや欲求不満をなくそうとしています。彼らは、メディアラボが「人工生態系」と名付けた仮想的なバブルの中で、何でも欲しいものを与えられ、世話をしてもらいながら、のんびりと過ごすことができます。

ティモシーが読んでいた本は、その後、私が今までずっと持っていますが、彼の怒りを含んだ青や黒のボールペンによるアンダーラインや書き込みで埋め尽くされています。特に感情を込めたコメントは、文章の上に重ねて赤いペンで書いてあります。

「はあ？　何だ、これは？　違う！　そうじゃない!!」。

ある章では、メディアラボの創設者ニコラス・ネグロポンテがスチュアート・ブランドに「エレクトロニクス時代の生活の質について」の本を書くように指示するところを丸で囲んでいます。今ではよく引用される話ですが、ネグロポンテは、次のように言っています。

「わたしは、今朝十時半になってもパジャマ姿だったのですよ。その前の数時間、自分のコンピュータで電子メールを通じてメディアラボの仕事をしていたんですがね。つまり私たちが話し合っていることは、〈パジャマ姿でいる権利〉ということじゃないかな」。

デジタル技術の究極の姿は、服を着替えないまま、髪の毛をくしでとかないままで済ませる、という小学3年生が考えるようなことだったのです。

技術の役割は、過保護な母親が幼児のようなユーザーを世話して、一日中パジャマで過ごせるようにしてくれるだけでなく、完璧なガールフレンドにもなってくれます。スチュアート・ブランドがその本の最後の一節に、次のように書いています。

「わたしたちの機械は、私たちを歓迎して内部へ招き入れ（中略）なければならない」。

ティモシー・リアリーは、ここにアンダーラインを引いて、

「ふん、かわいそうなスチュアート！」と書き込んでいます。

ティモシーの考えによれば、技術に対するMITの態度は、少人数の、頭は良いけれど性心理的に未成熟な白人男性が、現実世界の面倒で過酷な状況にさらされることなく、完全に制御されてすぐに応答がある環境に閉じこもって、全ての恩恵を享受したいというものです。

あの砂漠で防空壕戦略を検討したときに、億万長者たちが気付いていた現実の問題があります。

――私たちが置き去りにしようとする人々や物は、依然としてそこに存在している。私たちが閉じこもっているバブルの世話をするように置き去りにした人々に要求すればするほど、彼らは抑圧を感じて怒るよう

になるだろう。そして、私たちはさらにバブルに閉じこもろうとする——。

しかし未来学者レイ・カーツワイルによるグーグルの人工知能プロジェクトがどれほど進歩したとしても、純粋な意識だけから「人間」が発生することはありません。さらに言えば、私たちの身体からクラウドへ精神と魂をアップロードできるオンラインストレージはありません。私たちは、まだこの地上に存在します。置き去りにしようとしていた、その地球の上に、その人々と共に存在します。他の人々から逃れることはできないのです。

VRが見えなくするもの

しかし、デジタル技術は、それが可能であるように見せかける方法を提供してくれます。

ゲームプラットフォームValve（バルブ）の創設者で億万長者であるゲイブ・ニューウェルは、雑誌ワイアードの記者に対して次のように説明しています。

「私たちは、人々が思っているよりもずっと映画『マトリックス』の世界に近づいています」。

ニューウェルにとっては、人間の身体は、単に「肉の周辺機器」であり、アップグレードや修理ができず、「消費者の好みを全く反映していない」ものです。仮想現実によって、世界の認識や経験に対するユーザーの「選択肢」「この言葉をよく聞きます」が増えます。ニューウェルの目標は、現実世界をどれだけ忠実に再現しているかを基準にする必要がなくなるほど、圧倒的な質感や精密さを備えた仮想現実を生み出すことです。

「人間の脳の中で作り出す経験に比べれば、現実世界は、薄っぺらで色がなく不鮮明に思えるようになります」。

現実世界の状況がますます悪化していけば、これは、特に重要になります。VR開発者たちは、人類全体をシミュレーションに投げ込むことは、経済的にも正しいのだと主張します。Oculus Rift（オキュラス・リフト）のCTO（最高技術責任者）であるジョン・カーマックは、ジョー・ローガン（ゲームデザイナー）のポッドキャストで次のように述べています。

「地球上では、全ての人々がそれぞれ自分の望むものを手に入れることは不可能です。誰でもがリチャード・ブランソンのようにプライベートアイランドを持てるわけではありません」。

VRは、気候変動に対する新しい解決策であり、あるいは、気候変動が避けられないことを認めて最終的に屈服した姿かもしれません。資源が消滅したり、経済状況が悪化したりするのに対して、技術的なシミュレーションは消失した現実の財産の補填ができます。

「VRが実現するものは、あなたが望んだ世界の創造なのです」。

新型コロナウイルスのパンデミックは、技術で強化されたバブルによってみんなが幸福になるという夢には限界があると示すことになりました。多くの場合、バブルに閉じこもって守られているのは金持ちであり、彼らに奉仕するために現実世界に立ち向かうのは貧乏人でした。私たちが、相互支援ネットワーク、学校の委員会活動、人種差別反対運動、あるいは募金活動などにどれだけ多く参加したとしても、それに参加できるほど恵まれている人は、やはり、ひそかに心の中で計算を行っています。この危機に際して、――この恵まれた状況と私たちの技術を使って、自分自身とその家族をどれだけ守ることができるのだろうか――、と考えています。そして、背後にいる悪魔のささやきのように、テクノロジーは「その結果を独り占めしなさい」と言います。結局のところ、それは"iPad"であり、"usPad"（私たちのパッド）ではないのですから。

今のところ、私たちの大部分は、この市民的課題に立ち向かうことを選んでいます。たとえば、子供たちを学校での対面授業に戻らせるか、リモート授業にするか、両者を組み合わせたハイブリッド授業にするか、のいずれかを採用しています。しかし、私の住む町では、最も裕福な人々の一部は、プライベートな「ポッド」(学習グループ)を結成し、教師を雇って、このような状況でなければ決して正当化できなかったような、自分たちのためだけのエリート教育を子供たちに受けさせています。あるポッド教育業者は次のように述べています。

「確かに、今、私たちはパンデミックの中にいます。しかし、教育について言えば、この状況が良いことであるという見方もあります」。

私たちは、各種の宅配サービス、Zoomでの会議、ディズニープラスのミュージカル「ハミルトン」配信などを利用して、そのスピードと便利さを知りました。その結果、次のような疑問に答えることが難しくなっています。――直接の対面よりも画面を通じた対話、公的教育よりもリモート授業の「ポッド」、嫌がられる仕事の貧乏人への押し付け、監視カメラに守られた別荘への裕福な人々の避難、このような傾向は、新型コロナウイルスによって始まったのでしょうか。あるいは、パンデミックは、すでに進んでいた風潮を単に正当化しただけなのでしょうか。私たちはパニックになっていたのでしょうか。それとも、億万長者のプレッパーの考え方が中間層に浸透してきたのでしょうか。あるいは、その両方でしょうか――。

ロックダウン(外出禁止)の期間中でも、生活にハイテクのソリューションを取り入れる財力のある人々の多くは、罪悪感を少しも持つことなく、この苦境を受け入れる方法を身に付けました。私の友人は、私たちの地域がロックダウンになる2週間前に、「ついに屈服して、オキュラス(ヘッドマウントディスプレイ)を買った」とメールを送ってきました。「現実世界でできることが少なくなるという点を考慮すると、これは画期的なものだ」

と言っています。この友人は、VR、アマゾン、フレッシュダイレクト（米国のオンライン食料品販売会社）、ネットフリックス、Zoomを使って、そして、ウェブサービスと暗号資産取引で収入を維持しながら、優雅にパンデミックを乗り切ろうとしていました。

問題は、この状況において、つながりを持つための技術のせいで、ウイルスから保護するバブルの外側にいる人々に対する私たちの共感が少しずつ失われてしまうことです。私たちは、微妙な社会的手がかりを通じて、他の人々と心が通い合うような関係を築いています。これは、仲間とのつながりや集団での共有を進めることによって、何世紀にもわたって発展してきたものです。現実世界で他人と関わりを持つとき、その人の瞳が大きく開いて私たちを受け入れようとしているか、その人の呼吸の速度が私たちの呼吸と一致して共感を示しているか、その人の顔が情熱によって赤みを帯びているか、を目で見ることができます。さらにそれが脳にあるミラーニューロン（自分が行為を実行するときにも、他者が同様の行為をするのを観察するときにも、同じように活動する神経細胞）を活発化させて、プラスのフィードバックループを刺激し、信頼関係を強めるホルモンと言われているオキシトシンを血流の中に放出します。

しかし、Zoomの対話では、この潜在意識の中で検出される手がかりを感じることはできません。メールやツイッターのコメントでは、なおさら感じられません。誰かが「あなたに賛成」と言っても、その主張を身体で確かめることができません。ミラーニューロンは活発化せず、オキシトシンが流れず、認知的に不協和の状態のままです。私に賛成すると言っているけれど、そのような感覚が得られません。私たちの身体は、これがメディア環境のせいだとは知りません。代わりに、その人のせいにします。彼らは信頼できない、と思ってしまうのです。

この不信感や疎外感は、私たちの事業計画の立案や技術を構築する方法に影響します。それらは人ではない。彼らは、画面の向こう側にいる単なるユーザーまたは臨時労働者だ。こう考えることによって、彼らを監視したり、利用したり、支配したり、無視したり、置き去りにしたりしやすくなります。「マインドセット」の論理は、自己増強します。

コロナ禍が新たにもたらしたもの

億万長者たちと違って、私たちの多くは、パンデミック中に道徳的な妥協を好んで行ったわけではありませんが、そうせざるを得なかったと感じています。確かに、私は、政府からの支援金を地元の生活困窮者向け食品提供活動へ寄付しました。また、私の安定収入のかなりの部分を、基礎的支出も賄えなくなった友人たちに送りました。しかし、その一方で、娘や近所の子供たちのために500ドルを使って大型のビニールプールを買ってきて、臨時のサマーキャンプ的な遊びのために使いました。町中で同じような青いビニールプールをよく見かけましたが、最終的には、全てゴミとして捨てられる運命にありました。

もちろん、このプールは、表舞台には出てこない多数のアマゾンの労働者たちが、倉庫で働いていて感染したり、健康のリスクを冒して配送トラックを運転したりしてくれなければ、ここに届かなかったでしょう。アマゾンが税金を逃れたり、反競争的行為や虐待労働をしていることが発覚したとき、多くの進歩主義者はアマゾンを利用するのをやめると宣言しました。しかし、コロナ禍の状況で業務の一部になったZoom会議への参加に必要なケーブル、ウェブカメラ、ヘッドセットなどを購入するために、やむを得ずアマゾンのプライム会員に再登録した人もいました。その他にも、友人たちと連絡を取るために、休眠状態だったフェイスブックやワッツアップ（WhatsApp＝メッセージアプリ）のアカウントを復活させた人もいます。ただし、新しく見つけた天然素材の自家製パンの報告をみんなで共有するだけでしたが……。新型コロナウイルスによる混乱のおかげで、普通の状況であれば怪しげなスタートアップ、たとえばクラブハウス（Clubhouse＝音声チャットのプラットフォーム）やオンリーファンズ（OnlyFans＝ウェブカメラを利用したセックスワーカー向け）は、一夜にして大人気になりました。このような問題のあるプラットフォームが私たちの社会生活をさらに変えたので、多くの人々は、便利さを求めて全面的にネットに接続して生活するようになり、外の世界から切り離されて、デジタルによる隔離がさらに進んだのです。

隔離された生活を遠慮なく受け入れた人々は、良い結果を得たように思われました。デジタル的生活によってもたらされる恩恵を宣伝しているかのようです。パンデミックに際して、オンライン取引や暗号資産のアカウントを開設する人が今までにないほど増加し、誇大広告で人気を集めるテレビゲームのような取引市場でお金を儲けました。ユーチューブ（YouTube）、クラブハウス、ツイッターなどで、ミレニアル世代（アメリカで2000年以降に成人を迎えた世代）の暗号資産トレーダーたちは、自分たちの必勝法をテスラの写真や動画にも適用して、彼らが儲けたお金で購入したNFT（替えがきかない暗号資産。デジタルアイテムの所有権の特別な証明）の価格をさらにつり上げました。これと同じように、ソーシャルメディアの有名人グループは、ロサンゼルスやハワイの豪華な「ハイプハウス（共同生活するSNSでのインフルエンサー集団）」に移り住んで、その家での彼らの生活、トレーニングの様子、セックスのアドバイスなどを、ついでにスポンサーの商品も交えて、数百万人のフォロワーに向けて配信しました。彼らの話は、「君たちの周りの状況は悪化しているだろうが、お金を払ってデジタルのバブルに閉じこもれば、楽しい生活ができるんだよ」と言っているように思われました。

このような生活様式を支えるデジタルプラットフォームも、コロナ禍によって恩恵を受けています。Zoomのシェアは、パンデミックの最初の10カ月で700%以上増えました。アマゾンの創設者ジェフ・ベゾスの資産は、ほぼ同じ期間に860億ドル増加しました。航空会社やホテル、実店舗での事業は、悪戦苦闘したり倒産したりしましたが、米国の5大IT企業、アップル、マイクロソフト、アマゾン、アルファベット（グーグルの持株会社）、フェイスブックの売上高の合計は、20%増加して1兆1000億ドルになり、時価総額の合計は、2020年末までに50%増加して8兆ドルを超えました。ネットフリックスの株価は、パンデミックの最初の1カ月で60%上昇しました。ウイルスによる危機的状況が発生するたびに、これらの企業の株価が急上昇しました。

このような利益のおかげで、これらの企業の経営者たちは、毎月7万ドルを超えるお金を払って、ハワイ、コスタリカ、ベリーズなどにあるWi－Fi（無線LAN）完備の暖かいリゾートで過ごしています。リゾートからリモートワークしようとする裕福な経営者が多くなったので、彼らにサービスを提供する業者や施設が出現しました。億万長者の強化された防空壕とは違って、これらの豪華なレンタルリゾートは、多くの場合、その住民同士のつながりを作る機会を用意しています。ある旅行アドバイザーは、ブルームバーグ（雑誌やオンラインニュースを持つ通信社・情報配信会社）の雑誌記者に対して次のように説明しています。

「多くのクリエーター、スタートアップ、IT技術者は、オアハカやサン・ミゲル・デ・アジェンデ（いずれもメキシコの都市）のような場所で興味深い投資家に会えることに気付いています」。

明らかに富裕層の擁護者であるニューヨークタイムズは、私たちの自宅よりもはるかに高価な別荘で家族が

「静養」している写真や、ビーチからのリモートワーク、あるいは、余っている寝室をオフィスへ改造、というような記事をたびたび掲載していました。あるベンチャーファンドの創設者は次のように話しています。「ここは素晴らしい場所です。世界が大混乱に陥っていることを知らなかったとすれば、この生活を永遠に続けたいくらいです」。

その「世界の大混乱」は、現実でした。富裕層が別荘で静養しているとき、貧乏人は大打撃を受けていました。国内の所得格差が1％広がるごとに、新型コロナウイルス感染率は2％増加し、関連する死者数は3％増加しました。ほぼ全ての統計で、地域または国が貧しければ貧しいほど、新型コロナウイルスの感染者と死者が多くなっています。豚肉や牛肉を処理する人々は、その肉を受け取って消費する人々よりも感染率が2倍以上高いのです。どこを見ても、大混乱の中に取り残された人々の悲惨な状況は、同じです。

私たち全員のゲーム

しかし、現実世界に存在する混乱を知らずに済むならば、どうなるでしょうか。それが、デジタル技術の本当のねらいです。私たちは、選択しています。どのケーブルテレビのニュースを見るか、どのツイッターの投稿を見るか、どのユーチューブのチャンネルを見るか。ウイルスの存在とその影響を認めるか認めないか。もし、お金があれば、単にフィルターをかけて見たくないものを取り除くことができます。あるいは、自分の判断を正当化するものだけを見て、目をふさぐこともできます。おそらく、パンデミックの際に最も人気のあったテレビ番組、そしてネットフリックスの歴史の中で最も多く視聴されている番組は、『イカゲーム』です。資本主義における競争の残酷さを描いた韓国のドラマです。市場において破滅した人々が、ひと握りの億万長者の娯楽のために、自発的に死のゲームの世界へ入っていきます。ほとんどオンラインで生活しているといってよい私たちは、ある程度のレベルの差はあるとしても、利用されるためだけにゲームの世界へあえて飛び込むかわいそうな人と、遠く離れたところから彼らを眺めているエリートの両面を持っています。

ここで重要なのは、恐怖に屈して、自分の家族の安全のために全てをつぎ込んだ人を非難することではありません。新型コロナウイルスのパンデミックは、完全にデジタルに入り込んだ未来という不気味な世界の予行演習のようなものです。この予行演習によって、悲しいことに、あるいは、恥ずかしいことに、私たちみんなの中に現実から逃げ出そうとする欲望「隔離の方程式」が潜んでいて、さらに、この世界での体験全てに関わるデジタル技術がその状況をより一層悪化させているという事実が明らかになりました。

もう少しはっきり言えば、新型コロナウイルスは、億万長者のプレッパーが生きる指針としている「マインドセット」の考え方の中でも重要な要素について、それを正当化する言い訳を多くの人々に与えてくれました。それは、それぞれの人が自分の個人的な現実を入念に計画して準備すれば、実在する脅威を方程式の項目から除外できる、ということです。

心拍数を計測するスマートウォッチと定期的な全身スキャンがん検診との差、あるいは、監視カメラ付きドアホンと自律的な衛兵ロボットとの差は、実際には、お金の問題でしかありません。私たち全員が、ある程度は、この同じゲームの世界にいるのです。

最高の技術は、隔離という幻想を本当に提供してくれます。他の人々に何が起こったとしても、それが新しいウイルスでも、あるいは、気候による世界規模の大災害でも、技術が私たちを守ってくれるような気がします。デジタル技術を使って自分の存在を外の世界にちらっと見せることを繰り返していると、ネットに接続していないときには他の人々とお互いに無関係であると思ってしまいます。

言い換えれば、私たちがオンラインでの生活というテレビゲームにどれだけ深くのめり込んでいたとしても、現実世界には、ウイルス、貧困、テロリズム、気候変動、その他の脅威が依然として存在しています。私たちは、そのような脅威を重視しなくなり、その影響を軽減する対策をとらず、最終的にはそれが私たちの人生に侵入しても対応できなくなります。私たちが見たい世界の姿をストリーミングするアルゴリズムは、実際に世界で発生している状況の映像によって汚染されていないほうが良いのです「もし、実際の映像が流れてきたら、画面を左にスワイプすればよいのです。そうすれば、アルゴリズムはそのような現実のニュースであなたが夢の中にいる状態を邪魔してはいけないと学習するでしょう」。

自分の目を手でふさぐと他人から自分が見えなくなると思っている赤ん坊のように、デジタル技術に依存して世界と関わろうとする人がいます。オキュラス（現メタ）のVRヘッドセットには、「ガーディアン」という境界を表示する機能があり、ユーザーが仮想世界でゲームをプレイしている最中に部屋の壁にぶつかることを防いでいます。しかし、気候、貧困、伝染病、飢餓には、ユーザーの好みに応じて設定される安全なプレイ領域などありません。どのような技術を使ったとしても、私たちは誰も子宮に戻ることができません。

◇原注　第3章

◇ systematically excluded: Emma Goldberg, “Women built the tech industry. Then they were pushed out,” *Washington Post*, February 19, 2019,https://www.washingtonpost.com/outlook/2019/02/19/women-built-tech-industry-then-they-were-pushed-out/.

◇ “about the quality... ‘in your pajamas’ ”: Stewart Brand, *The Media Lab*: Inventing the Future of M.I.T. (New York: Viking Penguin, 1987), 251.

◇ “we’re way closer ... people’s brains”: Matthew Gault, “Billionaires See VR as a Way to Avoid Radical Social Change,” *Wired*, February 15, 2021,https://www.wired.com/story/billionaires-use-vr-avoid-social-change/.

◇ “It is not possible ... you wanted”: Gault, “Billionaires See VR as a Way to Avoid Radical Social Change.”

◇ “Yes, we are in a pandemic”: David Zweig, “$25,000 Pod Schools: How Well-to-Do Children Will Weather the Pandemic,” *New York Times*, July 30, 2020,https://www.nytimes.com/2020/07/30/nyregion/pod-schools-hastings-on-hudson.html.

◇ legions of Amazon workers: Joey Hadden, “Amazon Delivery Drivers Share What It’s Like to Be on the Front Lines of the Coronavirus Pandemic, Including Not Having Time to Wash Their Hands and Uncleaned Vans,” *Business Insider*, April 2, 2020,https://www.businessinsider.com/why-amazon-delivery-workers-feel-exposed-and-vulnerable-to-coronavirus-2020-3.

◇ Amazon avoids taxes: Matthew Gardner, “Amazon Has Record-Breaking Profits in 2020, Avoids $2.3 Billion in Federal Income Taxes,” Institute on Taxation and Economic Policy, February 3, 2021,https://itep.org/amazon-has-record-breaking-profits-in-2020-avoids-2-3-billion-in-federal-income-taxes/.

◇ anti-competitive practices: Mark Chandler, “Amazon Accused of Anti-Competitive Practices by US Subcommittee,” *Bookseller*, October 8, 2020,https://www.thebookseller.com/news/amazon-accused-anti-competitive-practices-us-subcommittee-1222115.

◇ abuses labor: Jodi Kantor, Karen Weise, and Grace Ashford, “Power and Peril: 5 Takeaways on Amazon’s Employment Machine,” *New York Times*, June 15, 2021,https://www.nytimes.com/2021/06/15/us/politics/amazon-warehouse-workers.html;Casey Newton, “Amazon’s Poor Treatment of Workers Is Catching up to It during the Coronavirus Crisis,” Verge, April 1, 2020,https://www.theverge.com/interface/2020/4/1/21201162/amazon-delivery-delays-coronavirus-worker-strikes.

◇ more people opened online trading: Annie Massa, “Pandemic-Fueled Day Trading Is Overwhelming Online Brokers-and the Traders Are Fuming,” *Fortune*, December 9, 2020,https://fortune.com/2020/12/08/day-trading-online-brokers-tech-failure-crashesoutages/.

◇ Shares of Zoom went up: Shanhong Liu, “Price of Zoom shares traded on Nasdaq Stock Market in 2020 and 2021,” *Statista*, August 9, 2021,https://www.statista.com/statistics/1106104/stock-price-zoom/.

◇ Jeff Bezos’s fortune rose: Chase Peterson-Withorn, “How Much Money America’s Billionaires Have Made During the Covid-19 Pandemic,” *Forbes*, April 30, 2021, https://www.forbes.com/sites/chasewithorn/2021/04/30/american-billionaires-have-gotten-12-trillion-richer-during-the-pandemic.

◇ five biggest U.S. tech companies: The staff of the *Wall Street Journal*, “How Big Tech Got Even Bigger,” *Wall Street Journal*, February 6, 2021,https://www.wsj.com/articles/how-big-tech-got-even-bigger-11612587632.

◇ Netflix’s share price: Jonathan Ponciano, “5 Big Numbers That Show Netflix’s Massive Growth Continues during the Coronavirus Pandemic," *Forbes*, October 20, 2020,https://www.forbes.com/sites/jonathanponciano/2020/10/19/netflix-earnings-5-numbers-growth-continues-during-the-coronavirus-pandemic/.

◇ "Many creatives, startups, and techies": Jen Murphy, "Remote Workers Flee to $70,000-a-Month Resorts While Awaiting Vaccines," *Bloomberg*, February 15, 2021,https://www.bloomberg.com/news/articles/2021-02-15/remote-workers-flee-to-luxury-beach-resorts-while-awaiting-vaccines.

◇ "It's been great here": Julie Satow, "Turning a Second Home into a Primary Home," *New York Times*, July 24, 2020,https://www.nytimes.com/2020/07/24/realestate/coronavirus-second-homes-.html.

◇ Each 1 percent increase: Mary Van Beusekom, "Race, Income Inequality Fuel COVID Disparities in US Counties," Center for Infectious Disease Research and Policy, University of Minnesota, January 20, 2021,https://www.cidrap.umn.edu/news-perspective/2021/01/race-income-inequality-fuel-covid-disparities-us-counties;Tim F. Liao and Fernando De Maio, "Association of Social and Economic Inequality with Coronavirus DISEASE 2019 Incidence and Mortality across US Counties," *JAMA Network Open* 4, no. 1 (2021),https://doi.org/10.1001/jamanetworkopen.2020.34578.

◇ people processing pork: Tina L. Saitone, K. Aleks Schaefer, and Daniel P. Scheitrum, "COVID-19 Morbidity and Mortality in U.S. Meatpacking Counties," *Food Policy* 101 (2021): 102072.https://doi.org/10.1016/j.foodpol.2021.102072.

第4章　ダムウェイター効果

見えないものは忘れられる
マインドセットが見えなくしているもの

デジタル技術による災難が全て資本主義のせいとは限りません。また、ビジネスの余裕や抜け道をなくしてしまった全ての責任が大手IT企業にあるとも言えません。ビジネスもデジタル技術も、それぞれがこの惨状を単独で引き起こしたわけではありません。むしろ、両者が相互に強め合うフィードバックループを作って、デジタル技術に支配された未来を起業家が思い描くように仕向けたのです。そのデジタル技術は、私たちの問題を解決できなくても、見えなくする働きをします。

人類の未来を設計するつもりになっている人々は、一般の人々や自治体・政府の意見が彼らの遠大な構想と対立すると考えています。自分たちのほうがうまくできると信じています。彼らは、自分たちのプロジェクトが他の人々に与える影響を考慮することなく、おそらくどの政府よりも迅速に多くの利益を上げて立派な成果を収められるでしょう。しかし、そのためには、多くのものを隠さなければなりません。たとえば、彼らのシステムが実際に稼働する場所やそこにいる人々です。

たとえば、公共交通機関を計画する地方自治体の役割を奪い取って、ウーバーは、都市型エアタクシーを計画しています。まだ発明されていないエアタクシーに、ライドシェアリング（相乗り）アプリの利用者が乗り降りするための「スカイポート」の設計提案を大手建設会社8社に依頼しました。社会や環境への影響についてきれいごとを述べていますが、その提案は、フリッツ・ラングの映画『メトロポリス』で描かれたような未来です。富裕層が空を飛んで町のあちこちへ移動する一方で、労働者が地上で苦労してそのような生活を支えます。

建設会社は、設計したものについて大げさな言葉でその素晴らしさを主張する傾向がありますが、ウーバーのスカイポートの提案の説明は、意図的に抽象的な表現をしているようです。ある提案の説明では、次のように言っています。

「ウーバーブランドの総力を結集すれば、移動における最初と最後の1マイルを実現できます。それは、都市のモビリティ（移動）に革新をもたらすウーバーエアを支える重要な要素となります。〝モビリティハブ〟（ここではスカイポートのこと）は、単なる物ではなく、力強いエネルギーと全体的なつながりを提供する場所です。これは、空を飛びたいという意欲と、暮らしの中で大切な場所へすぐにアクセスできる自由を尊重するものです」。

ところで、ウーバーが超越したいと考えている現実の「物」の世界では、住居のない家族が自動車を寝場所とする事例が増えています。フェイスブック（現メタ）の本社に隣接する町、イーストパロアルト地区では、児童の3分の1以上には家がありません。ウーバーとは異なる種類の「モビリティハブ」を目指して、この地区の教育長は、車で生活している人々が使えるように学校の駐車場を改造する計画を発表しました。

映画『メトロポリス』

1926年製作（ドイツ）フリッツ・ラング監督。モノクロサイレント。「SF映画の原点にして頂点」と評価される歴史的作品。

デジタル技術による「文明2・0」を作り出すと自負している人々は、市町村長、コミュニティー代表者、貧困対策活動家などの提案にはアレルギーがあるようです。自分たちの技術力と民間企業としての成功とを合わせれば、利益を生み出す全く新しい世界を一から構築する資格が自分たちにあると考えているようです。もはやアマゾンウェブサービスは、ネットワークで発生する通信の3分の1以上を占める社会の大きなインフラとなっています。それをジェフ・ベゾスがすでに支配しているのであれば、彼こそが、人類が次の安住の地へ移住する宇宙開発計画を立案すべきではないか。イーロン・マスクは、テスラによって自動車産業に変革をもたらして世界一の資産家になりました。それならば、彼こそが、巨大なドームによる火星植民地化という夢を実現する資格を備えているのではないか……。

デジタルの子宮という技術万能主義者の子供っぽい望みは、勝者が総取りする競争的な市場に対する億万長者の揺るぎない確信と関係があります。注意が必要です。彼らの未来に対する考え方は、そこから生まれてきます。自分たちの構想は実現可能であり、実現すべきものであるのに、私たち人間を含めたこの現実世界そのものがその障害になっているという考え方です。これは、技術開発の副作用から距離を置こうとする富裕層の「隔離の方程式」よりも、さらに邪悪な結論です。ここでは、テクノロジーを利用することによっ

PHOTOGRAPH COURTESY OF UBER

Uberの都市型エアタクシー

Uberに提案されたGannett Fleming の SKYPORT。省スペース型の離着陸場から発着する電気垂直離着陸機(eVTOL) 専用のスカイポート。

て、人々の被害は見えない所に隠されてしまいます。

いずれにしても、幸運な一部の人のための宇宙ステーションや火星植民地は、滅びつつある地球に取り残される多数の労働者がいなければ建設できません。惑星間宇宙船の3Dモデルや海上自治都市コミュニティーの完成予想動画を眺めているのは、そのような場所に食べ物を配達しなければならない人々の生活を考えるよりも、はるかに容易でストレスの少ないことです。今の現実世界と彼らのハイテク幻想との唯一の実質的な違いは、貧しい労働者がいないものとされていること、あるいは、少なくとも見えないことです。

「マインドセット」に基づいて未来を作り出そうとする人々は、その特権を維持するためには、何らかの害が発生することを知っています。彼らのビジネスモデルは、ほとんど全てが、彼らに奉仕する労働者と消費者を収奪的に利用することに依存しています。これらの企業は、10代前半の子供たちをソーシャルメディアにのめり込ませたり、農作物を除草剤まみれにしたりしています。それと同時に、鉱山でレアアース金属を採掘するために、あるいは、毒性のある廃棄物処分場で「リサイクル」するために、奴隷労働をさせています。このようにして利用されている人々は、そのうちに必ず怒りを爆発させるか、あるいは危険な存在になります。

だからこそ、裕福なプレッパーが世界の終わりに備える防空壕を空想するとき、真っ先に心配するのは、自分たちを守る傭兵の忠誠をどのようにして維持するかということです。一般大衆の暴動は、想像上の恐怖ではないのです。革命が起きないとしても、大衆が困っている姿を見たり考えたりするのはつらいことです。知らないふりをするのがどれだけ上手であっても、実際に他人が苦しんでいる姿を目撃すれば、「テック男子」たちも少しは共感せざるをえません。ところが、デジタル技術を使えば、そのような同情心さえ芽生えさせずに、抑圧された人々を見守る完璧な「窓」が得られます。つまり、つながりを増やすという外見を装って、その「窓」となっているソーシャルメディアは、切実でもなく実体験でもない形のつながりを生み出しています。このにせの「つながり」は人々を互いに疎外させます。向こう側にいる現実の人間の目をのぞきこまなくても、メールやメッセージで命令を出せるようにしたいと考える人々は、この疎外感を歓迎します。

誰が料理を運んでいるのか

技術に対するこのような関係を、トーマス・ジェファーソン（第3代アメリカ合衆国大統領、アメリカ独立宣言の起草者の一人。政治哲学者、建築家、発明家でもあった）の独創的な料理運搬システムにたとえて「ダムウェイター効果」と名付けましょう。ジェファーソンは、小さい手動式エレベーターを発明して、モンティチェロ（ジェファーソンの奴隷プランテーション）の町にいる奴隷が料理の皿を持って階段を上らなくても済むようにした、と私たちは学校で習いました。機械の中の箱に料理を載せたトレイを置いてから、滑車を使って箱を引き上げます。上の階にいる給仕が小さなドアを開けると、食事が出てきます。しかし、実際には、このダムウェイターは、誰かが階段を上る仕事をなくしたわけではありません。料理は、それまでに地下のトンネルを通って、いくつもの階段を上って運ばれてきます。本当の目的は、ジェファーソンと食事をする客人に、奴隷の給仕が息を切らせている姿を見せないようにするためでした。料理は、ひとりでに現れます。人間が苦しむ姿は見えません。

現在の技術プロセスの大部分は、これと同じように、現実の労働から消費者を遠ざけようとする考えから生まれたものです。たとえば、スマートフォン組み立ての最終段階では、労働者が有毒な溶剤を使って、1台ごとに機器の表面から自分たちの指紋をふき取っています。この化学物質は、流産や癌を発生させたり、寿命を縮めたりする恐れがあります。もちろん、その利点は、人間が関わった痕跡を消すことです。消費者が〔おそらく「開封の儀」の動画を撮影しながら〕箱を開けると、異次元の工場から瞬間移動してきたようにピカピカの電子機器が出現します。実際に製造された中国の工場の状況を思い出させる人間の指紋は付いていません。労働者の苦労の跡を消すために、IT企業はその苦労に加えて毒を与えているのです。

アマゾンの最も巧妙な革新的発明は、プライム会員に対して現実の労働を完全に見せないようにするためにに存在しています。そのプラットフォームとアプリは、やみつきになるほど迅速で、必要なものを完備しています。ボタンを押すだけで、人間と全く接触せずに商品が玄関に届きます。「タッチレス」です。配送員はドアホンを鳴らすこともしません。荷物が玄関に置かれた写真のメールが魔法のように受信箱に届いて、アレクサが親切に教えてくれます。トラックを運転する労働者に対面する必要はありません。さらに言えば、商品の倉庫の中でロボットの間を走り回る労働者に会うこともありません。

あるいは、アマゾンの新しいカスタムTシャツ製作システム「Made For You」(2023年6月時点で日本では未提供)を見てみましょう。将来発展するカスタム製品の最初の第一歩のようなものです。顧客は、スマートフォンのアプリを使って、自分の写真を撮影してサイズを計測すると、それを処理して仮想的な「そっくり体型」のモデルができます。次に、ロボットが計算して、布を裁断し、縫製してカスタムTシャツを作って、直接、顧客へ届けます。これは、機械によってもたらされる究極の個人向け商品です。アマゾンがその宣伝ビデオで言っているように、「あなたにぴったりのサイズの完璧なカスタムTシャツ」を製作しているのです。自分の名前をラベルに記載できるという、個人主体の文化の最先端であるだけではなく、オートメーションの力を示すものでもあります。あなたの本当に欲しいものを知っている機械によって作られたTシャツが手に入るのであれば、中国あるいは米国の、粗末に扱われる労働者が作ったものを買おうと思うでしょうか。

本当にテクノロジーがすべての仕事をするのか

ここでの幻想は、テクノロジーが全ての仕事をしているということです。アレクサに話しかければ、ジェフ・ベゾスの手下である多数の自動化ロボットが、直ちにあなたのシャツを製造する作業に取りかかります。ベゾスの経営目標は、私たち消費者と彼のロボット労働力との間のインターフェースを所有することです。「Made For You」は、自動車製造から軍用ドローンまで、あらゆるものの未来に対するベゾスの構想を示すものです。しかし、本当は、ロボットが全ての作業をしているわけではありません。シャツの縫製を実行しているのはロボットかもしれませんが、綿花を摘み取る作業は人間がしています。ロボットの原材料である金属の採掘や、古くなったロボットの廃棄処分も人間がしています。ここでも、労働、環境汚染、資源戦争などを見えなくする「外部化」が行われています。ロボットは、人間の犠牲者の代わりをしているのではなく、隠しているだけです。つまりダムウェイター効果です。

デジタル技術によってもたらされるこの「曖昧化のフィルター」は、現実の被害を外部化して、全く新しい段階に進ませます。つまり、集まった人々に向けて自爆ドローンを突入させたり、囚人の刑期をアルゴリズムで算定させたりするとき、行為する人間とその結果とを技術が分断しているのです。暴力的で、搾取的で、成長志向という資本主義に固有の問題は軽減されるどころか、私たちの携帯電話を組み立てる、有害物で汚染された労働者の指紋ほどに目に見えなくされています。

多くの人々は、たいていの場合、見て見ぬふりをすることを学びます。私たちが自動車を運転し、動画の配信を視聴し、暗号資産に投資し、安い電子機器を購入するとき、高度に技術化された社会が設置した何段階かのフィルターによって、この私たちの時々刻々の選択が世界に実際どう影響するかが直接見えないという恩恵を受けています。では、それ以外の点では健全であり合理的で共感力のある人々が、このように偏った生活をしているのは、なぜでしょうか。私たちの大部分は、自分が発生させている損害に気が付いていないか、または、自分の管理できないシステムに組み込まれていて、その中でできることをするだけで、深く考えないようにしているか、そのどちらかです。

しかし、極めて裕福で権力のある人々の一部は、「隔離の方程式」をこの世界の基本原理として受け入れるようになりました。驚くべきことに、その原理は、彼らが億万長者になる過程ではうまく作用しました。その結果として彼ら自身の確信をさらに強めることになり、多数の人々がまねをして後に続いています。彼らは、私たちの社会のヒーローになりました。彼らは、科学、経済学、哲学から都合の良いアイデアだけを選んで、高度な技術を取り入れた社会、他人への影響を考えなくてもよい社会を作り出そうとしています。

◇原注　第4章

◇ “The integration of all Uber brands... life”: Megan Rose Dickey, “Uber Unveils New Skyport Designs for Uber Air,” *TechCrunch*, June 11, 2019,https://techcrunch.com/2019/06/11/uber-unveils-new-skyport-designs/.

◇ RVs and those living in cars: Marina Gorbis, “Hiding in Plain Sight: America’s Working Poverty Epidemic,” *Medium*, April 14, 2021,https://medium.com/institute-for-the-future/hiding-in-plain-sight-americas-working-poverty-epidemic-740f0b7202ea.

◇ “renewables”: Richard Maxwell and Toby Miller, *Greening the Media* (New York: Oxford University Press, 2012).

◇ “the dumbwaiter effect”: Douglas Rushkoff, *Throwing Rocks at the Google Bus: How Growth Became the Enemy of Prosperity* (New York: Penguin Portfolio, 2016), 19.

◇ miscarriages, cancers, and shortened lifespan: *Producing the Fairphone*, directed by Geert Rozinga (De Eerlijke Onderneming, 2016),https://www.vpro.nl/programmas/tegenlicht/kijk/afleveringen/2016-2017/de-eerlijke-onderneming.html.

◇ “create the perfect tee”: Amazon, “Made for You,” https://www.amazon.com/stores/made+for+you/page/E853EOFO-6F79-442D-B7E8-3A0E0531 FAF2, accessed August 9, 2021.

第5章　利己的な遺伝子

道徳よりも科学主義

ミームの欺瞞

リチャード・ドーキンスは、ガラス製の小さなテーブルの上にかがみこんで、慣れた手つきで折り紙を始めました。この有名な進化生物学者は、あるディナーパーティーの主賓でした。そのパーティーは、著作権エージェント（❖2）で科学の世界でも業績を残しているジョン・ブロックマンの、セントラルパーク・ウエストにある自宅で開催されたものです。まだ20世紀で、その頃は、ほとんどの人が「ミーム」（遺伝子のように人から人に伝わる文化的な情報）とは何かを知りませんでした。

ドーキンスは、完成した折り紙を持ち上げて、ソファの周りに集まった十数人のニューヨークの知識人に向かって「こんなものを見たことがありますか」と尋ねました。もちろん、私たちは全員、子供の頃クーティーキャッチャー（日本で言う、「パクパク」のこと）と呼んでいた、その折り紙の作り方も遊び方も覚えています。

「これがミームです」。

彼は続けて言いました。

「この小さい折り紙細工は、年月を経てもほとんど変化していません。それは、単なる物体ではなくて、一連の操作、すなわち決まった形になるように紙を折っていく方法だからです。子供たちは、その方法を習得し、友達に見せます。その方法は人から人へ、場所を超えて、また、時間を超えて伝えられます。生物が遺伝子に従うように、コンピューターがJavaScript（ジャバスクリプト）のプログラムを実行するように、私たちはその操作を実行します。紙の角と角を重ねてこのように折り曲げて、次はこのように横向きに折る、という具合に」。

私には理解できませんでした。バイラルメディア（口コミ）に関する私の著書は、人間とミームとの関係について全く異なる観察結果に基づくものでした。私から見れば、ミームとは、メディアウイルス（著者の用語で、メディアを通じて感染するある感情や価値観）の中にある単なる記号です。言い換えれば「大衆文化に隠された計略」です。そこで、私は次のように説明しました。ロドニー・キングのビデオテープ（警官が集団で黒人を激しく暴行する様子を撮影したビデオ。1992年のロサンゼルス暴動のきっかけとなった）は、警察の暴力や人種問題に関する強力なミームを含んでいたかもしれませんが、あのテープが人々の怒りを呼び、社会現象になったのは、私たちの側で、暴力に対する人間としての「心の準備」ができていたからです。私たちは、この問題をあまりにも長い間抑え込んでいました。そこで、この問題を明るみに出した画像によって全国的な議論が起こったのです。ソフトウェアがコンピューターを動かすのと同じようにミームが人間を動かしているのではありません。私たちは、言葉や身体を使うのと同じ方法でミームを使って、自分を表

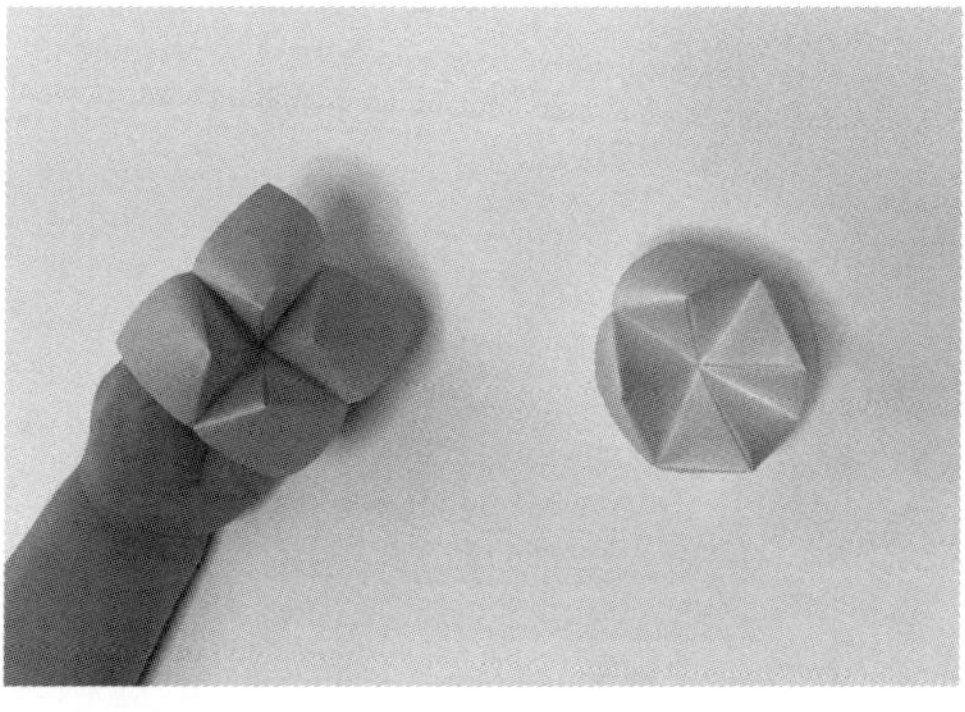

クーティーキャッチャー

何世紀も前から続く折り紙。丁寧に折られた二分法でいっぱい。日本で言う「パクパク」。

現し、変化を実現しています。私たちは、自覚のある演技者であり、プログラムを実行している受動的な機械ではありません。

ドーキンスは、私の議論を「希望的観測」だとして否定しました。私は、気が弱く、また、ドーキンスや他の有名人とパーティーに同席するだけでも身に余る光栄だと思ったので、それ以上のことは言えませんでした。私は、ドーキンスとその取り巻きから離れて、部屋の中を移動しました。その後30分ほどたった頃、ソファから高めの声が聞こえてきました。

Richard Dawkins
イギリスの進化生物学者・動物行動学者。『利己的な遺伝子』(The Selfish Gene)をはじめとする一般向けの著作を多く発表している。

フェミニストで『The Beauty Myth』（邦訳：『美の陰謀：女たちの見えない敵』）の著者、ナオミ・ウルフでした。そのパーティーに招待された客の中では唯一の女性です。ナオミ・ウルフは、ドーキンスの極めて機械的な世界観に異論を述べていました。

「あなたは、それ以外には絶対に何も起こっていないと言うのですか」と尋ねました。

ドーキンスによる人間の働きのモデルは、不必要に過小化されていて、霊魂や神が存在する可能性だけでなく、人間の知覚、経験、意思の裏側に不可思議なものが隠されているという余地さえない、とウルフは感じました。

ドーキンスは、私たちが生きている世界は、単純な科学的原理で完全に説明できると主張しました。全て実験によって立証できるものであり、私たち人間は、有機物の集合体に過ぎず、それ以外の枠組みは、迷信、宗教、または「妄想」だと言うのです。ドーキンスは、ウルフに対して、科学で説明できないもの、物質主義の原理から外れたものがあるならば、その証拠を出すように要求しました。愛、希望、直感、信頼など、ウルフが何を提示しても、ドーキンスは、それらは全て、遺伝子が何らかの方法で複製を続けるために用意されている、感情の状態または精神的な作用であると言います。

私は反論を試みました。

「この世界には、ある種の〝傾向〟があります。進化とは、単なるランダムな選択ではなくて、生命が何かに向かって模索しているのです。複雑さ。意識。同情。私たちは、遺伝子によって動かされているのではありません。原始時代の人類は、個人的な利益がなくてもお互いに食料を分け合っていました。人類の進化における最大の特徴は、競争ではありません。協力の物語です」。

Naomi Rebekah Wolf

『美の陰謀 女たちの見えない敵』が国際的ベストセラーになり、一躍著名人となった。1994年、阪急コミュニケーションズ 刊。

ドーキンスと他の数人は笑いました。彼は、私が「互恵的利他主義」を誤解していると言って、次のように説明しました。

「互恵的利他主義とは、遺伝子の生存を確保するために必要であるけれども、暫定的、一時的な協力の方法です。何らかの共感、あるいは、他人と分け合いたいと思う衝動は、DNAの利己的な目的のために発生する刺激です。私たち人間は、遺伝子の乗物に過ぎません。私たちの思考、想像、欲求、希望は、全て遺伝子に奉仕するためのものです。私たちの意識は、遺伝子によって演じられる幻想です。遺伝子は利己的にしか行動しないので、私たち人間も完全に利己的なのです」。

彼らは、論理において私よりも優れています。現実世界の異なる解釈について、証拠に基づく正統的な科学主義のルールによって説明するのは無理だと気が付いたので、私は、次のように言いました。

「何世紀にもわたって哲学者たちは、証拠がないものは考慮しないという科学主義には限界があることをさまざまな方法で示してきました。科学主義は、橋を建設したり、飛行機を飛ばしたりするためには役に立ちます。しかし、私たちがものごとに意義を見いだす方法は、証拠に基づくものではありません。何千年にもわたって社会的に構築された体系です。それは飛行機そのものを作るのには役に立たないかもしれませんが、旅行用として、あるいは戦争のために、この世界にさらに飛行機を作るべきかどうかを決断するためには有用です。意義を明確にする人間のコミュニティーだけが、本来の意味での客観性に基づいていると言えます。ものごとの意義を見いだすことは、善悪を判断する確かな正義感を人間が身に付ける手段です」。

ドーキンスは、あきれた表情をして、「宗教は、科学よりも多くの戦争を引き起こしている」と言いました。

私は、次のように答えました。

「これは、宗教ではありません。単なる世界の話をするのに、神を信じる必要はありません。意義のある世界で人間として生きることは、私たちは何らかのルールを備えた現実の中に存在するということです。その世界の背後には道徳が隠れています。そこには、善悪の感覚、単なる生存のためではない倫理的な感性があります」。

ドーキンスは、このかみ合わない議論に十分過ぎるほどの時間を使いました。そして、最後に「それは道徳主義だ」と言って私の意見を否定しました。周りにいた人々は笑いました。私の意見が悪いものであるかのように。議論に値しない、ばかげた立場であるかのように。

ドーキンスと私が、世界について異なる解釈をしていたというだけではありません。ドーキンスと他の科学者は、自分たちがものごとを「ありのまま」に見ていると考えています。これに対して、ウルフと私は、意義および道徳という体系を通じて現実を解釈しています。ドーキンスが科学主義に傾倒しているのは、ある種の情熱に基づく、すなわち、経験主義の世界に対する「信仰」のようなものに基づいているということを彼は認識していません。言い換えれば、彼が「自分は証拠だけの世界に生きている」という主張に固執するのは、全く証拠に基づいていないのです。そのように仮定しているだけです。それは、長い時間をかけて人間のコミュニティーが構築してきた、意義付けの体系の一部に過ぎません。科学主義はその体系の中でも「意義そのものを無視する」という意義付けの体系になっているのです。さらに困るのは、他の意義付け体系の有効性を否定することによって、他人に対する優越感をその支持者に与える傾向があります。意義を求める人を単なる「道徳主義者」だと扱います。

人間はプログラムのロボットか

スティーブン・ピンカー（認知心理学者）は、人間の脳は完全に予測可能な方法でさまざまなプログラムを実行するハードウェアに過ぎない、とする心の計算理論について論じています。ダニエル・デネット（認知科学者。無神論者として知られる）は、宗教的信念を「アリの脳に侵入する寄生虫」にたとえています。科学主義において、人間はプログラムを実行する単なるロボットであり、そのプログラムは遺伝子によっているか、「精神性」のように有害な病原体によっているか以外はありません。しかし、「意義付けとは、共に生きていく方法を作り出すためのコミュニティーの巧妙な産物である」という解釈を拒むこの正統的な科学主義は、道徳的な責任感によって協力する人間の役割の作用を否定しています。私たちは、プログラムのなすがまま、遺伝子のなすがままです。そうだとすれば、何でもしたいことをしてもかまいません。特に、それが私たちの遺伝子を周りに広めることならば。

それから20年を少し過ぎた頃、性目的の児童人身売買の常習者ジェフリー・エプスタインの没落についての雑誌記事を読んだときに、この思想家たちに会ったことを思い出しました。その記事には、優生学を復活させてエプスタインの精子で数百人の女性に受精させるという計画のために彼が資金を提供した、さまざまな科学者が登場します。暴露された写真には、エプスタインと数人の若い付添人、そして、あの道徳的世界の市民権を拒絶した科学者の多くが、すっかりだまされて一緒に写っていました。また別の写真では、ダニエル・デネット、スティーブン・ピンカー、そしてドーキンス本人が、TEDカンファレンス（毎年開催される大規模な世界的講演会。当時はカリフォルニア州モントレーで開催、現在はカナダのバンクーバー）に参加するためにエプスタインのプライベートジェット〔そのものズバリの別名「ロリータエクスプレス」〕に乗っていました。

誰でも、不適切なときに不適切な場所にいる結果になってしまうことがありますが、エプスタインと親交を深めた科学者たちは、偶然に選ばれたわけではありません。人間の発達に対する彼らの科学的アプローチは、エプスタインの反社会的行動のレンズを通して解釈すると、エプスタインのマスタープランにぴったり適合していたのです。エプスタインは、模範的な自己統治を目指す超人間主義者の億万長者プレッパーでした。プライベートアイランドを所有し〔そこに独自の法律を作っていました〕、さらに、いくつかの保養施設も持っていました。その1つが、ニューメキシコ州にある農場で、そこに20人の女性を住まわせて妊娠させる計画でした。現代の「政治的に正しい」資金提供者や組織の感覚では異端者と見られている科学者たちに何百万ドルも提供しました。その科学者たちであれば、人間の遺伝子全体を支配して死を回避できる、あるいは、必要があれば、将来の再生のためにエプスタインの頭脳とペニスを冷凍保存するのに役立つ、と考えたのです。

しかし、これは科学ではないし、科学主義でもありません。単なる「マインドセット」です。科学的モデルと

Jeffery Epstein
ジェフリー・エドワード・エプスタイン（Jeffrey Edward Epstein、1953年1月20日 - 2019年8月10日）。児童買春で逮捕された後自殺したとされている。

は、協力して探求する方法であり、おそらく単一の成果としては人類最大のものです。現実世界の性質を理解しようとする人々の基礎となるだけでなく、より良い健康的な生活を送りたい、食料、エネルギー、資源をより効率的に配送したい、環境に対する人間の影響を記録したい、宇宙の中で私たちのいる場所を理解したい、という人々にも役立ちます。困難な問題が発生する原因は、どちらかと言えば、優れた科学に対する信頼が過剰であることではなく、不足していることなのです。

自然に対する態度

意義と道徳という大きな背景を無理に切り離した場合、科学は、「マインドセット」が持つ人間性から最も乖離した特性を正当化して、支配と統制に奉仕する道具に成り下がってしまいます。結局のところ、経験的科学の先駆者フランシス・ベーコンが示した〔少なくとも、ベーコンに由来する〕(❖3)経験的科学の本来の前提は、価値判断と無関係ではなかったのです。その前提は、自然および女性に従属するものでした。ベーコンは、17世紀の後援者、ジェームズ国王に次のように説明したと言われています。

「自然に対しては、強引に侵入してその秘密を引き出さなければなりません。私は、あなたを自然とその全ての子供のもとに導き、彼女をあなたに奉仕させ、彼女をあなたの奴隷にします。自然は、その前髪をつかまなければなりません。彼女を押さえ込んで捕まえて、彼女を征服して服従させ、根底から揺さぶらなければなりません」。

このような発言は、自然に対して、魔女裁判で女性に対して行われた拷問と同じようなものを行うことを暗示しています。自然は、「そのままにしているときより、（機械的な装置を使った）試験や圧迫状態にさらしたときに、明確に本性を現す」からだと言うのです。

　自然は、恐ろしくて暗く、女性であり、限りなく広がり、全てを包み込む、謎の空間でした。経験的科学は、自然の特性を数値化して不活性化することによって、この野獣のような力を捕らえて手なずけることができました。非常に単純化し過ぎた話ですが、このように完全に計測可能で予測可能な現象によって世界が動かされているという考え方には、安心できるものがあります。

フランシス・ベーコン

ベーコンは17世紀イギリスの哲学者。イギリス経験主義の祖として知られる。

　最初から、経験的科学は、魔女としての女性を征服することによって広まりました。もちろん、このような行動は、科学主義の論理に矛盾しています。もし魔術が迷信であるとすれば、それを行う女性たちは、魔女狩りのための指導書『Malleus maleficarum』〔魔女に与える鉄槌〕に述べられていたような力を持たなかったでしょう。しかし、ベーコンおよび彼が影響を与えた王立協会は、難しい立場にありました。

　まず、薬草の特性や治療法について、男性の科学者とは全く異なる言葉を使う女性治療師は、ヒルに血を吸わせ、瀉血を行う彼らよりも、病気に対して著しく優れた効果を実証していました。さらに、王立協会とその会員である科学者たちは、「無神論」的な物質主義について教会から批判されていました。黒魔術の力を認めて、魔女狩りの狂乱に加わることによって、男性科学者たちは、最大の競争相手を排除する一方で、彼ら本来の態度であるはずの、神を認めない唯物論的な世界観からも距離を取りました。

その過程で、科学者たちは、科学に対して経験に基づいて取り組むことを放棄しました。実践により得られた何千年も前からの知識、たとえば、数千年の試行錯誤による薬草、農業、天気に関する実験結果も失いました。さらに、熱狂的な排外主義に陥って、今日に至るまで、自分たちの手法とは異なる、意義付けという手法を科学的発見や考察が不十分だとして無視しています。初期の経験主義科学者は、自然の力を定量化することによってそれを取り込もうとしました。あらゆるものは、質量、熱、力、その他の基準によって計測されなければなりません。世界の定量化には、重要なもの全てを含んでいますが、現実世界の中でも、感情、意義、道徳など、科学者が関わりたくない面倒で定義の不明確な側面は無視されました。経験主義科学者は、何が、どこで、ということには優れていますが、なぜ、という点についてはあまり得意ではありませんでした。

意義の体系から自分たちを切り離すことによって〔特に科学それ自身が生まれた意義の体系から〕、科学は、支配と収奪の道具として科学を利用しようとする力に対して脆弱になりました。ルネサンス時代の科学は、現実を上から見て分類するという性質がありましたが、これはその後に現れた、産業主義のトップダウンで画一的な手法によく適合しました。専制君主と、その勅許を受けた独占企業は、速度、生産量、利益、距離、あるいは大量の殺戮など、最大化したい変数を好きなように選び、科学者は、それに適した機械や生産プロセスを開発することができました。

また、経験的科学は、原因と結果を都合良く分離しました。ものごとは相互に影響を及ぼすものの、ダイナミックな関係性としては解釈されませんでした。ある物またはある人は、主体か客体か、溶質か溶媒か、捕食者か被捕食者か、男か女か、領主か農民か、主人か奴隷か、どちらかに決まります。科学者の社会で権力を持つ人々が原因と結果を分離すればするほど、彼らは自分たちが誰に対して何をしているかを見なくても済むようになりました。

科学と資本主義

初期の科学者は、客観化、定量化、相互作用を重視する傾向があったので、そこから発生した科学および技術は、あらゆるものに金銭的な価値を付ける方法を求めていた植民地主義の資本家たちに気に入られました。技術者は、船を武装化する技術、権力者をその行動のおぞましい結果から隔離する技術、収奪の精神を正当化する技術を開発しました。その中でも最悪の結果は、この抑圧的な科学主義のせいで、その後何世代にもわたって、科学に対する王立協会の支配と統制という伝統を永続化させてしまったことです。

このような経緯で、リチャード・ドーキンスのように優秀な生物学者が、人間の意識という不思議な現象は遺伝子によって投影された映画に過ぎない、という単純化した解釈をするようになりました。しかし、私自身がコンピュータープログラムに関する経験から学んだことは、人間についてドーキンスが遺伝子の研究から得た結論とは逆です。ドーキンスは、人間とは「生存のための機械、すなわち、遺伝子という利己的な分子を保存するためにプログラムされたロボットとしての手段」であると考えています。これに対して、私は、共有しようとする集団的な意識であり、新しく生み出される集団的な創造性であると考えています。ドーキンスの「人間はハードウェアである」というモデル、あるいは、ダニエル・デネットやスティーブン・ピンカーなど、同じように知的で優秀な人のモデルは、シリコンバレーで勝利を収めました。彼らのモデルは、人々に力を与えるのではなく人々を操作することに重点を置くビジネスモデルと相性が良いものです。すなわち、人々に集団的な創造性という機会を提供するのではなく、利益のために人々から収奪するビジネスモデルです。人々が本当に遺伝子または文化による一連のプログラムに対して受動的に反応しているだけなのであれば、自分でそのプログラムを書いて、それによって得をする立場になればよいのではないでしょうか。

その後、10年ほどの間、先述のエプスタインの資金援助を受けたブロックマンのエッジ財団（Edge Foundation）が企画したセミナーが多数開催されました。そのセミナーは行動経済学、すなわち、人々がどのような金銭上の判断をするかを調べる研究に関するものです。行動経済学とは、実際には、よりプログラム的な観点から見たマーケティング心理学の婉曲表現に過ぎません。したがって、このようなセミナーに、アマゾン創設者のジェフ・ベゾス、グーグルのラリー・ペイジ、マイクロソフトCTO（最高技術責任者）のネイサン・ミアボルド、テスラのイーロン・マスクらが参加していても不思議ではありません。彼らは、『Nudge』（邦訳：『実践 行動経済学』）や『Misbehaving』（邦訳：『行動経済学の逆襲』）といった題名の本の著者から、すぐ使える知識を吸い上げました。

行動経済学者は、人々が、自己の経済的利益のために行う合理的な行動から、どのように逸脱するかを特定することに興味があります。それは、消費者や投資家を操作して、見境なくお金を使うように仕向けるための手段だからです。たとえば、「メンタルアカウンティング（心の会計）」という非合理的なプロセスによって、人々は、自分のお金がいくつかの別々のバケツ（カテゴリー）に分けられ、そのうちいくつかは他に比べて価値が高い、と考えがちです。クレジットカードのポイントや航空会社のマイルなどの優待制度は、メンタルアカウンティングを促進して、その制度がない場合よりも多くの資産をそこにつぎ込むように仕向けます。「アンカリングバイアス」とは、人間は最初に聞いた情報に依存する傾向がある、ということです。マーケティング担当者は、これを利用して、「値引き前の通常価格」を「セール価格」よりも先に言うことによって、消費者が安い値段で買えたと思い込むようにします。行動経済学は、人々をプログラム可能な機械のように扱うことによって、人間本来の性質を自分たちのために束縛することの別の姿なのです。

『Nudge』
『実践 行動経済学』2022年、日経BP刊。

『Misbehaving』
『行動経済学の逆襲』2019年、早川書房刊。

マインドセットというプログラム

17世紀の科学の支持者たちが、自己の利益のために教会の価値観に口先だけ賛同していたのと同じように、この種の応用科学を奨励する人たちは、市場の価値観にすり寄っています。彼らは、他人を利用しようとする人々が、一般の人々には覆い隠されて見えないような世界の全体像を構築するのを助けています。それは、人々が実際には生きていたり、意識があったりするわけではなく、単に遺伝子のプログラムに従って動いているという世界です。人間は、偏見と盲点に左右される霊長類だというのです。これは、科学が億万長者たちの都合の良いものになるという反社会的な物の見方です。なぜならば、最も恥ずべき彼らの行為、たとえば、若い女性を人身売買すること、あるいは、労働者や消費者という底辺の人々全体から搾取することを正当化するのに役立つからです。

このような科学の賛同者は、科学の伝統に連なる先祖たちから受け継いだ、一般には認められない価値体系を永続化しようとしています。そう考えれば、彼らの行動や想定に説明が付きます。彼らは、自分が証拠に基づく合理主義者に過ぎないと思っているのかもしれませんが、実際には、彼らこそが「マインドセット」というプログラムに従っているのです。

◇原注　第5章

❖ 2　「著作権エージェントで科学の世界でも業績を残しているジョン・ブロックマン……」：このパーティーの約10年後の2009年から2019年まで、私はジョン・ブロックマン・エージェンシーの顧客でした。

❖ 3　「（少なくとも、ベーコンに由来する）……」：この言葉はベーコンの死後に出版された本に掲載されています。*Masculus Partus Temporum,* (*The Masculine Birth of Time*, 1603)　一部の学者は、後になって王室のメンバーが女性蔑視および女性と自然に対する支配を正当化するためにこの言葉を利用した、あるいは捏造したと考えています。科学が女性蔑視に基づくとするベーコンの考え方については、以下を参照。Carolyn Merchant, *The Death of Nature: Women, Ecology and the Scientific Revolution* (San Fransisco: HarperSanFrancisco, 1983). ベーコンが誤解された可能性については、以下を参照。Alan Soble, "In Defense of Bacon," in *A House Built on Sand: Exposing Postmodernist Myths about Science*, ed. Noretta Koertge, (Oxford University Press, 1998), 195– 215.

◇ robust sense of justice: See Emmanuel Levinas, *Totality and Infinity: An Essay on Exteriority*, trans. Alphonso Lingis (Pittsburgh: Duquesne University Press, 1969).

◇ "parasitic worm": Richard Kearney, *Anatheism: Returning to God After God* (New York: Columbia University Press, 2009), 168?71.

◇ seed hundreds of women: James B. Stewart, Matthew Goldstein, and Jessica Silver-Green-berg, "Jeffrey Epstein Hoped to Seed Human Race with His DNA," *New York Times*, July 31, 2019,https://www.nytimes.com/2019/07/31/business/jeffrey-epstein-eugenics.html.

◇ Lolita Express: Julia La Roche, "Jeffrey Epstein Attended the 'Billionaires' Dinner' and Now His Presence Has Been Scrubbed," *Yahoo! Finance*, July 15, 2019,https://www.yahoo.com/now/jeffery-epstein-billionaires-dinner-john-brockman-photos-sarah-kellen-173443481.html.

◇ impregnate twenty women at a time: Stewart, Goldstein, and Silver-Greenberg, "Jeffrey Epstein Hoped to Seed Human Race with His DNA."

◇ freeze his head and penis: Bess Levin, "Jeffrey Epstein Wanted to Have His Penis Frozen and 'Brought Back to Life in the Future,'" *Vanity Fair*, July 31, 2019,https://www.vanityfair.com/news/2019/07/jeffrey-epstein-transhumanism-cryonics.

◇ "I am come in very truth... herself": Clifford D. Conner, *A People's History of Science* (New York: Nation Press, 2005), 364.

◇ "atheistical" materialism: Charles Webster, *From Paracelsus to Newton: Magic and the Making of Modern Science* (Cambridge: Cambridge University Press, 1982), 99?102.

◇ "survival machines": Richard Dawkins, *The Selfish Gene: 40th Anniversary Edition* (New York: Oxford University Press, 2016), xxix.

◇ master classes in behavioral economics: Daniel Kahneman, "A Short Course in Thinking About Thinking," Edge Masterclass 2007, https://www.edge.org/events/the-edge-master-class-2007-a-short-course-in-thinking-about-thinking;Richard Thaler, Sendhil Mullainathan, and Daniel Kahneman, "A Short Course in Behavioral Economics," Edge Master Class 2008,https://www.edge.org/event/edge-master-class-2008-richard-thaler-sendhil-mullainathan-daniel-kahneman-a-short-course-in.

第6章　全速力で前進

非人間化と支配と収奪

演劇の物語

友人であるバーニーと私は、カリフォルニア芸術大学の修士課程で舞台演出を学んでいました。素晴らしい大学であり、さまざまな分野の間で協力して成果を出す機会がありました。ティム・バートン〔映画『バットマン』や『ビートルジュース』の監督〕は、ここで学んでアニメーションの新しい世界を切り開きました。K.P.H.ノトプロジョ〔世界で最も有名なジャワのガムラン奏者〕は、バリ島の有名な「ケチャ」を一度に数百人の学生に教えました。ポール・ルーベンス〔「ピーウィー・ハーマン」を演じた俳優〕（ピーウィー・ハーマンは灰色のスーツに赤いボウタイで変な話し方をするキャラクター。テレビ番組のホストや映画で有名になった）が、バレリーナの衣装を着てローラースケートで廊下を走っていた場所でもあります。

しかし、演劇学部は、明らかに保守的でした。昔ながらの演劇学校の方式に従って、危機、クライマックス、解決、という正統的な演劇手法を教えていました。全ての劇、全てのシーン、全ての瞬間には、これと同じ形式が含まれていて、主役の唯一の目的または運命に向かって演技を前へ進めます。全ての間《ま》は、演技を誘発するきっかけです。演技は頂点に向かって上昇していきます。ここで主役が選択を行います。殺人、結婚、脱出、自殺。そして物語が解決します。危機、クライマックス、解決。これは、アリストテレスが記述し、シェークスピアが完成し、ハリウッドが定式化したものです。

バーニーと私は、演劇をそのようには考えていませんでした。バーニーは、ダンスと仮面劇の熟練者でした。

彼は、演劇とは、制約がなく極めて即興的でリズミカルな探求だと考えていました。なぜ、演劇は、人間の動機や目的について、合理的または説明可能でなければならないのでしょうか。人々は、自分がいつも何を求めているかを本当にわかっているのでしょうか。また、私は、1970年代から80年代の実験演劇で育ちました。そこでは、演技者と観客の境界が判別不能で曖昧になっていました。劇のストーリーは、演技者と観客を1つの部屋に入れて、その間に目に見えない境界線を引くための口実でしかありません。私は、「ハプニング（ギャラリーや市街地で行われる非再現的で一回性の強いパフォーマンスアートや作品展示）」と「フルクサス（1960年代から70年代にかけて発生した、芸術家、作曲家、デザイナー、詩人らによる前衛芸術運動）」を研究しました。それは、劇の台本とは違って、状況を発生させるための約束事のようなものでした。私は、序盤、中盤、終盤というように直線的に進む演劇は好きではありませんでした。実際の人生は、そのようになっていないからです。

ある夜、授業が終わった後、「僕たちが学んでいるこんな演劇は、芸術ではない」とバーニーに不満を述べたことを思い出します。

彼は、賛成して次のように言いました。

「人生でもない。人間は、いつから目的に向かって進む主役になったのか。ものごとは、ただ起こっているだけだ。そして、あるときに

ハプニング

「The Destruction(破壊)」(1963)。仲間に作品をまとめて破壊されるというコンセプトのハプニング。

止まったり、また始まったりしている」。

私は、付け加えて言いました。

「彼らは、こんな演劇をリアリズムと呼んでいるが、全く逆だ。物語を押し付けているだけだ。ある種の必然性として。確立された秩序の確認として。演技を開始して、クライマックスに至り、眠る。男性のオーガズム曲線みたいだ。目標に向かって進んで、転んで、意識を失う」。

バーニーは、結論を述べました。

「文化的なプロパガンダだ。第1幕で問題を発生させて、最後の幕で解決する。戦争、愛、神、名誉。さまざまな解決策があるが、いずれにしても、それが観客の学ぶべき価値観ということになっている」。

それに加えて、演劇は値段が高いのです。以前、ブレヒトの『三文オペラ』(ベルトルト・ブレヒトの1928年のオペラ)の制作に携わったことがありますが、その最も安いチケットは70ドルでした。『三文オペラ』は、従来の演劇の一部に対して、また、ワーグナー風のオペラに見られる、行き過ぎた恋愛やハッピーエンドに対して、意図的に風刺して批判するものでした。ブレヒトの劇では、壮大な将来の計画を持っている人々は、たいてい悪役です。彼らは、現状の苦労や苦痛を無視して、自分が全てを支配するという構想に向かって強引に進みます。彼らにとって、目的は常に手段を正当化します。ブレヒトの劇は、その征服と成果に向かって突き進むありようをむき出しにさせ、批判的に見せる意図を持っていました。

幕間の休憩時間に、ある女性が文句を言っているのが聞こえました。

「この劇は、どこへ向かっているのかわかりませんね」。

観客は、何かの目標へ向かって前進することを期待していました。観客は、そのためにお金を払っています。

人生は、そのような満足感を与えてくれません。娯楽にはそれが期待されています。

そのとき、私は演劇界から去って、インターネットへ移ることを決意しました。ネットの双方向性がこの状況を変えてくれるだろう、と自分に言い聞かせました。ある程度までは、そうなりました。ウェブ、デジタルプラットフォーム、ハイパーテキストは、ユーザーがそれをたどったり、構築したりもするいくつもの道筋を提供しました。もはや唯一の達成目標というものは存在しません。私たちは、自分自身の冒険物語を自由に選ぶことができます。明確なゴールのあるゲームでも、たとえばスーパーマリオやワールド・オブ・ウォークラフト（Blizzard Entertainment 社が開発・運営する著名なオンラインゲーム。通称ＷｏＷ）のように、プレイヤーは、ゲームのメインストーリーを無視して、ゲームの世界の中をうろうろと歩き回ることによって、大きな満足感を得られます。

しかし、これらのプラットフォーム上で行われる活動が、征服という単一の目標に向かうものでなかったとしても、その背後にある企業は、確実にこの目標を目指していました。１９８０年代に、大金持ちになりたいと思った頭の良い人たちが、ハイコンセプトの脚本（画期的で壮大なアイデアを基にした映画の脚本）を書いていました。１９９０年代には、それと同じように頭の良い人たちが、ＩＴ業界で、ほとんど同じ構成の事業計画書を書いていました。大きな新しいアイデアによって「現状を打破」して、競合する他社を排除し、市場を可能な限り最大限まで成長させ、そして、頂点に達したときにクライマックスとして、売却またはＩＰＯ（新規上場）という「出口戦略」を実行します。序盤、中盤、そして輝かしい終盤。ＲＯＩ（投資利益率）という尺度で示される勝利の物語です。

シリコンバレーの論理には、若い開発者による投資家向けプレゼンテーション、ＴＥＤカンファレンスの講演、ジョー・ローガンのIT億万長者インタビューなど、全てにおいてこの種の事業計画という同じ特徴があります。進歩、未来、楽観、変革、勝利。しかし、このような言葉は、多くの場合、征服、植民地化、支配、収奪といった言葉の婉曲表現に過ぎません。事業環境を変えて独占を達成するための「目的は手段を正当化する」という活動を示すものです。

2つの物語

西洋的な直線的な進歩への前進を批判する人々は、しばしば遠い過去の時代には残忍な行為や暴力はなかったという理想化された図式に頼り過ぎています。彼らは、人間の祖先が協力的であった証拠として、ボノボ（コンゴ民主共和国に生息する。攻撃性が低く平和的と言われている）のような霊長類の平和的な行動を提示します。この考え方によれば、持続可能な生活をしていた先住民は、拡張主義の猛威に感染してしまったのであり、そのことに気が付いた私たちは、ジョニ・ミッチェルの歌のように「みんな一緒にあの

Joni Mitchell

ジョニ・ミッチェルは、カナダのシンガーソングライター。ローリング・ストーン誌はジョニを「史上最高のソングライターの1人」と表現した。

楽園に帰る」(「ビッグ・イエロー・タクシー」)必要があるというのです。その一方で、急速な発展を支持する人たちは、デジタル技術と市場のおかげで人類はその競争的な性格による闇から解放される、というユートピア的な将来像を示します。私たち人間は、暴力的な類人猿から進化しただけでなく、暴力的に競争するバクテリアからも進化してきました。文明、市場、技術は、私たちの生まれつきの競争好きな性格を改めて全体の良い結果に向けて活用する方法を与えてくれるというのです。

いずれの物語も、進歩というイデオロギーと、どこかに根本的に異なる場所があるはずだとする神話にどっぷりとつかっています。その場所は、私たちみんなが進むべきところ、あるいは、少なくともごく一部の幸運な人々が進むべきところだということです。「テック男子」たち、その熱烈な対抗者、そのどちらも同じ心理的なわなに陥っています。企業中心の考え方も、カウンターカルチャーも、この征服物語は、英雄の旅路、あるいは新約聖書の構造とでも言うべきものに従っています。苦闘、進歩、クライマックスとしての世界の終わり、そして、その後には、正しい信仰、幻覚剤の経験、コンピューター・プロセッサー、あるいは利己的な遺伝子を持つ人々に対する救済があります。その幸運な勝者が、莫大な資産、火星、コンピューターチップ上の永遠の生命、あるいは救世主の意識という、全く新しい最終的なクライマックスに到達します。彼らがどこかにたどり着いて、そこで物語は終わります。

このような形の物語は、西洋文明のある時点で生まれて、そこから世界に広まったのではありません。征服へ向けて進もうとする傾向は、人間の潜在的な性質であり、ある種の発見やイノベーションによって活性化し、増強するものです。そして次には、逆に発見やイノベーションを支えるようになります。文化史学者のリーアン・アイスラーは、「支配者モデル」の事例の歴史をたどると、鉄器時代初期、初期ヨーロッパのクルガン文化（南ロシアを中心とする新石器時代後期から鉄器時代にかけての文化。クルガンと呼ばれる墳墓を特徴とする）による冶金《やきん》術の習得にまでさかのぼるとして、次のように説明します。

「鋭い剣で支配し破壊する力が、次第に生命を支え育む能力という力の概念にとって代る。（中略）最大の破壊力をもった男たち——肉体的にもっとも強く、もっとも鈍感で、もっとも残忍な者たち——が頂点にのぼり、それと共にいたるところで、社会組織はより支配階層的権威主義的になってくる」（邦訳：リーアン・アイスラー著、野島秀勝訳『聖杯と剣』法政大学出版局、1991）。

あらゆるものが支配者の物の見方に賛同するように変わります。人々がこの新しい文化の中で生まれて、そのルールと価値観が本来の自然の姿であると考えるようになるまで、この変化が続きます。クルガンの侵略者は、大きな成功を収めたので、最終的にニーチェやヒトラーによって理想化されて、純粋なヨーロッパ人種の祖先とされます。これは、私たちが何度も見ることになる力関係です。新しい技術が出現すると、誰かがそのアイデアをコピーして、それを使って市場または文化を植民地化し、より小さい疎外されたグループに細分化し、その資源や労働力を収奪する、という関係です。その過程で、従来の価値観は、競争と支配というイデオロギーに置き換えられます。実際

クルガン文化

ポーランド・スヴァウキ近郊のものとされるクルガン墳墓。

に、それは今私たちが資本主義と呼んでいるものの基本概念です。

もともと市場経済は、十字軍の直後の中世後期に始まり、封建制度の農民に利益をもたらしました。それは、上下関係ではなく、対等な関係のピアツーピアの経済でした。地元の農民やパン職人は、一般的には、「裕福」になることを目指すのではなく、自分の生活が成り立てばよいと考えていました。彼らの通貨は、商品の取引に適していました。ため込んだり隠したりするものではなく、人々の間で商品を交換するのに便利なものでした。この市場経済が非常にうまく機能したので、欧州は、庶民の豊かさという意味では、現代までの歴史の中で最大の経済成長時代を経験しました。町が裕福になったので、大聖堂の建設に資金を投入し、その後の巡礼や旅行を発展させるきっかけになりました。人々はあまり働かなくなり、たくさん食べるようになって、それまでよりも〔場合によっては、それ以後と比べても〕背が高くなりました。

一般の人々が豊かになり自主独立の意識が強くなると、貴族階級は、自分たちが以前と比べて相対的に貧しくなり威力を失ったと感じるようになりました。この裕福な家系は、多くの場合、何世紀にもわたって働かず、また価値を生み出さずに続いてきたのですから、彼らは、大衆を支配する新しい方法を見つける必要がありました。最初の手段は、「勅許独占権」を与えることでした。優遇された貴族が、ある業界を独占的に支配するというものです。たとえば、ある靴職人が今まで自分で靴を作って売っていたとすれば、今後は、国王陛下の靴会社の従業員にならなければなりません。個人が自由に自分自身で価値を生み出して交換することは、できなくなりました。

君主は、市場貨幣を非合法化して、人々に「王国の貨幣」を使うことを強制しました。この通貨は、中央銀行から借りて、利子を付けて返さなければなりません。この財政手段の独占によって、貴族階級は、単にお金を貸すだけで利益を得ることができました。さまざまな国が次々とこの新しい手法を採用しました。地元の市場は壊滅し、農民が富裕層に隷属して働く状況が戻ってきました。中央通貨は、新しい経済のオペレーティングシステムになり、企業は、そこで実行されるソフトウェアになりました。圧倒的勝利のプログラムです。

成長は、新しいエートス（時代や社会が持つ基本的な価値観や信念、行動様式）になり、あらゆる勅許会社の必要事項になりました。拡張主義、すなわち、その後に発生した独占的な植民地資本主義が収奪する構造は、現在も依然として全力で進行中です。英国やオランダの東インド会社のような勅許独占企業は、アジアやアフリカ、アメリカへ乗り出していって、そこに住む人々を殺したり奴隷化したりして、さらに、彼らの資源を奪いました。教会が最初に到着して、現地の人々との交流を確立して、彼らに関する情報を集めました。次に、武装した船、会社、征服者が訪れて支配します。このような征服は、次に説明する企業植民地主義の3つの重要な考え方に基づいていました。それは、現在の私たちが戦っている「マインドセット」の中心になっています。

支配の構造

第1に、自分自身を自然から切り離して見ることによって、その結果、先住民を人間以下の存在だとみなすことでした。啓蒙主義の思想家は、幸福と自由に対する権利を熱烈に信じる一方で、彼らの哲学は、先述のフランシス・ベーコンおよび同時代の思想家の経験的科学主義を基盤としていました。彼らの図式では、新世界は「バージンアイランド」（まっさらな島）であり、欧州の白人が移住してくるのを待ち望んでいるのです。啓蒙思想家のジョン・ロックは、文明化される前の「自然の状態」を次のように説明しています。

「最初は、世界の全てがアメリカだった」。

ネイティブアメリカンは、その環境の一部と考えられ、猛獣と同じであり、人間は彼らと安全に交際できない。したがって、ライオンや虎と同じように殺すべきものである。農場の主人は、キリスト教徒の召し使いを契約に従って支配する自由があり、奴隷に対しては「絶対的支配権」がある。彼らは、完全な人間ではないからです。

これらの吸血鬼のような行為は、自然というシステムの再生能力を弱体化したのかもしれません。しかし、このような行為は、支配の2番目の考え方を完全に表現していました。収奪です。たとえば、島の住民がロープを作ってオランダ西インド会社に売り始めたとき、会社は、ロープ産業を規制する法律をオランダ本国に求めました。彼らは独占権を得て、それ以後は、西インド会社以外の者がロープを製造することは違法になりました。米国の独立革命は、英国の西インド会社による同様な収奪政策が原因になっています。入植者たちは、綿花を栽培して収穫することを許可されていましたが、その収穫物は、所定の価格で、直接、西インド会社に売ることになっていました。会社は、わざわざ綿花を英国に送り、布地や衣服に形を変えてから送り返して、入植者に売ることによって利益を得ていました。

多くの価値を収奪すればするほど、支配と統制のしくみに参加する以外には、価値を創造し交換する機会が少なくなります。そもそも、そのしくみは現地の人々から奪い取ったものです。現地の人々は、迫害者と同じ暴力的な戦術を採用して抵抗することもできますが、これには、自分たちも同じ感覚に冒されるリスクがあります。そうなると状況はさらなる迫害と収奪を引き起こす。悪循環は続くのです。

ここで、支配の3番目の考え方が出てきます。絶え間ない成長の追求です。この植民地拡大への流れは、通貨が利子を生み出すという構造そのものから発生したことを思い出してください。あらゆるものは、借りたときよりも多くの額を返す必要がある、ということに基礎を置いています。これは、経済の健全性に関する誤解につながっています。GDP、すなわち国内総生産は、国の繁栄を判断する基本的な基準になっています。それは、個人や企業が実際にどのように事業を行っているかとは関係のない数値です。単に生産された商品の市場価値の合計を示しているだけです。たとえば、有害物質の流出は、GDPに良い影響を与えます。回収や浄化のために多額のお金を使うからです。橋を修理しても、GDPは増加しません。撤去して新しい橋を建設すれば増加します。地下水の供給量が回復しても、GDPは増加しません。しかし、水不足になって水の価格が高くなれば増加します。さらに言えば、貸し付けを行う投資家は、多額の資金を必要とする新しい大規模プロジェクトがなければ、利子が発生しないのですから利益を得られません。

見境のない成長の追求は、現在に至るまで、支配者の文化が絶え間なく前進することを後押ししてきました。現代の企業の考え方によれば、自分たちは植民地への入植者であり、事業を拡大しようとする地域の住民は、収奪される先住民である、ということになります。このように企業が全てを支配している環境では、それ以外の方法で事業を行うのは困難です。現在の起業家は、製品のイノベーションではなく、成長するためのビジネスモデルのイノベーションに関心を持っています。成長そのものが疑問視されることは決してありません。

その結果、技術的イノベーションは、より優れた製品や体験を提供する手段ではなく、支配、収奪、成長を強化する手段と見られるようになりました。一例を挙げれば、製造ラインは、より良い製品をより速く作るためのものではありません。その本当の目的は、相当な賃金を必要とする熟練労働者への依存を減らすことです。生産技術は、生み出される価値から人間の労働を切り離すことを目指したものです。

疑いようのない収奪と成長

現在のIT企業は、これと同じ基本原理を受け継いでいます。その創業者の多くは、大学を出るとすぐに事業を始めているので、経済の歴史、アダム・スミスやジョン・スチュアート・ミルの道徳哲学、あるいはマルクス主義の基礎を学ぶ機会がありません。そのせいで彼らは、非人間的かつ収奪的で成長に重点を置く事業環境の影響を受けやすくなっています。

彼らは、独占を目指します。それが新しい市場を支配するためのデフォルトの構造だからです。それを達成するために革新的技術を使うかもしれませんが、その根本にあるオペレーティングシステム、すなわち収奪と成長の必要性に異議を申し立てることはありません。

彼らは、それによって生じる社会や経済の荒廃を、ヨーゼフ・シュンペーター（19世紀末生まれの経済学者）が言うところの「創造的破壊」であるとして正当化します。シュンペーターは、産業の変化によって古い富と新しい富が入り交じり、再分配することができるというマルクス主義の考え方に基づいていましたが、今のスタートアップ経済は、少しもこの方向に進んでいません。ごく少数の起業家や開発者は、自分のアイデアによって大金持ちになるかもしれませんが、より大きい視点で見れば、いつも同じ機関投資家がグーグルやフェイスブック（現メタ）を利用して利益を上げています。以前は、インテルやIBMから、さらにその前はGEやAT&Tから利益を得ていました。有力な技術系企業の業績に関するメディアの報道に気をとられて、その背後にいる見えない富豪たち（❖4）がさらに裕福になっていることが隠されています。

アプリやプラットフォームは、確かに既存の市場に変化を生じさせるように作られていますが、その主な目的は、貧乏人から財産を収奪して、富裕層に渡すことです。アマゾンは、その独占状態を活用して一般書店よりも大きい利益を確保し、出版を「無駄のない」ものにしました。ウーバーの運転手は、タクシー運転手よりも収入が少なくなっています。進歩のための必然的な流れだという言い訳をしていますが、これは、創造的破壊ではなく「破壊的破壊」です。

創造的破壊の支持者たちは、新しい技術のせいで貧しくなった人、あるいは失業した人に対して、新しいスキルを身に付ければよい、と主張しています。しかし、企業の新しいニーズに応える教育訓練は、危険な試みです。特に、その企業での従業員の扱い方が、産業革命初期の工場と同じように、製造ラインで単純作業に従事させて、いつでも人を入れ替え可能にするという方針である場合には危険です。プログラミングを学ぶことは、今後の米国の雇用機会を拡大するように思われます。しかし、企業がソフトウェア開発をインドや東欧、あるいは人工知能に外部委託するようになれば、それで終わりです。

「マインドセット」は、人間とは不必要なもの、あるいはわずらわしいものだと考えています。したがって、多くのスタートアップ企業のビジネスプランは、その事業がいつの日か完全に自動化されることを示さなければ、却下されます。最初のうちは、わずかな従業員がいてもかまいませんが、最終的には、企業が無限に「スケール」する（拡大する）ために、そのようなスキルは全て自動化する必要があります。だからこそ、フェイスブックは、給料の必要な人間の従業員の代わりに、有害な投稿を監視して選別する作業を、ＡＩに、あるいは最悪の場合ユーザーにさせようとしているのです。

前に進むこと

人間の意識は計算できると考える楽観的な認知科学者、スティーブン・ピンカーは、技術中心で市場重視の方法が必然的に成功するという「マインドセット」の最高の代弁者になっています。重要なのは、前へ進むことです。ピンカーの説明によれば、「ある種の社会的変化が、避けられない構造的な力によって起こっている」というのです。２０１８年の著書『Enlightenment Now』（邦訳：『21世紀の啓蒙：理性、科学、ヒューマニズム、進歩』）で、ピンカーは、欧州の啓蒙時代（ジョン・ロックを生み、また、奴隷制度を正当化した時代）を高く評価しています。全体として暴力が減少し、健康、寿命、教育レベル、普遍的な人権が向上したという理由です。

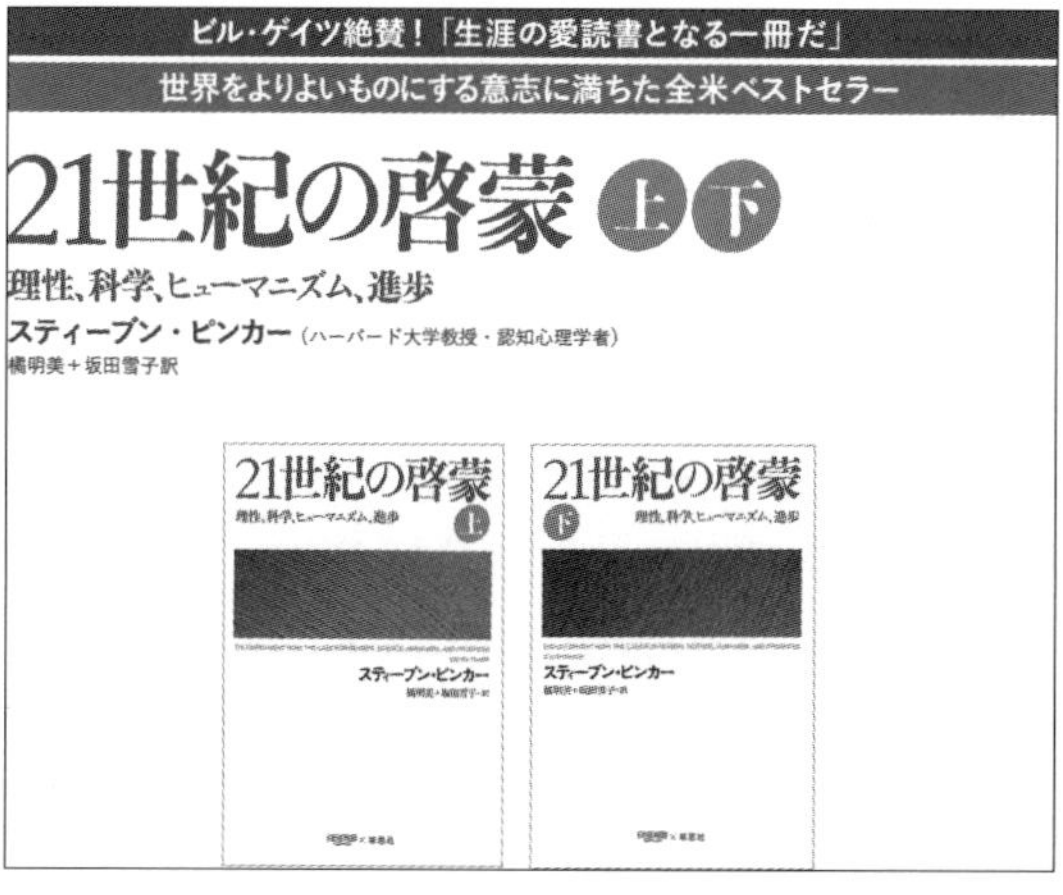

『Enlightenment Now』

スティーブン・ピンカーの著書より。邦訳：『21世紀の啓蒙』2019年、草思社刊。

これは、極めて問題のある説明です。第一に、デビッド・グレーバーとデビッド・ウェングローによる常識破りの著作、『The Dawn of Everything（万物の夜明け）』（邦訳未出版）で示したように、農業から都市へ、技術や啓蒙主義を経て現代社会に至るという、文明の進歩を過度に単純化した一方向の物語は、単に間違っています。今までの歴史を通じて、さまざまな都市国家が存在し、私たちが技術と呼ぶものを持つ場合も、持たない場合もありました。狩猟採集社会でさえも、一部には、巨大な都市規模の集落があり、大量の建築構造物や民主的市民議会を備えていました。

よく引用されるピンカーの進歩に関する統計には、もう一つの問題があります。純粋な啓蒙哲学と同じように、現実世界で起こっていることを見落としています。現在、人間の平均寿命は、今までよりも長くなっていますが、地球上では脊椎動物が58％減少し、淡水系に生息する動物は81％減少しています。ピンカーは、「20世紀には、アフリカ系米国人に対する人種差別的暴力が急速に減少した」と言っていますが、刑務所に入れられた黒人の人数が急上昇していることに触れていません。水やエネルギーの新しい供給源を見つける人間の能力について楽観的なことを書いています。たとえば、帯水層の下をより深く掘るとか、フラッキング（水圧破砕法）でガスを得るという話です。しかし、これらの方法は、実際には、未来に対する借金でしかありません。たとえば、筋肉増強剤を使って能力を強化した運動選手の強さを誇っているようなものです。

ピンカーの考え方では、成長を基本にした資本主義が前へ進む勢いを与えてくれるので、私たちはトラブルから抜け出すことができ、人間は幸福だということになっています。市場経済は貧困を救うための最も優れた方法だと言っています。より重要なこととして、ピンカーやその他の技術加速主義者によれば、それ以外の方法を選択するには遅過ぎるのだそうです。私たちは、狩猟採集経済に戻ることができません。モンサント

（バイオ化学メーカー。バイエルが買収した）の殺虫剤によって荒廃した土壌に対する解決策は、新しい遺伝子組み換え食品の研究だそうです。つまり、またモンサントのお世話になるということです。出口はなく、そのまま進むだけです。

技術開発を避けるのではなく、自由な市場を通じてそれを奨励すべきだ、と彼らは言っています。インテレクチュアル・ダークウェブ（アンチリベラルの主張を持つ学者やテレビ解説者たち）のヒーロー、心理学者のジョーダン・ピーターソンは、その主張を擁護します。「私たちに必要なものは、単なる能力の階層化だ」と言っています。

「優れた教育者、リーダー、思想家がいれば、あなたは彼に報酬を渡そうとします。それは、彼らの存在そのものに対する報酬ではありません。彼らから役に立つものをできるだけ速く吸い上げようとする、あなたの側の計算された行動です」。

ピーターソンは、収奪、階層化、成長の加速という古典的な啓蒙の価値観を別の表現で言い換えています。彼は、生命や地球そのものを救うためには、外部からの刺激が必要であるように言います。しかし、教育心理学者や多数の研究結果によれば、その考え方ではうまくいかないのです。現金のボーナスのような外部的報酬は、長期的には労働者の意欲を低下させることがわかっています。それとは逆に、仕事とつながっているという感覚、広い意味での意義、あるいは内部的報酬、たとえば責任範囲の拡大のほうが、より良い結果を生み出します。

「マインドセット」の考え方では、十分な利益が得られるならば、誰かがものごとを実行します。ピンカーの説明によれば、人間は、自分が「純粋無垢な地球に対する卑劣な略奪者」だと考えるのをやめて、「啓蒙という視点」を受け入れるべきだと言います。すなわち、全ての問題は、十分長い時間をかければ理解でき、解決できるということです。環境問題もそうです。少なくとも、考え事ばかりしている啓蒙思想家が、環境は「解決すべき問題」だと思っているという意味においては、ピンカーは正しいのでしょう。しかし、環境は、私たち全員がすでにそこに巻き込まれているシステムなのです。「マインドセット」の支持者たちは、植民地主義、征服、成長という啓蒙主義の概念を、シリコンバレー的な意味での前進、普遍性、拡張性に置き換えています。私たちは、技術のみによって築かれ、資本主義に支えられた未来へ向かって、みんな同じ避けられないフロンティアへの旅をしています。これに対して疑いを持つこと、あるいは二の足を踏むことは、次の「マイルストーン」への「短期決戦」に対する妨害工作であり、必然的な勝利へ向けての市場の熱意を損なうものです。アリストテレスの悲劇論における英雄のように、私たちは、台本に従って、一心不乱にクライマックスへ向かって進まなければなりません。

「マインドセット」版の資本主義は、必要な成長や進歩を止めません。単なる成長のための成長ではありません。勝利それ自体を超えたもの、すなわち全体的な支配に向かって進んでいます。IT億万長者たちは、彼ら自身が、あるいは、孫の代までかかっても使いきれないほど多くの資産をため込んでいます。ジェフ・ベゾスは、ヘリポート付きのヨットを持っていますが、これはメインのヨットの「補助」になるものです。メインのヨットは、帆が大き過ぎてヘリコプターの発着の際に邪魔になるからです。これで十分ということはありません。

資産と権力を求める衝動は、1人のプレイヤーが全てのお金を独占するまで全員で続けるポーカーゲームのようなものです。それは、究極の目標として不平等を目指すという衝動です。経済学で言うジニ係数（社会における所得の不平等さを測る指標）が1の状態、すなわち、たった1人が全てをため込んでいる状態です。

彼らが参加している、金銭、技術、文化に関する全てのフィードバックループは、この唯一の目標を支える基盤となっています。ゲーム理論の専門家ジョン・ナッシュ〔映画『ビューティフル・マインド』のモデル〕は、その初期の研究で、取引においては裕福な側が常に有利であり、この効果に対抗するルールや制限がない限り、それが成立することを証明しました。賭け金に上限のないポーカーゲームでは、裕福なプレイヤーが有利です。なぜならば、対戦相手が全ての所持金を賭けなければならない状況に何度も追い込むことができるからです。したがって、規制のない市場に不平等が存在する場合、最も裕福な者が有利です。だからこそ、彼らは、その資産を使って規制緩和を推進しており、その結果としてさらに資産を増やしているのです。

このレベルのプレイヤーは、非常に特殊な種類の資産を得ようとします。それは、配当金や再生可能な市場に基づくものではなく、貨幣の流通システムによるものでもありません。単なる征服と収奪です。征服して支配すべき新しい領土を見つけるか、今まで以上に人々から収奪できる新しい技術を見つけるか、のどちらかです。そして、最高潮に達する前に、あるいは次の新しい技術によって邪魔される前に、会社全体を売却します。その方法がうまくいく場合もあります。スティーブ・ケース（AOL社のCEO）が、その実例を見せてくれました。アメリカ・オンラインの危機、クライマックス、解決という道筋（第2章参照）です。

しかし、これは、創業者が後ろを振り返らない場合にのみ成立します。彼らは、前へ向かって全力疾走し、私たちを含むあらゆるものを後に残して進んでいきます。歴史を完全に無視する姿勢は、技術で勝ち残った人たちの最も悲劇的な欠点です。フランシスコ教皇は、回勅「"Fratelli tutti"」（フラテッリ・トゥッティは2020年に教皇フランシスコによって発表された回勅。回勅は、ローマ・カトリック教会で、教皇が重要問題について全教会の信者にあてて書き送る手紙。戦争と無関心のグローバル化に強く反対し、兄弟愛と社会的友愛を世界構築の道としている）」で技術資本主義を厳しく批判して次のように説明しています。「歴史的感覚も喪失が進み、ますます解体されていきます。ある種の〝脱構築主義〟が文化的に浸透していることに気付かされます。それは、制限のない消費欲と、中身のない種々の形態の個人主義の増幅、それらを維持させるだけです。（中略）一部の人類は、制約なしに生きてよいとされる人間集団に利益をもたらす特権階級のために、犠牲になってもよいかのようです」（訳文はローマ教皇庁の日本語版から引用。教皇フランシスコ『回勅　兄弟の皆さん』https://www.vatican.va/content/dam/francesco/pdf/encyclicals/documents/papa-francesco_20201003_enciclica-fratelli-tutti_ja.pdf）。

力への意志と楽観主義

最初には何も存在しなかったという誤解のせいで、「開発者」は、既存の文化、経済、生態系、地域社会を破壊する自由がある、と思ってしまいました。所得の低い住民や地域社会に対するウーバーやエアビーアンドビー、そしてグーグルの見方は、ジョン・ロックがアメリカ大陸の環境や先住民について考えていたことと同じです。つまり未開で収奪すべき手つかずの領域だというのです。これらの企業で働く高収入の若い開発者が新しい住宅を探すときに、白人の専門職にとって「安全」だとみなされている場所の外側の地域を「開拓する」と言っていて、昔と同じ言葉で表現しているのも不思議ではありません。

ニーチェの思想のゆがめられた解釈と、アイン・ランド（20世紀の小説家）の思想の非常に正確な解釈を組み合わせると、「神は死んだ」けれども、将来の「超人（Übermensch）」は、客観主義という純粋理性を使って、既存の宗教的価値観を超越した「利己的」な世界を作り直すことができます。これは、実際にニーチェの妹が考えたことです。ムッソリーニのファシズムの熱烈な支持者であり、ニーチェの死後、捨てられていた走り書きを集めて、悪名高い『力への意志』という本を作った人です。しかし、ニーチェの言葉がその文脈の外で使われると、技術的「超人」気取りの連中に、自分には人間を超えた権威があると錯覚させてしまいます。ニーチェの「超（Über）」から着想を得た社名のウーバーは、その資金と影響力を使って、都市計画や雇用法令を自社に都合の良いように変えさせています。ピーター・ティール（ＰａｙＰａｌ創業者）は、ニーチェの言葉の中に、未来を自分が掌握するという使命を見いだしています。「自由と資本主義は、両立できないと考えている」とティールは言っています。このように、「超人」は神のような創造者であり、はっきりした見通しを持ち、その状態に向かって確信を持ってものごとを進める、というゆがめられたイメージは、「マインドセット」の重要な要素として生き残っています。このように全てを支配するという感覚がなければ、株価を急上昇させることはできません。

ティールにとっては、これが「明確な楽観主義」というものです。ティールはその著書『ゼロ・トゥ・ワン：君はゼロから何を生み出せるか』で、多くの起業家は、あまりにもプロセス指向であり、市場の反応を見ながら小刻みな決断をしている、と述べています。スティーブ・ジョブズやイーロン・マスクのように、たとえ何があろうと自分の独自の考えを強力に推進すべきだ。明確な楽観主義者は、他人の反応を気にせず、より良い世界を実現する自分の構想とともに前へ進む。それは、「何もないところから」、文字どおり「ゼロ・トゥ・ワン（ゼロから１へ）」起こるものだ、というのです。

グーグルの創設者、ラリー・ペイジとセルゲイ・ブリンも、手順を踏んで少しずつ進むという考え方を排除し、ブレークスルー（突破）、ムーンショット（困難だが、実現すれば大きな成果が見込める壮大な計画や研究）、未曾有、現状打破、イノベーションという言葉を好んでいます。事業における独占者の視点から、ペイジは、雑誌ワイアードの記者に次のように語っています。

「競争の中から生まれたもので、本当に驚くべきものの実例を見つけるのは困難です。（中略）だからこそ、多くの企業は、年月の経過とともに衰退していくのです。（中略）小刻みな改善というのは、時がたつにつれて必ず通用しなくなります」。

これは、ペイジが競争を恐れているという意味ではありません。そもそも、ペイジが誰かと競争しているのであれば、それは手つかずの領土ではない、ということです。

この考え方は、ユニコーン企業（未上場のベンチャー企業）とか1000倍のリターンが存在するという状況では、意味のあることかもしれません。ベンチャーファンドの信頼を勝ち取って、市場の支配に必要な資金を手に入れるためには、「飛躍的なイノベーションによって大きな利益が得られます」と自信たっぷりに語らなければなりません。しかし、それは、経験的科学や啓蒙思想に基づく、最も非人間的で孤立した勝利者の心理から発生した考え方です。創業者は神です。創業者は新しい世界を生み出して、大脱出すなわち出口戦略によって支持者に救済をもたらしますが、残りの人類は取り残されます。

いくら独自性を主張しても、IT業界の大物たちの多くは、学校を退学する前に聞いたことのある歴史上の人物を模範にしています。マーク・ザッカーバーグがローマ皇帝アウグストゥスを崇拝しているというのは有名な話です。アウグストゥスは、道路網と伝令システムを整備することによって、数世紀にわたるローマ帝国の拡大をもたらした人として知られています。雑誌ニューヨーカーの記事でザッカーバーグは、「アウグストゥスは、基本的には厳格な統治方法により、200年に及ぶ世界の平和を確立しました」と述べています「この発言が正しいと言えるのは、「平和」を「自国の主権を脅かす戦争がない状態」と定義し、自国が他の国や民族を力で征服する行為を除外する場合に限りますが」。しかし、ザッカーバーグのアウグストゥスに対する崇拝は、妄想に近いものです。ザッカーバーグは、アウグストゥスの髪型をまねしました。彼の妻は、ローマへの新婚旅行にはマークとアウグストゥスと私の3人で行った、と冗談を言いました。ザッカーバーグは、次女をアウグストゥスにちなんでオーガストと名付けました。また、彼は、フェイスブックでの会議を終わるとき、「Domination!（支配を！）」と宣言していました。

30億人のソーシャルネットワークの唯一の意思決定者が、アウグストゥス・カエサルを、例えばその最終的な後継者であるカリグラ（第3代ローマ皇帝）よりも模範にしていることで、私たちはみな、確かにより良い状況にあると言えるでしょう。しかし、ザッカーバーグはアウグストゥスのように「非常に厳格な統治方法」を採用しています。これは、彼の帝国が永遠の安定を得るために私たちが払う対価としては、高価過ぎるのかもしれません。ザッカーバーグは、自社の従業員に対して常に「素早く動き、ものごとを壊せ」ということを主張しており、それによって独占的地位を勝ち取ったのですが、同時に、インターネットのイノベーション、社会の環境やメンタルヘルスに対して、さらには民主主義の存在可能性に対して、破滅的な影響を与えました。それは、確固たる楽観主義者が数十億ドルの資金と数ペタバイト（1ペタバイトは1000兆バイト）のメモリーを自由に使って、たった一つの目標に向かって進む際に起こったことです。その後、ザッカーバーグが、資産の99％を慈善事業に寄付すると約束しましたが、それはただ単に彼が最初に儲け過ぎたことを示すだけです。もし最初からフェイスブックが99％破壊的でなければどうだったか、想像してみてください。

成長の終わりの予兆

それはそれとして、このような起業家の成功が、冷酷かつ独断的な決断によって得られたと考えるのは安易過ぎます。議会の公聴会で運営方針や影響力について説明を求められたときには偉そうなことを言っていますが、IT業界の大物たちは、彼らの企業を成功させた要因としての「マインドセット」の価値を過大評価しているようです。実際には、コンピューターの処理能力の指数関数的拡大というムーアの法則（集積回路の能力の拡大についての法則）の波に乗っていただけです。それは、彼らの力が全く及ばない技術的な流れです。そのおかげで成功したことを、自分たちの「明白な使命（米国西部開拓を正当化する標語）」だと勘違いしているのです。

しかし、ムーアの法則の勢いが弱くなり、自動的な指数関数的成長の終わりの予兆が見えてきます。2010年に、DARPA（米国国防高等研究計画局）のマイクロシステム技術室長、ロバート・コルウェルは、パロアルトでの技術会議で、次のように発言して参加者を驚かせました。

「電子回路が今よりも3500倍に成長することは期待できません。おそらく、今後30年で50倍でしょう。数多くの段階的な工夫を積み重ねていっても、指数関数的成長がなくなることの埋め合わせはできません」。

指数関数的成長の中毒になってしまうと、起業家、会社、あるいは経済全体が速度を緩めるのは困難です。みんなの資金計画表は、常に成長し続ける継続的拡大という前提で作られています。それが負債に基づく経済のしくみです。2008年のリーマン・ブラザーズの破綻は、ねずみ講方式が崩壊すると何が起こるかを私たちに見せてくれました。しかし、心配する必要はありません。機械が動作する速度そのものを向上する能力は限界に達したかもしれませんが、デジタル環境は、「無からの創造」から「機械仕掛けの神」へ移行する方法を提供します。それは単に「メタ」へ進むということです。

◇原注　第6章

❖ 4 「その背後にいる見えない富豪たち……」：RANDの調査によれば、1975年以降、米国の富裕層上位1%は、その他の人々から50兆ドルを吸い上げています。 Carter C. Price and Kathryn A. Edwards, "Trends in Income From 1975 to 2018," RAND Corporation, 2020,https://www.rand.org/pubs/working_papers/WRA516-$2html.

◇ "The power to dominate ... authoritarian": Riane Eisler, *The Chalice and the Blade: Our History, Our Future* (New York: HarperCollins, 1987), 86.

◇ Initially the market economy: For a description of how these money systems worked, see Douglas Rushkoff, *Life Inc.: How Corporatism Conquered the World, and How We Can Take It Back* (New York: Random House, 2009).

◇ People worked less: Bernard Lietaer and Stephen M. Belgin, *Of Human Wealth: Beyond Greed and Scarcity* (unpublished manuscript, 2004).

◇ "state of nature" ... "absolute dominion": John Locke, *The Second Treatise on Civil Government and A Letter Concerning Toleration* (Oxford: B. Blackwell, 1948).

◇ extracting wealth from the poor: Jon Evans, "GrubHub/Seamless's Pandemic Initiatives Are Predatory and Exploitative, and It's Time to Stop Using Them," *TechCrunch*, April 5, 2020,https://techcrunch.com/2020/04/05/its-time-to-stop-using-grubhub-seamless-forever/.

◇ This is not creative destruction: Lachlan Carey and Amn Nasir, "Something for Nothing? How Growing Rent-Seeking Is at the Heart of America's Economic Troubles," *Journal of Public and International Affairs*,https://jpia.princeton.edu/news/something-nothing-how-growing-rent-seeking-heart-americas-economic-troubles.

◇ "some kinds of social change": Jennifer Szalai, "Steven Pinker Wants You to Know Humanity Is Doing Fine. Just

Don't Ask About Individual Humans," *New York Times*, February 28, 2018,https://www.nytimes.com/2018/02/28/books/review-enlightenment-now-steven-pinker.html.

◇ The Dawn of Everything: David Graeber and David Wendgrow, *The Dawn of Everything: A New History of Humanity* (New York: Farrar, Straus and Giroux, 2021).

◇ problem with Pinker's oft-quoted statistics: Jeremy Lent, "Steven Pinker's Ideas Are Fatally Flawed. These Eight Graphs Show Why," *openDemocracy*, May 21, 2018, https://www.open-democracy.net/en/transformation/steven-pinker-s-ideas-are-fatally-flawed-these-eight-graphs-show-why/.

◇ "As we have seen": Steven Pinker, *Enlightenment Now: The Case for Reason, Science, Humanism, and Progress* (New York: Penguin, 2018), 109.

◇ "What we want ... fast as you can": "Dr. Jordan Peterson Makes the Case for Capitalism," YouTube video, July 5, 2020, 10:05,https://www.youtube.com/watch?v=uWeDnN0O_xA.

◇ Extrinsic rewards ... intrinsic rewards: Alfie Kohn, *Punished by Rewards: The Trouble with Gold Stars, Incentive Plans, A's, Praise, and Other Bribes* (New York: Houghton Mifflin, 1993); Kenneth Thomas, " The Four Intrinsic Rewards That Drive Employee Engagement," Ivey Business Journal, December 4, 2017,https://iveybusinessjournal.com/publication/the-four-intrinsic-rewards-that-drive-employee-engagement/.

◇ "vile despoilers": Pinker, *Enlightenment Now*.

◇ Bezos has a yacht: Allison Morrow, "Jeff Bezos' Superyacht Is So Big It Needs Its Own Yacht," CNN, May 10, 2021,https://www.cnn.com/2021/05/10/business/jeff-bezos-yacht/index.html.

◇ "there is a growing loss": Pope Francis, Fratelli Tutti, sec. 13,https://www.vatican.va/content/francesco/en/encyclicals/documents/papa-francesco_20201003_enciclica-fratelli-tutti.html.

◇ Nietzsche's sister: Sue Prideaux, "Far Right, Misogynist, Humourless? Why Nietzsche Is Misunderstood," *Guardian*, October 6, 2018,https://www.theguardian.com/books/2018/oct/06/exploding-nietzsche-myths-need-dynamiting.

◇ übermensch wannabes: Alex Ross, "Nietzsche's Eternal Return," *New Yorker*, October 4, 2019,https://www.newyorker.com/magazine/2019/10/14/nietzsches-eternal-return. 78 "I no longer believe": Ross, "Nietzsche's Eternal Return."

◇ "it's hard to find actual examples": Steven Levy, "Google's Larry Page on Why Moon Shots Matter," *Wired*, January 17, 2013,https://www.wired.com/2013/01/ff-qa-larry-page/.

◇ Zuckerberg told The New Yorker: Evan Osnos, "Can Mark Zuckerberg Fix Facebook before It Breaks Democracy?," *New Yorker*, September 10, 2018,https://www.newyorker.com/magazine/2018/09/17/can-mark-zuckerberg-fix-facebook-before-it-breaks-democracy.

◇ "I don't expect": Rick Merritt, "Moore's Law Dead by 2022, Expert Says," *EE Times*, August 27, 2013,https://www.eetimes.com/moores-law-dead-by-2022-expert-says/.

第7章　指数関数的成長

行き詰まれば別次元のメタへ

メタとは何か

私が自宅マンションの前でゴミを捨てているとき、強盗に襲われました。それについて、地域の衛生や福祉に関するオンラインコミュニティーであるパークスロープ・ペアレンツ・リストに投稿しました。強盗の発生場所近くの交差点の位置を投稿したことに怒りを感じた人々から、「これを公表すると、私たちの住宅の資産価値に悪影響があることに気が付かないのか」という反応がすぐに返ってきました。

彼らは、家の売却を考えていたのではありません。しかし、彼らの住宅ローンは、5年間の「利子のみ支払い」期間が間もなく終わるところでした。より有利な利率で、より純資産の大きいローンに借り換えるためには、住宅の価値が高くなっている必要がありました。「ブルックリンで作家が強盗にあった」という程度の些細な混乱が、彼らの資金計画の基礎となる不動産価値の上昇を妨げることを恐れたのです。だからこそ、この地域における実際の生活の質よりも、自分の家の市場評価額を心配しているわけです。

人々は、不確実で、極めて投機的で、成長に頼らざるを得ないインチキ賭博を利用して、本来ならば手が出せないようなパークスロープ地区（ニューヨーク・ブルックリンの住宅地）の高級マンションに住んでいます。その住宅ローン自体は、さらに大きな一連の賭けと金融取引の対象になっています。この見かけだけで中身のないローンは、全て「サブプライム」住宅ローン市場の一部です。そして、それは他の一連のローンの担保であり、それがまた他のローンの担保、他のローンの担保、と続いていきます。これらのローンと、ローンに対するローンの全体は、「バスケット」に詰め込まれて投資家に販売されます。さらに、そのバスケットの持分が、他のデリバティブを通じて投機の対象となり、また、そのデリバティブが、クレジット・デフォルト・スワップ（債務不履行に伴うリスクを対象とした金融派生商品）で賭けの対象になります。

住宅価格が今までにないほど急速に上昇し続ける限り、この構造に依存する全ての金融手段がうまく働いて、これが永遠に機能するはずでした。しかし、私が強盗に襲われてからわずか数カ月後に、当然ながら崩壊が起こりました。何が原因なのかは、専門家の間でも見解が異なります。住宅価格の上昇速度の低下、または利率の上昇、あるいはその両方かもしれません。いずれにしても、より高い評価額で住宅ローンを借り換えることは難しくなりました。それどころか、既存のローンの「利子のみ支払い」期間が終わったとき、住宅所有者の債務不履行が始まりました。トランプのカードで作った家が倒れるように、ほとんどすべての関係者が破綻しました。ただし、住宅ローン関連商品の価格が下落するほうに賭けていた、ゴールドマン・サックスなど一部の金融機関だけが生き残りました。

ここで実際に起こっていたのは、現実世界の住宅や資産は、これだけの金融化を支えきれなかったということです。永遠に指数関数的に成長しようとするレースにおいて、市場は、抽象化した段階の「メタ」へ同時に多く進み過ぎました。物の価値を表現するために、どれだけ多くのデジタル指標を用意したとしても、現実世界は、永遠に拡大できるわけではありません。

これと同様の「メタ」へ進むプロセスが、過去に、欧州の植民地主義を活発化させました。国王とその命令を受けた航海者の監督の下に、土地は地図で表現されるようになりました。地図に地名を記載すれば、土地は領土に変わりました。場所は資産になり、牧草は商品になりました。土地は、売ったり、買ったり、あるいは、国王が利用を許可するものになりました。欧州の本国でも、土地は封建領主ではなく市場が支配するものになりました。貴族たちは、取引のための資本として土地を使いました。また、新しく登場した裕福な商人階級は、社会的な名声を得るために土地を購入しました。

最も重要なのは、土地が、地球上の生きた生態系から、より抽象化された交換の単位になったということです。権利証書は、その対象である土地から「一段階抽象化された」ものと考えることができます。それが「メタ」です。何かがひとたび「メタ」へ進むと、その方向のさらに先へ進み続ける傾向があります。抽象化された資産は、海の向こうにいる人々が売買することができます。マンハッタンの巨大な豪華マンションの空き家を、投機家や政府系ファンドが所有しているのもその一例です。ちょうど株券のようなものです。元の現物資産が何であっても、抽象化の段階が進むごとに、新しい所有者、銀行家、投機家が参加してきて、権利を主張するようになります。

メタへ進むというのは、アメリカ的な方法であり、「マインドセット」の基本的な前提です。家主は、賃借人を対象としてメタへ進み、銀行は、ローンを借りている家主を対象としてメタへ進みます。メタ化、つまり抽象化の各段階、すなわち、この例では金融化が行われる各段階で、他の方法では達成できなかった成長が得られます。利子の発生する中央通貨に基づく経済では、成長は良いことというだけではなく、必要なことでもあります。ある段階での成長が限界に到達すると、メタへ進むことによって、幸運な一部の人々が次の段階の抽象化へ上っていきます。

この金融化のピラミッドは、個人の自主性という考え方に基づいています。ピラミッドの最も下にいる、お人よしのだまされやすい人々についても同じです。フランクリン・ルーズベルト以後の米国大統領は、アメリカンドリームを達成する基礎として、持ち家に関する政策や宣伝活動を推進してきました。ちょうどこの時期に「ホーム」という言葉は、出身地ではなくて所有する住宅を意味するようになりました。これは、社会を一定の方向に導くための意識的な取り組みの結果です。心に傷を負って粗暴な振る舞いをする可能性のある、第2次世界大戦の復員兵が多数帰還してくることを心配したフランクリン・ルーズベルト大統領は、住宅の所有とローン返済義務が彼らをおとなしくさせるのに役立つと期待しました。最初の計画的な郊外住宅地であるレビットタウンをニューヨーク郊外に開発した不動産業者、ウィリアム・レビットは、フランクリン・ルーズベルト大統領に次のように説明しました。

「自分の家と土地を所有する人は、共産主義者にはなりません。するべきことが多過ぎますから」。

米国連邦住宅局は、共同住宅よりも一戸建て住宅のほうが、そして既存住宅の改築よりも新築のほうが、有利な利率で住宅ローンを借りられるようにしました。もちろん、人種差別のない地域よりも、「レッドライン(低所得の黒人居住地域を融資対象から除外する制度)」による人種差別のある地域を優遇しました。

この住宅所有者という集団は、米国の大量消費主義を支える基盤になり、大量消費は、金融の抽象化を次々と新しい段階へ進める原動力になりました。ゼネラルミルズ、ゼネラルフーズ、ゼネラルモーターズなどの大企業は、住宅所有者の食と住に必要なあらゆるものを提供して、莫大な利益を得ました。これらの企業から一段階進んだ抽象化レベルにいる株主は、より多くの利益を手に入れました。その株式のデリバティブを買った投資家は、さらに多くの利益を得ました。

金融のメタ化

１９８０年代までに、ゼネラルエレクトリック（ＧＥ）のＣＥＯ、ジャック・ウェルチは、このパターンとその意味に気が付きました。金融の抽象化をできるだけ進めればよいということです。高額商品を販売する他の会社と同じように、ＧＥには、購入資金の調達を助けるための金融サービス部門がありました。元々は、購入に伴う顧客の苦労を減らす手段として用意されたものでした。しかし、ウェルチは、洗濯機を売って得られる利益よりも、洗濯機の購入資金を貸すことによって得られる利益のほうが多いことに気が付きました。洗濯機を作っているときには、原材料費、労務費、運送費などの現実世界の制約によって、得られる利益には限度があります。ローンを販売すれば、魔法のようにお金が生まれてきます。そこには数字しかないので、何の制約もなしに拡大できます。そこで、ウェルチは、ＧＥの製造用資産を売却して、完全に金融業へ方向転換することを目指しました。雑誌ハーバードビジネスレビューは、ウェルチの新戦略の利点をほめたたえました。ビジネススクール

ジャック・ウェルチ

ゼネラル・エレクトリック会長兼最高経営責任者（1981年4月 - 2001年9月）。

では、それを教えました。他の企業は、それをまねしました。銀行のようになろうと努力する過程で、企業は自らのビジネスの一部を犠牲にし、今まで現場で実際に価値を創造していた部門を解体してしまいました。

しかし、GEもその他の企業も、金融サービス業に関する専門知識を持っていたわけではありません。したがって、2007年の金融危機が発生すると、濡れ手に粟の大儲けは終わって、本当の銀行よりもはるかに危険な状態に陥りました。ジャック・ウェルチは、後戻りできないことにすぐ気が付いて、船を捨てて脱出しました。何万人もの製造部門や設計部門の従業員を解雇した後、ゴールデンパラシュート（役員が退職するときに多額の退職金を支給させて会社の価値を低下させること）を使ってGEを退職しました。彼の後継者たちは、競争に負けた、産業用部門、消費者向け部門、航空用部門を立て直さなければなりませんでした。GEは、金融サービス部門の大部分を売却し、最終的には、クレジットカード会社のシンクロニーを2014年に分離しました。

しかし、GEのより基本的な問題、すなわち、ウェルチが適切に対応できなかった問題というのは、現実世界の住宅、航空機、産業活動は、資本や投資家の要請に応えられるほど拡大できないことです。製造業は、どこかの時点で、人間による労働の限界や物理的な物質の限界に到達してしまいます。

デジタルの世界は、物理法則を超越して、この産業化時代の問題を解決できるように思われました。MITメディアラボの創設者ニコラス・ネグロポンテは、1995年の著書『Being Digital』（邦題：『ビーイング・デジタル：ビットの時代』）で、世界に向けて、そして特にビジネス関係者に向けて、「ビット」は原子の制約から我々を救うためにやってきたのだ、と宣言しました。産業主義に限界があるのは、従来の世界の取引は、原子の交換によって構成されているからです。しかし、デジタルの時代に突入した今では、物理的な世界の限界は適用されません。ビットには、色、大きさ、重さがありません。そして、光の速度で動くことができる、というのです。

技術的に言えば、これらは全て正しくありません。ビットがビットとして存在するためには、どこかに記録されていなければなりません。ディスク、紙、RAMドライブ、シナプスなどかもしれません。それは現実世界に存在するものであり、物理的な現実の制約を受けます。高速高頻度で株の取引を行っている人に尋ねてみると、サーバーと実際のトレーダーのデスクのマシンの間の距離によって誰の電子が最初に到着するかに差が発生するので、どの会社が最も有利な価格で注文を実行できるかが決まると言います。

『ビーイング・デジタル』

MITメディアラボの創設者ニコラス・ネグロポンテ著、1995年、アスキー刊。

無限のデジタルデータ

それでも、この話において魅力的なアイデアは、物質に比べて相対的にビットは豊富にある、ということです。「ネコ」という言葉は、現実のネコと違っていくらでも容易に複製できます。デジタル表現は、抽象的な1と0という記号の体系に過ぎません。データは無限に複製できて、コピーしたものはいずれも全く同じです。

無限に増やせるというデータの性質に影響されて無限に拡大する市場への願望が再び湧き起こりました。デジタル革命は、人間、場所、物という制約のある世界を超えた抽象的な次元で発生し、これによってビジネスは、容易にメタへ進むことができます。ちょうどこの時期に、雑誌ワイアードが「ロングブーム」という特集記事を掲載して、無限に拡大できるおかげで、世界経済は永遠に指数関数的成長を遂げると主張していました。米国の連邦準備制度理事会（FRB）議長アラン・グリーンスパンさえも、この話に加担して、経済学の通常のルールは当てはまらなくなった、私たちは「新しいパラダイム（規範や枠組み）」に移行した、資本そのものの振る舞いにおいて次元の跳躍があった、と述べました。通貨はデータの別形態であり、データは通貨の別形態だというのです。

AOLおよびその他のドットコムバブルがはじけたことによる犠牲者は、この新しい主張が誤りであることを証明しているように思われます。しかし、これらのオンラインショップやサービスは、デジタル経済のバージョン1・0に過ぎません。これらは、集中力の持続に限界がある人間の顧客、およびコストがかかる物理的な装置に依存していました。AOLは、本当はまだデジタル企業ではありませんでした。ログオンしようとするユーザーがそれぞれ個別のモデムと電話線を持っていなければならないダイヤルアップサービスでした。また、ドットコム企業は、ウェブサイトを通じてアクセスするものでしたが、それでも、現実の飛行機やトラックを使って配達しなければならない商品を販売していました。インターネット上でビジネスをしていると言っても、本当にデジタルで実施しているわけではなかったのです。

このドットコムブームを乗り越えた企業には一つの共通点があります。メタへ進んだということです。技術書の出版社を経営するティム・オライリーは、それをウェブ2・0と名付けました。オライリーの説明によれば、グーグルやイーベイなどのウェブ2・0企業は、ウェブをプラットフォームとして扱っており、自社の従業員や商品にお金を使うのではなく、ユーザーの行動を利用しました。グーグルは、ヤフーと違って、ウェブの分類データを作るのに人間の従業員を雇いませんでした。アルゴリズムを使って既存のハイパーリンクを収集し、次にそれを整理して検索可能なデータベースにまとめました。イーベイは、オンラインで開設された多くの商店と違って、売り手と買い手を自動的に結びつけるプラットフォームを開発しました。ウィキペディア、ブロガー（Blogger）、ソースフォージ（SourceForge＝オープンソースのソフトウェア開発のためのサイト）、iTunesなどのウェブ2・0企業やプロジェクトは、ピアプロダクション（不特定多数の個人がウェブ上でデータを共有して成果を生み出すこと）に依存しています。これらのサービスそのものは、一段階下のレベルでみんなが作り出した価値を集約するという、メタな働きをしているだけです。

ビジネスが本当にデジタルだと言えるのは、競合他社よりも一段階進んだ抽象化レベルに上れるかどうかによって決まります。それぞれの段階の間には、指数関数的な飛躍があります。xからxの2乗へ、さらにxの3乗へ、と続きます。旅行プラットフォーム〔エクスペディア、トラベロシティ〕（いずれも米国の旅行予約サイト）は、航空会社をメタに進めたものです。さまざまなウェブサイトから得たデータを集約して、その中での最安値を提示してくれます。さらにその一段階上、すなわち集約サイトの集約サイト〔カヤック、オービッツ〕は、どの集約サイトが最も安いかを提示します。コンテンツに注目するのではなく、オライリーが主張したように、みんながコンテンツを投稿するプラットフォームに注目する必要があります。そして、すでにたくさんのプラットフォームが存在しているならば、プラットフォームのプラットフォームになるのです。「メディアはメッセージである」というのが「マインドセット」のビジネス標語になりました。また、この言葉を語ったマーシャル・マクルーハン（カナダのメディア学者）は、その死後、雑誌ワイアードの「守護聖人」という地位に祭り上げられました。

ピーター・ティールによれば、新しいビジネスのアイデアは、既存のビジネスに比べて10倍優れていなければならない、すなわち、文字どおり「桁違い」である必要があります。ティールに哲学を教えたスタンフォード大学教授ルネ・ジラールの言葉を借りて、ティールは「競争は敗者がすることだ」と考えています。世界中の人々は、互いに他人を模倣するという単純なゲームをプレイしていますが、ジラールは、これを「ミメーシス」と呼んでいます。この方法は、子供が親から学ぶのには適していますが、大人同士の場合には、みんなが他人の持っているものを欲しがるという競争をするようになります。その競争が激しくなり、さらには暴力的になって、最終的に誰か標的、つまりスケープゴート（ユダヤ人、移民、同性愛者、または、特定の個人など）を選んで、さまざまな問題はその人に責任があると非難するようになります。ここでいったんは暴力によって緊張が緩和されますが、再び競争が始まります。（ジラールとティールは、キリストが最後の究極的なスケープゴートになって、この暴力の繰り返しを止めると考えています。神の子の受難と復活のおかげで、人類は暴力の繰り返しから解放されます。人々が、このキリスト教的な神話を正真正銘の真実だと信じ

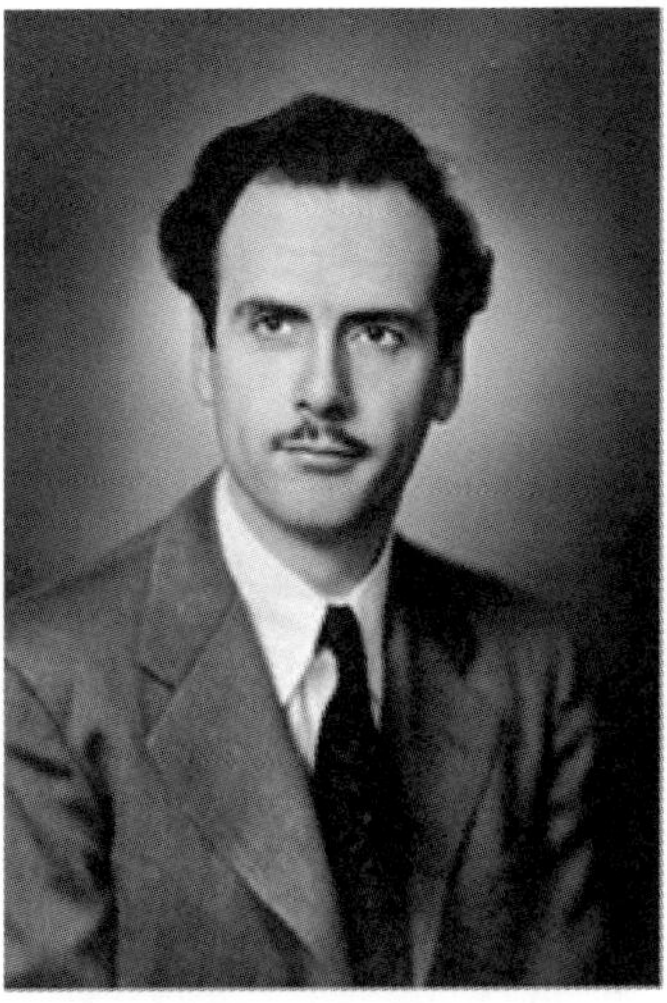

マーシャル・マクルーハン

マーシャル・マクルーハンの「メディアはメッセージ」であるという発言はさまざまな分野に大きな影響を与えた。

るようになれば、ですが」。

ゲームを超越する

しかし、ビジネスでの意味としては、アイデアの創出は、他の人々との競争を避けてイノベーションを起こして次の段階へ進むということです。そのために私たちは、他人にはまだ見えていない未来へのひたすらな献身、すなわち「出来事への忠実さ」（❖5）を持っている必要があります。ティールは、これを明確に表現したものが、マーク・ザッカーバーグのフェイスブックであると考えています。最高のウェブサイトあるいは個人のホームページを作ろうと競争する代わりに、ザッカーバーグは、人々や企業が簡単にそれを実現できるプラットフォームを作るという一段階高いレベルへ進みました。模倣するゲームに参加するのではなく、ゲームを超越したのです。普通の人間のレベルよりも1桁上の、成功、自律、自己決定権、救済のある世界へ進むという指数関数的な飛躍を実現しました。驚くべきことに、フェイスブックのビジネスモデルが厳しく調査されるようになると、ザッカーバーグは再び動き出し、社名を「メタ」に変更して、ネット上でさらに次のメタへ進もうとしています。彼は、先手を打って、まだ発明されていないバーチャルリアリティーやオーグメンテッドリアリティー（AR＝拡張現実）の技術を一つに集約して、自分が支配する一段階上の世界「メタバース」を構築しようとしています。

ビジネスの戦場におけるポストモダンなスタイル、つまり、企業が互いに相手のパラダイムを一挙に飛び越えようとする動きは、企業に資金を供給する金融市場でも同じことが起こっています。投資家は、新しいデリバティブ（金融派生商品）、あるいは既存のデリバティブを包括したり集約したりするメタデリバティブに殺到しています。

しかし、本当の飛躍があったのは、投資家たちが、自分自身の仕事を、全ての取引プラットフォームのデータを集約するアルゴリズムに任せて、人間の認識能力を何百倍も上回る速度と数量で高頻度取引を実行するようになったときです。このようなデリバティブ市場は、従来の株式市場の取引活動をすぐに追い越しました。デリバティブ取引が主流を占めるようになったので、ニューヨーク証券取引所は、2013年にデリバティブ取引所に買収されました。現実の市場が抽象化された株式市場は、さらに抽象化されたデリバティブにのみ込まれてしまったのです。その一方で、多くの技術者たちは、次から次へと上の段階へ進めるために、取引アルゴリズム、そのアルゴリズムを作り出すための機械学習、あるいは機械学習を実行するためのプラットフォームを売り込もうとしています。抽象化が進むたびに、その次の段階が生まれています。

これらは、「大切なものは、全てデジタル化できる」というデジタル革命における最初の主張に基づくものです。地図が土地を抽象化して換金可能な区画に変えたのと同じように、コンピューターはものごとをデジタル化して、指数関数的な成長のための素材にしました。さらにこれは、資本主義に欠かせない条件である通貨の成長にも役立っています。中央通貨のデジタル代替物である暗号資産を見れば、それがよくわかります。「ウォール街を占拠せよ」運動（2011年にニューヨークのウォール街で発生した経済界、政界に対する一連の抗議運動）と同じ時期に考案されたビットコインは、取引を証明するのに、銀行も手数料も不要で、料金の高い仲介業者も使わずに済む手段を人々に提供しました。しかし、中央通貨の背後に存在した貴族階級と同じように、投機家たちは、取引の円滑化よりも、ビットコインを利用して利益を得ること、ビットコインのトークン（トークンでは発行者や管理者が存在する）の価格を上げることに関心がありました。今では、世界中のコンピューターが、ビットコインの価値を証明するためだけに動作していて、目的のない計算のために電力を消費しています（❖6）。その電力消費量は、スウェーデン全体のエネルギー消費量を少し上回るほどです。デジタルの記号を証明するために、すなわち、拡大可能なデジタルコピーに現実性を与えるために、現実世界で燃料を燃やして発電しています。

「マインドセット」の支持者にとっては、この無駄な電力は、彼らを次の段階へ連れて行ってくれるロケットの1段目のようなものです。もちろん、多くの燃料を消費した後に廃棄され、地球に落ちてきますが、そのおかげで宇宙飛行士は飛行を続けることができます。後ろを振り返らず、前だけを見ましょう。確かに、この流れの中でメタへ進んだ企業によって、現実の通貨が生み出されます。暗号資産の投資家は、投資を通じてギャンブルをするか、あるいは自分でマイニング（採掘）をしてわずかな手数料を稼ぐかであるのに対して、より賢いプレイヤー（投機家）は、カジノを開設したり、これら全ての取引が行われる取引所を作ったりしています。2021年4月には、コインベースが暗号資産取引所として最初に株式を公開し、上場時の時価総額は約1000億ドルと評価されました。ただ、これにより、まるで自らの保有資産である暗号通貨がメタ化して一段階上のレベルに達したと認識したかのように、機関投資家たちはその週に暗号資産のトークンを現金化し始めたので、暗号通貨は暴落しました。

メタへ進むことによって価値が創造されるとすれば、この世界に関するデータは、世界に存在する物自体よりも重要になります。先物取引の豚肉は、現物の豚肉よりも交換可能性や拡大可能性が高くなっています。データは、現実世界のアナログな物よりも清潔、軽量、迅速です。あらゆるものをデジタルデータに変換したほうが良さそうです。私たちは、現実世界の消費者として、あるいは人間として存在するよりも、データとして存在するほうが価値の高い状態になっているのです。これによって、便利さとその対価としての報酬という関係が断ち切られました。フィットネストラッカー（活動量計）や運動用アプリの背後にいる企業は、私たちの健康を増進することによってではなく、私たちのデータ〔通常は匿名化されています〕を使って利益を得ていることが多いようです。ソーシャルネットワークは、ある10代の少女のデータプロファイルを使って莫大な利益を得ることができます。そのプラットフォームのせいで、少女が自傷行為をしたり、よりひどい結果を招いたりしても、クラウドは気にしません。その10代の少女は、もはや少女ではなく、抽象化された純粋なデータになっています。デジタル化で高みに上る方法を知る人々にとってはデジタルの天国ですが、それ以外の取り残された人々にとっては、全く違うものとなっています。

人間をメタ化する

実際に最も熱心な「マインドセット」の支持者は、自分自身をメタへ進めようとしています。自分をデジタル形式に変換して、それをロボット、人工知能、あるいはマインドクローンとしてデジタルの世界へ移行させるのです。その状態へ到達すれば、物理的な土地の上ではなく、デジタルマップの中で、嫌いなものを排除して隔離された生活を送ることができます。企業が提供するGPSマップには、そのプラットフォームでの広告を拒否したレストランが表示されないのと同じように、彼らが移り住んだデジタル環境には、貧困や汚染など、取り残された私たちが対処しなければならない問題は存在しません。

いつものように、裕福で賢い人たち、すなわち飛躍する決意を固めた人たちが脱出するという形で物語が終わります。私は、この問題について、トランスヒューマニスト（科学技術によって人間の能力を今までにないレベルに向上させようとする人）のレイ・カーツワイルと白熱した議論をしたことがあります。テレビ番組のインタビューで、カーツワイルと私は、人間であることの意味が技術によって変わるという問題について、それぞれの意見を述べました。

私にとってそれは、人間同士のつながりが強化されること、また、技術ではない神聖な私たちの肉体の存在の不思議さに対して新たな評価がされるかもしれないということでした。そして、カーツワイルにとっては、死という運命を超越すること、純粋なデータとして機械と合体することでした。カーツワイルは、あと20～30年のうちに（彼は、今までずっと「あと20～30年」と言い続けています）、人間は、意識をクラウドにアップロードしたり、それを新しいハードウェアにダウンロードしたりして、不死を達成できる、と説明しました。私たちに関することでデータに変換できるものは、全て保存できます。そして、変換できないものについては、それは現実ではない、ということです。

私は、クラウドに転送できない人間の経験がある、と言って熱心に反論しました。「ふわふわとして曖昧なものはどうなるのですか」と尋ねました。人間は、時間をかければ、矛盾する内容を受け入れて認めることができます。私たちに関する問題は、全て1か0かで割り切れることばかりではありません。

カーツワイルの説明によれば、その「割り切れないこと」は「ノイズ」であり、私の見方はあまりにも人間中心的過ぎるというのです。情報は、実際に何らかの働きをしており、宇宙ができてから今まで、複雑度がより高い状態へ向かって進化してきました。コンピューターの性能が人間の脳を上回ると、情報は、脳という生物的プロセッサー（情報処理装置）から、より優れたデジタルプロセッサーへと必然的に移行するでしょう。カーツワイルは、現在、グーグルの技術部門の責任者であり、彼が率いるグーグルのチームがそのためのコンピューターを開発しています。その移行後、人間は、機械のメンテナンスに必要とされる限りにおいてのみ存在意義があります。そうだとすれば、私たちは、人間の衰退について学ばなければなりません。彼は何らかの形で将来の世界の一部として存在したいのであれば、コンピューターの性能が人間の脳を超える「特異点」について真剣に考えて、人間に関することで純粋なデータに変換できるものは何かを提案する必要がある、と言います。

プログラム化できないものは不要？

カーツワイルの考え方は、生命、意識、情報が、どのような形の媒体に収容されていても同じように機能するという理解に基づいています。人間の身体に「記憶されている」データ、人間の身体が「実行している」ソフトウェアは、脳という生命体の中にあっても、半導体チップの中にあっても、全く同じことだというのです。グーグルの共同創設者ラリー・ペイジは、次のように述べています。

「（人間のDNAは）データを圧縮すれば600メガバイトになるので、現在のオペレーティングシステムよりも小さいものです。（中略）人間を構成するアルゴリズムは、あまり複雑ではありません」。

このような人間の生物学的モデルは、ドーキンスの「生命は、どこまで行ってもデジタル情報のバイトに過ぎない」という主張と同じように還元主義（複雑なものごとについて、その一部の基本的要素だけを取り出してすべてを説明しようとする考え方）的で単純化し過ぎています。フランシス・ベーコンおよびその他の初期の経験的科学者は、自然の中でも定量化できない側面を否定しました。現代のデジタル還元主義者は、プログラムとして表現できない人間の経験的側面を否定しようとしているのでしょう。彼らから見れば、あらゆるものは、記号として表現できます。全て単なる情報です。不思議なもの、曖昧なもの、本当に自然のものは存在しません。これが、究極のITオタクたちの宗教です。

1か0かに定量化できないものの認識を拒否することによって、この分析は、その中間にある全てのものを見落としています。それは、オートチューン（自動補正。音声のピッチ修正エフェクトの用語）された現実を示しているだけです。五線譜化できない音楽の全ての音を最も近い平均律の音階に切り上げまたは切り下げたようなものです。歌手の微妙な解釈、すなわち音楽ファンが最も聴きたいと思っているものが「ノイズ」として無視されています。プログラム形式としてしか生命を見ないことは、その生命が存在している時代背景や文化を無視しています。もう少し繊細な科学者は、DNAが重要であることを認識していますが、それにしても、生命という形態が表現する物語の半分も説明できていません。DNAは、タンパク質のスープの中から、いくつかの可能性が組み合わせられてできたものです。人間の身体や意識は、ドーキンスの言うようなDNA保存のための道具ではありませんし、DNAは、人間およびその他の生物が自分自身を表現するための単なる足場でもありません。

現実世界を情報に還元したり、人間を遺伝子型に還元したりするのは、全てのものを市場に適した形に変えようとする資本主義の基本原則とあまりにも都合よく一致しています。あらゆるものはデータであり、あらゆるものには価格があり、あらゆるものは拡大する、ということです。

記述されたもの、プログラムとして表現されたものには、全て存在意義があり、反対にそれ以外のもの、たとえばジャンクＤＮＡ（役割が不明確で無駄なように見えるＤＮＡ領域）、劣等種、あるいは大部分の人間は不要なものとして捨てられます。裕福な技術者たちは、クラウドへ進出しますが、大衆は取り残されて、物質の世界でお互いに競争します。キリストやその他の救済された人物と同じように、完全にコード化された個人だけが変化して次のレベルへ進むことができます。

「マインドセット」の無神論的な終末論も、それと同じです。

◇原注　第7章

❖ 5 「出来事への忠実さ……」: Peter Thiel and Blake Masters, *Zero to One: Notes on Startups, or How to Build the Future* (New York: Crown Business, 2014). ピーター・ティールは、この考え方を毛沢東主義者のアラン・バディウから借用しています。

❖ 6 「目的のない計算のために電力を消費しています……」: ビットコインの支持者は、このエネルギーの一部が「再生可能エネルギー」に由来すると主張しています。暗号資産反対派は、その計算では競争相手のプルーフ・オブ・ワーク・トークンによってさらに消費される50%のエネルギーを考慮していないと主張しています。

◇ Goldman Sachs: Adrian Ash, "Goldman Sachs Escaped Subprime Collapse by Selling Subprime Bonds Short," *Daily Reckoning*, October 19,2007,http://www.dailyreckoning.com.au/goldman-sachs-2/2007/10/19.

◇ "No man who": Kenneth T. Jackson, *Crabgrass Frontier: The Suburbanization of the United States* (New York: Oxford University Press, 1985), 231.

◇ Federal Housing Authority: C. Lowell Harriss, *History and Policies of the Home Owners' Loan Corporation* (New York: National Bureau of Economic Research, 1951), 41-48.

◇ GE eventually sold: GE, "GE Completes the Separation of Synchrony Financial," November 17, 2015,https://www.ge.com/news/reports/ge-completes-the-separation-of-synchrony-financial.

◇ "world trade ... speed of light": Nicholas Negroponte, *Being Digital* (New York: Knopf, 1995).

◇ "new paradigm": Alen Mattich, "The New 'New Paradigm' for Equities," *Wall Street Journal*, May 28, 2013,https://www.wsj.com/articles/BL-MBB-1982.

◇ "competition is for losers": Peter Thiel, "Competition Is for Losers," *Wall Street Journal*, September 12, 2014,https://www.wsj.com/articles/peter-thiel-competition-is-for-losers-1410535536.

◇ The companies behind our activity trackers: A. J. Perez, "Use a Fitness App to Track Your Workouts? Your Data May Not Be as Protected as You Think," *USA Today*, August 16, 2019,https://www.usatoday.com/story/sports/2019/08/16/what-info-do-fitness-apps-keep-share/1940916001/.

◇ "600 megabytes compressed": Janet Lowe, Google Speaks: *Secrets of the World's Greatest Billionaire Entrepreneurs, Sergey Brin and Larry Page* (New York: Wiley, 2009), 239.

◇ "life is just bytes": Jeremy Lent, *The Web of Meaning: Integrating Science and Traditional Wisdom to Find Our Place in the Universe* (Gabriola, BC, Canada: New Society, 2021).

◇ how a life form expresses itself: Marc H. V. van Regenmortel, "Reductionism and complexity in molecular biology. Scientists now have the tools to unravel biological and overcome the limitations of reductionism," *EMBO Reports* 5, no. 11 (2004): 1016-20,https://doi.org/10.1038/sj.embor.7400284.

第8章　説得的技術

ボタン一つで彼らを消せるなら

連邦議会乱入事件

2021年1月6日のことです。私は、あるIT開発者たちとZoomで会議していました。彼らが開発している新しいソーシャルネットワークについての会議です。厳密に言えば、少なくとも彼らによれば、それはソーシャルネットワークではありません。より優れた、全く異なるものであり、人を操るようなことはしません。このシステムでは、ユーザーが作成したコンテンツや他の人のコンテンツに対する注目がブロックチェーンによって追跡されます。ユーザーは、自分のコンテンツが他のユーザーに注目されたり、他のユーザーのコンテンツに対する注目が生まれた場合にその報酬を受け取ることができます（さらに、その推奨によって発生する将来の注目にも）。彼らは、それを「コンテンツ」とは言わずに、サンスクリットだったか禅だったかに由来する、コンテンツと同じような意味の言葉を使っています。

彼らは、なかなかの好青年だと見受けられます（私は、いつもそう言っていますが）。1人は、スタンフォード大学を卒業したばかりで、他の2人は、それぞれツイッターとフェイスブックを退職する予定です。暗号資産の準備と十分な資金の用意ができた時点で、ツイッターやフェイスブックよりも健全で中央集権型ではないプラットフォームを運営する事業を始めようとしています。

「くそっ、これを見てくれ！」と、フェイスブックの男が突然叫んだので、私は、彼らの事業計画に引きずり込まれずに済みました。どうやら彼は、同時に異なった仕事をしていたようで、自分の画面を全員に共有して見せました。連邦議会の議事堂での抗議活動を4箇所で撮影したライブ動画配信です。左上の映像では、群衆がバリケードを突破して、警官に向かって棒を振り回しています。

「くそっ」とツイッターの男も言いました。

感情が高ぶって落ち着かない状況になりましたが、トラウマに対する「マインドセット」の防御機能が働いたのか、妙に中途半端なものになりました。スタンフォードの学生は、3人の中で最も仕事熱心で、この事件を、彼らのSNSの計画が顧客に提供するサービスに結びつけました。

「このような事態が起こるからこそ、デマよりも有意味な情報が大きくなるように増幅するシステムが必要なのです。この議会に乱入する人々は、扇情的なネットワークとフェイクニュース（虚偽報道）の犠牲者です。協力的な行動をする方向にネットワークを調整できれば良いのですが」。

「この映像を流している人は、どうやってこの映像を集めたのだろうか」とフェイスブックの男が言いました。

私たちが見ている画面には、6つの異なるライブ動画がまとめられています。

「何かが起こるという内部情報を知っていたに違いない」。

「もちろん、知っていたはず。これは全てあらかじめ仕組まれたものだ。内乱の始まりだ」とツイッターの男が言いました。

「もしかしたら、内乱の終わりかもしれない」と私は言いました。

正直なところ、私がどういう意味でこれを言ったのかわかりません。おそらく、このような事態は国内での人種、統治権、人権に関する基本的問題が解決できていない状態のまま、アメリカ社会でリンカーンの時代からの南北戦争が今までずっと続いてきたものだ、と言いたかったのだと思います。

「彼らは正気ではない。Qアノンの陰謀を信じる連中が民主主義を壊している」と学生は言いました。

きっと、卒業後の現実に考えを巡らせていたのでしょう。

抗議デモ参加者の集団が警察の立ち入り禁止ラインを超えて議事堂に突入する様子を撮影している動画を、私たちは黙って見ていました。

「このQアノンの連中を全員消すことができるとすれば、どうなるだろう」とツイッターの男が言いました。

『消す』って、どういう意味？　殺すということ？」と学生が尋ねました。

「いや、そういうのではなくて、ボタンを押すだけで奴らが存在しなくなる、ということ。あの陰謀を信じている連中が単に存在しなくなる、という感じ」とツイッターの男が説明します。

「この時間軸から彼らの存在を消すことによって生じる論理的パラドックスも、自動的に解決される？」とフェイスブックの男が言いました。

「そのとおり」とツイッターの男が答えます。

「ボタンを押すだけで彼らが存在しなくなるとすれば、それを実行してしまうか、民主主義のために」。

「あるいは、ボタンを押せば、彼らがあのばかげた話を信じなくなるというのはどうだろう。彼らのそれ以外の部分は、全てそのまま。ばかげた話を信じるのをやめるだけ」とフェイスブックの男が提案しました。

私は皮肉を込めて「民主主義のために」と言いました。

「世界はより良い場所になるだろうな」と学生が言いました。

フェイスブックからこの技術者を引き抜くことはできますが、この技術者からフェイスブックを引き抜くことはできないのだろうと私は思いました。

心配いりません。こんな技術は存在しません。恐ろしい光景を見た瞬間に行われた単なる思考実験です。しかし、これは、「マインドセット」にとらわれた人たちが、他の人々を変えようとするやり方を象徴する出来事です。自由で開かれた、幸福かつ進歩的で、技術によって強化された社会に適合するように、遠く離れた場所から人間を作り変えようとするのです。誰かと直接に対面する必要はありません。彼らの実際の意見を聞く必要もありません。ボタンを押すだけです。あるいは、左へスワイプするだけ。

イメージによる導き

合意をでっち上げて、上から社会統制を実施するという傾向は、非常に長い期間にわたってメディアおよび技術の常識になっていました。そして、おそらく驚くべきことに、それは、マディソンアベニュー（ニューヨーク・マンハッタンの通り。広告会社の代名詞となっている）にある冷酷な広告会社の会議室で生まれたのではありません〔後になってそこで実施されましたが〕。ウッドロウ・ウィルソン（第28代大統領）の進歩主義的な顧問を務めた人の考えから生まれたものです。その人は、雑誌ニューリパブリックの共同創設者で、「PR＝パブリックリ

連邦議会襲撃事件

2021年1月、トランプ前米大統領の支持者たちは、2020年に実施された大統領選での敗北を「不正」だとして、大挙して連邦議会議事堂に押し寄せた。

レーションズ（広報）」の父とも言われるウォルター・リップマンです。

一時はアメリカ社会党の党員だったリップマンは、人々が、外の世界で実際に起こっていることよりも、「自分の頭の中にあるイメージ」を信じて反応する傾向があることに注目しました。ジャーナリズムおよびその他のメディアは、私たちが実際に生活している環境と私たちの間に、リップマンが「疑似環境」と名付けたものを挿入します。この疑似環境の刺激を受けて、私たちは期待された行動をとるように仕向けられます。その結果として世界が本当に変化します。プラトンの「洞窟の比喩」（洞窟に住む縛られた人々が見ているのは壁に映し出されたイデアの「影」に過ぎないというプラトンの主張）に出てくる人々と同じように、私たちは、洞窟の壁に映った影のようなものに反応しています。そのせいで、最も説得力のあるイメージを作り出すことができる独裁者や扇動政治家の影響を受けやすくなっています。

現在のソーシャル・メディア・プラットフォームを変えようとしている人々は、オルタナ右翼の過激派や陰謀論者が私たちの意見や行動に与える影響を止めたいと考えているのかもしれません。リップマンとウィルソンは、20世紀初めの国家主義者が米国を孤立させて内向きにしようとしていることを心配していました。彼ら（国家主義者）の不安は的を射ていると感じられたのです。彼らは、セオドア・ルーズベルト（第26代大統領）が進歩的なポピュリズムを生み出そうとして失敗した時代を経験しました。トランプ前大統領と少し似ている方法ですが、ルーズベルトは、企業のエリートに対する低収入労働者の不満をまとめることによって政権に就きました。報道機関に企業の不正を暴かせて、一般庶民の怒りを誘いましたが、このような「不正の追及」によって不正がなくなったわけではなく、群衆の暴動に関する新聞記事を読む中産階級を怖がらせただけでした。リベラルな人たちは、心の優しい面もありますが、ここでは、混乱につながる根本的な問題に対処するよりも、大衆をおとなしくさせることのほうに関心を持っていました。

大衆・群衆の恐ろしさ

リップマンおよび同時代の人々は、フランスの社会学者ギュスターヴ・ル・ボン(19世紀フランスの社会心理学者)の、非常に影響力がある恐るべき書籍『The Crowd』(邦訳:『群衆心理』)の見方を通して大衆を理解していました。ル・ボンは、群衆が、個人を超えた新しい心理的実体として、恐ろしい行動をする能力を持つようになると主張しています。群衆は危険かつ暴力的で、社会秩序に対する脅威です。本当に手に負えない状況になると、扇動政治家を選出し、民主主義を破壊し、ある集団をスケープゴートにして責任をなすりつけ、場合によっては、私たち全員を襲ってくる可能性もあります。それを利用して、リップマンは、自分の構想が大衆の利益になるはずだと考えて、「イメージ」によって大衆を操ることに全く疑問を感じませんでした。

ウッドロウ・ウィルソンは、当初は国家主義的な政策を掲げていましたが、大統領に就任すると、それまで静観していた第1次世界大戦に米国が介入することを一般大衆に認めさせる必要があると考えるようになりました。リップマンの助言により、ウィルソンは、世論を参戦へ誘導するための委員会を設立しました。それがクリール委員会です。その仕事は、新しく創作したイメージを人々の心の中に送り込み、リップマンが「PR」と名付けたような影響を与えることです。

リップマンがそのような人心操作をしようとするのは、彼の基本的な仮定に基づいています。現代のメディア環境で生活する人々は、何が本当に起こっているのかを全く知ることができない、ということです。人々は、新聞やラジオが一般大衆向けに作り出す「疑似環境」に反応するしかないので、利己的な人たちや組織が描いた架空のイメージに基づいて判断します。そうすると、政府にとって不適切な人に投票したり、人々や国に害を及ぼす政策を支持したりすることになります。さらに問題なのは、リップマンの意見によれば、自分の頭で考える方法を一般大衆に教えるのは時間がかかり過ぎるというのです。今の教育システムや報道のしくみでは、その問題に対処できない、ということです。

その代わりにリップマンは、政府が、科学者、統計学者、医師などによる「公平な専門家の委員会」を設けて、「独立して人々に事実を提示する」役割を果たすようにすべきだと考えました。その委員会は、選挙で選ばれた議会に直属の組織であり、議会は、現実と理性に基づいて政策を立案します。その政策は、最高の「教育」、すなわち「PR」と呼ばれるものを通じて、有権者である一般市民に向けて説得されます。いわゆるプロパガンダは、他の連中がしていることです。リップマンによれば、正しく機能する民主主義は、情け深いエリートが社会の進むべき最良の道を決断し、あらゆるメディア戦術を自由に使って一般大衆の合意を作り上げるものです。

『群衆心理』

『The Crowd』ギュスターヴ・ル・ボン著、1993年、講談社刊。

プロパガンダと条件付け

その戦術が知られるようになると、あまり良心的とはいえない専門家たちは、政府のためだけではなく、企業のためにもそれを実施するようになります。たとえば、正式に選出されたグアテマラ政府が、ユナイテッド・フルーツ社による収奪から労働者と地主を保護する政策を制定したとき、リップマンの信奉者であり、クリール委員会の元メンバーであるエドワード・バーネイズは、グアテマラの大統領が共産主義の理解者であり、おそらくソビエト連邦の協力者だ、という作り話をでっち上げました。米国のグアテマラに対する介入への支持を得るために、やらせのニュース映画を制作したり、その他のプロパガンダを実施しました。米国は、グアテマラで少数独裁体制、奴隷労働、農業の私的管理を復活させました。

バーネイズは、プロパガンダに関する本を書きました。文字どおり、その題名は『Propaganda』(邦題：『プロパガンダ』)です。この本では、世論を操る者こそが、どんな社会でも目に見えない真の権力者である、と説明しています。一般大衆は、愚かなので自分で判断できない、したがって民主主義においては、プロパガンダすなわち「機械仕掛けで先進的かつ必要な」科学的な人心操作によって大衆の力を誘導しなければならない、というのです。当時、多くのジャーナリストや政治家は、バーネイズの戦術や意見に反対意見を述べました。しかし、バーネイズとその同僚は、自分たちが正しい必要不可欠な社会奉仕を行っていると考えていました。エリートたちは、リベラルな考えの人であっても、抑制のきかない群衆が大規模破壊を行うという潜在的な可能性を恐れていました。彼らは、ナチスドイツおよびスターリン時代のソビエト連邦における群衆の狂気を目撃しており、そのような危機が米国で起こるのを阻止しようとしていたのです。ヒラリー・クリントンが、扇動的な政治家を大統領に選出しようとした「嘆かわしい集団」を恐れたり、あの若いIT技術者たちが議事堂に乱入した暴徒を恐れたりしたのと同じことです。ボタンを押して奴らを全員消すことができたらいいのに。

心理学の発展によって、そのようなボタンができそうに思われました。そうした分野の一端には、バーネイズの伯父であるジークムント・フロイトがいます。フロイトは、人格、感情、潜在意識について考察しました。精神分析によれば、人間の中には「自我」が存在しています。宣伝工作員やマーケティング担当者は、象徴(シンボル)や心像(イメージ)によって、それに直接語りかけることができます。バーネイズは、この方法を使って、悪名高い「自由のたいまつ」キャンペーンを実施しました。ニューヨークの復活祭のパレードで、彼が雇ったモデルに、タバコを吸いながら行進させたのです。これは、タバコと、女性の抑圧された口唇期固着(フロイトの用語。口で吸うという幼児期の欲求が満たされないまま成長した場合の、口から得る満足へのこだわり)および性欲の解放とを結びつけることによって、女性が人前でタバコを吸うという社会的タブーを破ることでした。

新しい分野のもう一方には、たとえばハーバード大学のB．F．スキナーのような行動科学者がいます。スキナーは、民主主義において人々が大切にする「自由」が全く実体のないものであると考えました。迷路に入れられたネズミと同じように、人間は、支配者または環境から与えられるご褒美と罰に反応しているだけです。木の実を食べたり、ライオンから逃げたりするのと同じで、私たちは、赤信号で止まる、教会の祭壇でひざまずく、マクドナルドでビッグマックを注文する、と条件付けられているというのです。

ご褒美で行動する

有名な「スキナー箱」は、動物がレバーを押すと食べ物が得られるというもので、「オペラント条件付け」の代表例になっています。オペラント条件付けとは、たとえば、カジノ、ショッピングモール、その他の場所で人間に対して行われているように、環境によって触発される行動およびそれに対するご褒美が完全に管理されている状態です。このような場所で人間を研究することが当たり前になっています。行動科学者が、監視カメラを使って消費者の移動パターン、商品を手に取る確率、レイアウトや色や照明の変更に対する反応などを研究しています。人々の「行動をコントロールする工学」に従わせることによって、優秀なギャンブラーや優秀な消費者を生み出すだけでなく、より優れた、より協力的な人間を生み出すことができます。

年月の経過とともに、さまざまな人類学者や社会科学者が、フロイトの「精神分析」とスキナーの「行動主義」という、人間の行動を操作するための2つの基本的な考え方をさらに拡張しました。おそらく最も重要なのは、人類学者グレゴリー・ベイトソンとマーガレット・ミードです。この2人は、行動主義を個人だけでなく社会全体に適用しまし

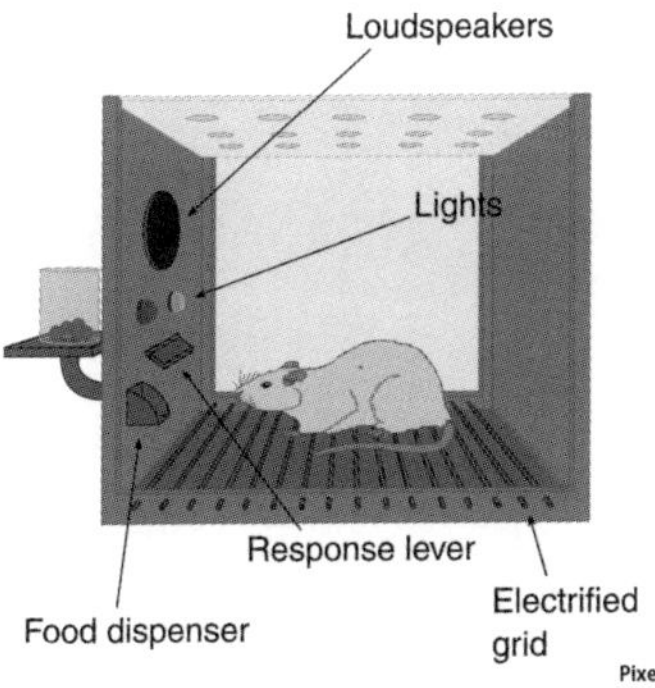

スキナー箱

スキナー箱（レバーを押すと餌が出る）に空腹なネズミを閉じ込める。偶然レバーを押して餌を得ると、次第にレバーを押す行動が増える。

た。ベイトソンによれば、個人は「環境に組み込まれた制御システム」に過ぎないのです。ベイトソンとミードは、自分たちの新しい「システム」の理論が、新しい人間を「設計」するのに使えると考えました。迷路やパズルにどのような仕掛けを作れば、人類学的ネズミ（人間）が、繰り返しによって強化された自分の自由意志を得たという満足を得ることができるか、ということです。

ベイトソンとミードは、スクリーンで満たされた世界は、この課題を実現できる可能性があると考えました。店舗やショッピングモールに多数のスクリーンを設置すれば、人の移動に合わせてスクリーンからスクリーンへ次々と連続して展開する映像を映すことによって、新しい可能性で人を驚かせるとともに、より多くの選択肢を提供できます。消費者は、何十種類もの洗剤、コーンフレーク、トイレットペーパーの中から自由に選ぶことができます。ただし、それら全ての製品は、たった2つか3つの同じ工場で作られているのかもしれませんが……。重要なことは、選択が可能であるという体験です。これは、米国の民主主義的な自由とソビエト連邦の共産主義的な制約との明確な対比です。

その当時、やはり、これは悪いことであるとは受け取られませんでした。むしろ、ニューエイジの精神性の先駆けとして、ベイトソンは、世界がスクリーンで満たされることを望んでいました。その世界で人々は、さまざまなヒントやフィードバックに囲まれて、意識を共有した状態に到達できます。私たちは、時代遅れになった「神」という概念から解放されて、全員が一つの「超越した制御システム」、すなわち、ベイトソンの言う「精神」を構成する一部分になります。

1950年代、60年代を通じて、政府や企業のリーダーたちは、コンピューターによって一般市民の意見を調査して、人々を操作するのに適した「マスコミュニケーション」戦略を生み出す新しい方法ができると期待していました。ランド研究所（米国の政策シンクタンク）やシミュルマティクス（コンピューターによって人々の行動を操作することを目指していた米国企業）のデータサイエンティストたちは、消費者や有権者の行動を予測・誘導することを試みて失敗しました。それが実現するのは、90年代の中期になって、意図的な「粘着性」を備えたウェブサイト、すなわち、他のサイトへ出て行かないように設計されたウェブサイトができたときです。そのウェブサイトでは、集団に対して操作的条件づけを実施するのに必要な、制御された環境と、直ちに反映されるフィードバック手段をデジタル技術によって実現しています。

人間の行動を条件付けする

ウェブサイト、テレビゲーム、スマートフォンアプリは、全てバーチャルな「スキナー箱」です。開発者は、オペラント条件付けのプログラムを仕込んで人間の行動を変えることができます。私の著書『Program or Be Programmed』（邦訳：『ネット社会を生きる10ヵ条』）で述べたように、今のソフトウェア企業は、もはやコンピューターのプログラムを作っているのではありません。彼らは、私たち人間をプログラミングしています。通知、スワイプ、「いいね」、「レベルアップ」は、合図に合わせてドーパミンを放出させて、強制された行動を促進します。開発者たちは、心理学的な道具類の中でもフロイト的な部分を利用して、フェイスブックの「グループ」や「ワールド・オブ・ウォークラフトの「ギルド」（ゲームプレーヤー同士のコミュニティー）のような機能で人間の本能に訴えて興味をひいています。ソーシャルネットワークは、人間の先天的な「失うことへの恐怖」を利用して、元恋人が楽しそうにしている様子、行かなかったパーティー、他人の昇進などの写真を意図的に見せています。

　これは、単なる偶然ではありません。また、このようなプラットフォームの機能に付随する副産物でもありません。これは、行動変容を実現する科学、すなわち、スタンフォード大学教授B．J．フォッグが「カプトロジー（コンピューターの対話性を利用した説得技術）」と名付けたものです。フォッグ行動モデル（FBMという名称で知られており、登録商標になっています）は、何らかの行動について、その障壁を低くし、モチベーションを高めて、適切な時期に行動を起こすように促すものです。FBMに関するフォッグの本『Persuasive Technology: Using Computers to Change What We Think and Do』（邦訳：『実験心理学が教える人を動かすテクノロジ』）では、その研究成果を包み隠さず明らかにしており、多くのIT企業のユーザーインターフェース部門の必読書になっています。コンプライアンス技術者は、FBMを使って、ラスベガスのスロットマシンのように中毒性のあるアルゴリズムを開発しました。また、リンクトイン（ビジネス向けSNS）で新しいコンタクト（つながり）を提案したり、フェイスブックの「無限スクロール」を設計したり、ツイッターで過激派のチャンネルを広めたり、スナップチャット（写真共有アプリ）で「ストリーク（連続）」機能を作って子供たちが毎日アクセスすればご褒美をもらえるようにしたりするのにもFBMが役に立って

Program or Be Programmed

邦訳『ネット社会を生きる10ヵ条』2020年、ボイジャー刊。コンピュータにとっては、あらゆるものが計算しなくてはならない対象に見える。

います。データマイニングと機械学習のおかげで、技術者は、コンピューターを使って人を操ることができます。

フォッグは、人間の行動を操作する説得的技術という闇の手法を体系化した悪人だと言われることがよくあります。私自身もそのように考えていました。スタンフォード大学で思い上がりの激しい非人間的な研究室の中心にいて、冷酷非情な若いIT技術者たちに対して、文明を崖から突き落とすための道具を提供するドクター・イーブル（映画『オースティン・パワーズ』に出てくる悪役）のような存在だと考えていました。しかし、『The Social Dilemma』（邦題：『監視資本主義：デジタル社会がもたらす光と影』）というネットフリックスのドキュメンタリーを見てから、本当にそうなのかと疑いを持つようになりました。そのドキュメンタリーでは、IT業界の最もひどい悪者たちが登場して、フォッグの講義や研究室は人を巧みに操る技術的イノベーションの発想を生み出したと非難しています。

私は、フォッグ本人にメールを送ったり、フォッグの経歴を調べたりしました。その結果、人を小ばかにしたバーネイズのように、程度の低い人間に対しては何をしてもよいという戦略を採用しているのではなくて、フォッグは、人々がより良い生活を送れるように手助けをする善意の、もしかすると無邪気なウォルター・

Persuasive Technology
B.J.フォッグ著。邦訳『実験心理学が教える人を動かすテクノロジ』2005年、日経BP刊。

リップマンのような存在なのだ、と思うようになりました。フォッグが邪悪な側へ行ってしまったとして非難する技術者の多くは、フォッグと一緒に研究したりその研究室で学んだりしていません。私がフォッグから聞いた話によれば、彼の授業は、行動モデルを使って人々が自分自身の目標を達成するのを支援する、という内容だったそうです。そのモデルを依存性の強化や監視、コントロールのために使いたがっていたのは、「テック男子」たちでした。そして、今になって彼らは、フォッグがその道具を用意した、と非難しているのです。フォッグは、学生たちに、この強力な道具を使って人を操ろうとする誘惑に負けてはいけない、と繰り返し警告しているそうです。

批判の広がりに対して、フォッグは、最近では、自分の研究が良い方向にのみ使われるように強調することに尽力しています。「行動デザインの目的は、前向きに行動が変わることを使って人々を支援する結果を生み出せるようにすること」であり、また「人々がしたいと思っていたことをうまく達成して成功したと感じるのに役立つこと」だと言っています。ただしもちろん、これには、「前向きな」変容とは何か、誰がそれを評価するのか、その人がしたいと思っていたことは何かを誰が決めるのか、という疑問が伴います。それをリップマンの「専門家委員会」が決めるのでしょうか。さらに言えば、この話では、技術で行動をプログラムすることによって、人々をより良い状況にすることができる、少なくとも、自分でより良い選択ができるようになるはずだ、ということが前提になっています。

そこで、より良い食生活を送る、仕事中に適度に休憩する、日ごろから運動する、さらには、相手のことを考えているとわかるように配偶者にメールを送る、というようなことを優しく「促す」アプリがあります。その考え方としては、一定期間にわたって促された後は、自分でその行動をとるように訓練されるだろうということです。チューリヒ大学の研究者は、人々が行動を変えるだけでなく、性格まで変えるようなスマートフォンアプリを開発しています。毎日、チャットボットがユーザーと対話して、ユーザーの前向きな特質、たとえば、寛大さ、誠実さ、社交性、思いやりなどを引き出します。

ゲーミフィケーション（ゲーム化）、すなわち、仕事やその他の人間の活動にゲームの力を適用することは、数値による結果が出にくいようなところで、広い範囲にわたって利用されています。アマゾンは、ミッションレーサーというゲームを使っています。これは、倉庫の従業員が、通路に沿って仮想の車を動かして、正確に荷物の仕分けや梱包をするというものです。多くの組織が、ゲーミフィケーションを使って環境に負担がかからないような行動を促進しようとしています。しかし、技術評論家のエフゲニー・モロゾフが指摘しているように、そのような試みは、人々がその重要性や理由を理解しないまま行動することにつながります。

技術によって技術を制する

人を操る技術が人々や社会に与える悪影響を軽減しようと努力している人々でさえも、多くの場合、完全に「マインドセット」に基づいた解決策を提案しています。ある意味では、技術を使って技術の影響を軽減しようとしているようなものです。たとえば、スマートフォン中毒になっているのであれば、スマートフォンをやめるように促すアプリをインストールします。ソーシャルネットワークや5G電波が心配なのであれば、頭に電極を取り付けて「経頭蓋直流電気刺激法」によって脳を再調整します。ある技術が害を与えるならば、次の技術でそれを修復します。

「応用消費者心理学者」のニール・イヤールは、場面に応じて2つの立場を使い分けています。彼の最初のベストセラー『Hooked: How to Building Habit-Forming Products』（邦訳：『Hooked ハマるしかけ：使われつづけるサービスを生み出す［心理学］×［デザイン］の新ルール』）は、B．J．フォッグのFBMをもっと単純化した、市場に適するフレームワーク（枠組み）に関するもので、イヤールは、これをフック・モデルと呼んでいます。それは、習慣、トリガー（きっかけ）、さまざまなご褒美がアプリや技術のしくみの中に埋め込まれている、というものです。イヤールの主要なアイデアは、フォッグの手法を拡張して、影響と反応が循環する「フック・サイクル」としたことです。こうして、製品やプログラムを多く利用すればするほど、人々は、それを強く愛好するようになっていきます。

それから4年後、トランプの選挙の影響で、人々を分断し、中毒性のある技術に対する反発が広まっていたときに、イヤールは、逆の内容の本を書きました。『Indistractable: How to Control Your Attention and Choose Your Life』（邦訳：『最強の集中力：本当にやりたいことに没頭する技術』）です。前の本では、私たちの注目を企業に向ける方法を教えていましたが、この本では、その企業から私たちの注目を引き離すためのヒント

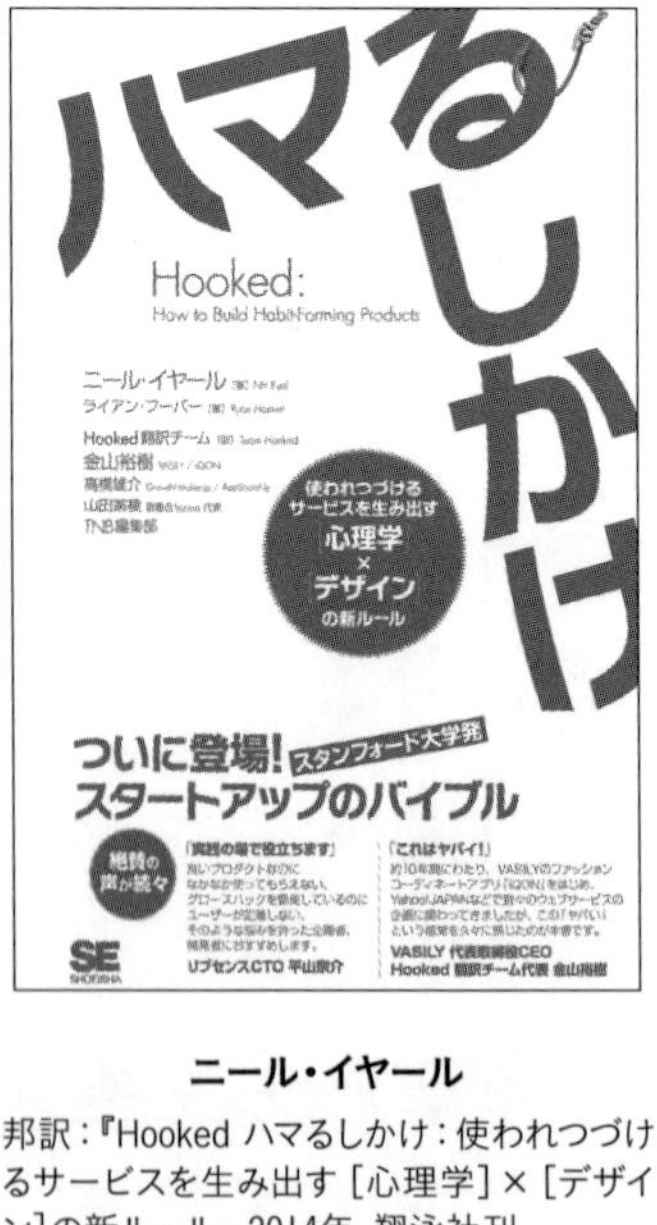

ニール・イヤール

邦訳：『Hooked ハマるしかけ：使われつづけるサービスを生み出す［心理学］×［デザイン］の新ルール』2014年、翔泳社刊。

を示しています。武器商人のやり方にならって、イヤールは、両方の陣営に軍事物資を売り込んでいるのです。つまり、一般市民と、彼らを操ろうとするIT企業の間で起こっている「軍備競争」をエスカレートさせて、利益を得ています。ニューヨークで開催されたある会議で、これについてイヤールに問いただすと、そのような心配は「破壊的なマルクス主義者の考えだ」と答えました。資本主義の原動力、すなわちデジタルマーケティング担当者の策略から人々を保護するのではなく、人々をゲームに参加させるべきだ、と彼は説明しました。

IT業界において、まじめに改革を目指す人々は、トランプが大統領に選出された後になって、ようやく出現しました。人を操るアルゴリズムを人間が制御できなくなったら何が起こるか、彼らは急に気付いたようです。人道的テクノロジーセンター（Center for Humane Technology）は、「人間をアップグレード」して効果的に対処することによって、アルゴリズムの悪影響を取り除こうとしています。この団体に出資したのは、億万長者でグレイトフル・デッドのファン、初期のフェイスブックの投資家であるロジャー・マクナミー、そして、自分が作ったプラットフォームを今では恥ずかしく思う何人かの「テック男子」たちです。善意の活動ではありますが、問題もあります。多くの懸念があって、たとえば、このセンターは、世界経済フォーラムのグローバルAI協議会と提携しています。また、技術の力による人々の支配について、ソーシャルメディア企業の主張をそのまま受け入れる傾向があります。さらに、この新しいIT改革者たちは、グーグル、フェイスブック（現メタ）、その他私たちの頭脳を狙っている企業が「気候変動と同じくらい深刻な人類の存続に関わる脅威」だと言っていますが、彼らの多くは、まだこれらの企業の株式を手放していないのです。

残念ながら、このグループには、市場経済に対する明解な批判的な態度がありません。彼らの大部分は、ネットフリックスのドキュメンタリー『監視資本主義：デジタル社会がもたらす光と影』に登場しました。このドキュメンタリーは、IT業界のメンバーによる驚くべき告白と、ソーシャルメディアの利用によって破壊された架空の家庭を描いた劇中劇が、各方面から高く評価されました。ジャーナリストであるナオミ・クラインは、ラトガーズ大学で学生にこの映画を見せたそうです。映画の中で人道的テクノロジーセンターのリーダーがプラットフォームの危険性について主張しているのを見て、学生は言いました。

「彼らは、資本主義以外のことばかりに目を向けている」。

人道的技術者たち

ロジャー・マクナミーとその他の人たちは、B．J．フォッグが技術によって人々を操るような手法を自分たちに教えたことを非難するとともに、彼らが作ったアプリを子供たちに使わせないようにする方法を公開しました。彼らは、笑いが止まらないほど金儲けをしていますが、その一方で、この億万長者の裏切り者たちは、彼らのプラットフォームがユーザーを監視して、それによって得られた情報を使って人々をさらにひどい状況に追い込んでいることを明らかにするという優れた行動をしています。いわば技術を使って技術の悪を暴いているのです。

もちろん、彼らの大部分は、その主張を他の人たちから拝借しています。たとえば、シェリー・タークル、クリフォード・ナス、ハワード・ラインゴールド、アンドリュー・キーン、エフゲニー・モロゾフ、アストラ・テイラー、リチャード・バーブルック、ジェリー・マンダー、コリイ・ドクトロウ、マリーナ・ゴービス、ダナ・ボイド、ニコラス・カー、マーク・バウアーラインなど、さらには、ラフィー（カナダ在住のシンガーソングライター）まで。技術評論家たちは、ソーシャルメディアによる操作が私たちの精神や社会に与える影響について、数十年前から記事を書いています。この悪事に関わっていた開発者が、最終的には自分たちを批判する評論家たちの厳しい評価に賛同しているのは素晴らしいことです。この不都合な点を、新しい知的財産のように、彼らが自分自身で見つけたと思っているのはともかくとして、ですが……。それがシリコンバレーのやり方なのです。

しかし、この改革者気取りの人たちの大きな問題点は、変化の理論(社会的課題の解決を目指すための計画、実行、評価の方法)や社会的慣習を拒否していることです。彼らは、歴史の教訓、たとえば、リップマン、バーネイズ、ベイトソン、ミードなど、過去のさまざまな発見の遺産を見落としています。同じように善意の誤りを繰り返す運命にあるかもしれません。

これが彼らのしていることです。その方向性は、全く間違っています。ウォルター・リップマンが大衆のためを思って世論を変えたように、あるいは、B.J.フォッグがIT技術を使ってより健全な行動を選択させたのと同じように、この「人道的技術者」たちは、やはり人々に対してIT技術を使って、より有益な結果へ導こうとしています。ものごとが本当に手に負えなくなる前に、彼らの言い方を借りれば「人類をアップグレード」しようとしています。手に負えなくなるというのが、何よりも彼らの恐れていることです。『監視資本主義：デジタル社会がもたらす光と影』では、技術を不適切に使えば、人々を暴徒化して町へ送り出すことができるという危険な状況を見せてくれます。このドキュメンタリーの中で進展する架空の物語は、ソーシャルメディアのアルゴリズムによって若者を過激派に誘い込む方法を示しています。そして、悪夢のような、解決されないクライマックスでは、架空の物語の主人公が、報復しようとする暴徒たちにやっつけられてしまいます。

技術者たちが最も反応を示すのは、群衆です。議事堂の群衆、トランプを選出した群衆、そして彼らの敷地に押し寄せる群衆です。今の人道的テクノロジーという流行に飛び付いている裕福な技術者は、彼らのプラットフォームが人々に与える潜在的影響よりも、人々が自分の特権や身の安全に与える潜在的影響に関心があるのでしょう。特に、今まで何が起こっていたのかを把握していれば、そうなります。ピーター・ティールに哲学を教えたルネ・ジラールが言っているように、他人の模倣により逆上した状態になった怒れる群衆は、最終的に誰か他の犠牲を求めます。

ボタンを押すだけで、彼らを消してしまうことができたらいいのに。

◇原注　第8章

◇ "the pictures in their heads": Walter Lippmann, *Public Opinion* (New York: Harcourt, Brace, 1921).

◇ The Crowd: Gustave Le Bon, The Crowd: *A Study of the Popular Mind* (New York: Viking, 1960).

◇ "manufacture consent": Lippmann, *Public Opinion*.

◇ "mechanical, advanced, and necessary": Edward Bernays, *Propaganda* (Brooklyn, NY: Ig Publishing, 2004).

◇ the madness of crowds: Le Bon, *The Crowd*.

◇ "technology of behavior": B. F. Skinner, *Science and Human Behavior* (New York: Macmillan, 1953).

◇ "a servosystem coupled": Fred Turner, *The Democratic Surround: Multimedia and American Liberalism from World War II to the Psychedelic Sixties* (Chicago: University of Chicago Press, 2013), 123.

◇ "How would we rig": Gregory Bateson, quoted in Mark Stahlman, “The Inner Senses and Human Engineering," *Dianoetikon* 1 (2020): 1-26.

◇ didn't come off as nefarious: For the rich history of Bateson and Mead's efforts in this regard, see Fred Turner's terrific *The Democratic Surround*.

◇ Data scientists: Jill Lepore, *If Then: How the Simulmatics Corporation Invented the Future* (New York: Liveright, 2020).

◇ "the purpose of Behavior Design": Stanford University, "Welcome | Behavior Design Lab,"https://captology.stanford.edu/, accessed June 18, 2018.

◇ Chatbots engage: "Smartphone App to Change Your Personality," *Das Fachportal fur Biotechnologie, Pharma und Life Sciences*, February 15, 2021,https://www.bionity.com/en/news/1169863/smartphone-app-to-change-your-personality.html.

◇ Amazon incentivizes productivity: Nick Statt, "Amazon Expands Gamification Program That Encourages Warehouse Employees to Work Harder," *Verge*, March 15, 2021,https://www.theverge.com/2021/3/15/22331502/amazon-warehouse-gamification-program-expand-fc-games.

◇ promote environmentally friendly behavior: Markus Brauer and Benjamin D. Douglas, "Gamification to Prevent Climate Change: A Review of Games and Apps for Sustainability," *Current Opinion in Psychology* 41 (December 1, 2021): 89-94,https://doi.org/10.31219/osf.io/3c9zj.

◇ Evgeny Morozov points out: Evgeny Morozov, *To Save Everything, Click Here*: The Folly of Technological Solutionism (New York: PublicAffairs, 2013).

◇ Hook Model: Nir Eyal, *Hooked: How to Build Habit-Forming Products* (New York: Portfolio, 2014).

◇ Red flags abound: Andrea Valdez, "This Big Facebook Critic Fears Tech's Business Model," *Wired*, March 10, 2019,https://www.wired.com/story/this-big-facebook-critic-fears-techs-business-model/.

◇ "as big an existential threat": *The Social Dilemma*, directed by Jeff Orlowski (Exposure Labs, The Space Program, Agent Pictures, 2020).

◇ "They're willing to see": Douglas Rushkoff, interview with Naomi Klein, *Team Human* podcast, August 4, 2021,https://www.teamhuman.fm/episodes/naomi-klein.

第9章　バーニングマンからの展望

私たちは神のように技術エリートだけが解決できる？

TEDトーク（Technology Entertainment Design ＝さまざまな分野の専門家による講演を主催するニューヨークのNPOのイベント。動画がネットで無料配信されている）を見てみましょう。どれでもかまいません。ごくわずかの例外を除いて、本当にどれも同じようなものです。

トレードマークの赤くて丸いカーペットの中央に、誰かが立っていて、あなたが知っている世界のさまざまなことは間違っている、と話しています。その人も以前はあなたと同じように考えていたのですが、あるとき、すべてを覆すような啓示を受けたのです。直観に反する究極の洞察力を得て、「これはこういうことではない、こういうことだ」と悟ったのです。黒は白であり、白は黒です。上は下であり、下は上です。さらに、その人の洞察が本当に独特なものであれば、左は右であり、なんと、右もまた右なのです。

提示されるスライドを見ても、話を聞いても、あなたの感覚や実際の体験が、その人の新しい世界観によって否定されます。その世界観は、ものごとの本質や可能性を示しています。社会全体にとって利益があるかのように見えます。しばらくの間、物質的な現実を離れてより高い所へ上がってみると、「広める価値のあるアイデア」に満ちた理想的な世界が見えてきます。この情報を広く知らせること、そして資金調達が必要です。これは、あらゆるものを、みんなのために、一瞬のうちに、決定的に変えてしまうアイデアです。

これらの講演には、一つの型があります。その型は、劇的な効果およびベンチャー資金調達につながるように最適化されています。テレビ番組『シャークタンク（日本のテレビ番組『¥マネーの虎』をモデルにした米国の番組）』（❖7）のビジネスプランで、国連のSDGs（持続可能な開発目標）に適した技術を提案するのと同じように、TEDは、次のような順序で世界をより良いものにするという「マインドセット」の手法を典型的に示しています。

1 昔ながらの方法で、面倒な問題と悪戦苦闘する。
2 赤い薬（映画『マトリックス』に出てくる、人生が根底から覆るような真実を知るための薬）を飲んで現実の全く新しい見方に気付く。
3 斬新な技術による解決策を使って元の問題に対処する。
4 その技術を指数関数的に世界規模にまで拡大させて、世界を暗黒の側面から守る。

「マインドセット」の罪悪はいろいろありますが、その中でも、このような万能の解決策のせいで、技術エリートだけが世界の問題を解決できる、という神話がはびこっています。彼らは、私たちの注意をそらして、私たち自身が大幅に現実の生き方を変えることを妨げてしまいます。そして、限られた資金を、壮大で無駄な事業に使います。この過程で、裕福な人々がさらに裕福になっていきます。彼らは、私たち人間こそが根本の問題であるかのようにして、問題を解決しようとします。

エリートと幻覚剤

インターネットの誕生と同じように、「技術的な救世主」は、「ヒーロー」が赤い薬を飲むというような幻覚的な儀式によって生まれることが多いようです。その儀式は、「バーニングマン（ヒッピー文化と関連の深い、アメリカの巨大アートイベント）」でよく行われています。「バーニングマン」の起源は、極めて質素なものであり、数十人が集まってその場で準備なしに実施した夏至の儀式でした。今では、毎年7万人以上が砂漠に集まるイベントに発展しています。特に裕福な参加者は、小さいテントや寝袋ではなく、エアコン付きのキャンピングカーでシェフや給仕人を伴って現れます。バーニングマンの本来の精神が保たれているかどうかについては意見が分かれるところですが、このイベントは、幻覚剤と関係が深くて、LSD、マジックマッシュルーム（幻覚作用のあるキノコ）、あるいは、より強力な薬物が、霊感の強いITエグゼクティブ志望者たちの通過儀礼のようなものになっています。

21世紀のシリコンバレーのIT企業の経営者にとって、この幻覚的儀式は、20世紀中ごろのニューヨークのメディアや広告業界におけるアルコールと同じ役割を果たしています。酔っぱらって女性に嫌がらせをすることは、男尊女卑的な職場文化の一側面というだけでなく、経営者が消費者をだまして食い物にしても罪の意識を感じないことを証明する方法でもありました。幻覚剤は、現代のIT経営者たちが、自分の認識のハードディスクをフォーマットし直して、その洞察を世界全体に適用しようとしていることを示すための手段です。彼らは、人類をプログラムし直そうとしています。

幻覚剤の使用や「変人であること」は、目的のための手段に過ぎません。グーグルのエリック・シュミットは次のように言っています。

「私がバーニングマンに参加していることは、よく知られています。未来は、常識にとらわれない世界観を持った人によって動かされます。どこでアイデアが見つかるか、わからないものです」。

このような形で参加して情報収集する人が非常に増えたので、大物経営者の皆さんの中には、自分たち専用バージョンのバーニングマンを作る人が現れました。そこには、集団的な創造性を経験するためだけに参加している大勢のアーティスト、ミュージシャン、一般人はいません。たとえば、2016年のファーザーフューチャー（Further Future）というイベントは、バーニングマンの基本思想をお金のかかる別物に作りかえたものです。幻覚剤を使用するのは同じですが、起業家たちが豪華な環境で使用できるようにしたものであり、そこでビジネスを行うという明確な目的があります。2016年に参加した経営者としては、エリック・シュミットの他に、フェイスブックのスタン・チュドノフスキー、クリアチャネルCEOのロバート・ピットマンらがいます。

「未来を超えた体験を共有」というファーザーフューチャーの宣伝文句は、パーティーのためにネイティブアメリカンの土地に入り込んできた裕福な幻覚剤使用者たちだけが世界の問題を

バーニングマン

アメリカ・ネバダ州で毎年行われるアートイベントだが、日本でもリージョナルイベントが行われるようになった。

解決できる、というものです。共同創設者のロバート・スコットは、新聞ガーディアンの記者に対して次のように話しています。

「ここで何をするのかが重要です。私たちがいつも言っていることなのですが、私たちは、未来を形作っています。ここにいる人たちは、それができるというよりも、この人たちにしかできないのです」。

一方、より冒険心のある経営者たちは、メキシコ湾流をたどってメキシコへ、さらにはペルーへ行って、先住民の祈祷師やニューエイジ（20世紀後半に始まった宗教的または疑似宗教的な潮流）心理学者と一緒にアヤワスカ（アマゾン北西部で伝統的に使われている幻覚剤）の儀式に参加しています。ちょうど私がこの章を書いているときに、電子メールの受信箱にその招待状が1通届きました。

アヤワスカ

アマゾン北西部で伝統的に用いられている幻覚剤であるアヤワスカのつる。

招待状の対象は「リーダー」および「インフルエンサー」で、「厳選された」集団が「最短の期間で意識レベルを最大限に高める」ことを約束する、というものです。

薬物で気分が高揚した状態の大学生が、大麻の品質や入手場所について語っているのと同じように、幻覚剤で最高の気分になった起業家の一部は、その薬物を広めようとします。「世界の精神活動のため」に、そして「投資家の利益のため」に。

強力な幻覚剤を体験すること、また、その

薬物を世界に広めようとすることは、たとえ利益のためだとしても、それ自体は悪いことではありません。動機が何であっても、うつ病や中毒に苦しむ人々に役立つ可能性のある薬を紹介し、また、意識の高揚や創造性を求める人々に新しい手段を提供しているからです。しかし幻覚剤使用によってビジネスマンの基本的性格が変わるというのは、無邪気な考えです。ティモシー・リアリーが説明しているように、トリップ状態の質や結果は、そこに至る思考態度によって決まります。起業家がマジックマッシュルームを使用しても、単に幻覚剤の影響を受けた起業家になるだけのことです。

ところが、驚くべきこととして、ただし、「マインドセット」の持ち主にはよくあることですが、彼らは、幻覚剤体験によって基本的な性格が変わったと主張します。バーニングマンやアマゾンから帰ってくると、また、場合によっては「ビジネスリーダーのためのアヤワスカ指導プログラム」というような商業的な瞑想研修を受講してきても、自分だけが新しい解決策を人類にもたらすことができる選ばれた人だと思うようになります。しかし、私が見る限り、彼らの行動は、それ以前と全く同じです。単に、理路整然とした理由付けが増えただけです。彼らが勧める商品やアイデアは変わったかもしれませんが、それを販売して利益を得るために使っている方法や根本的な考え方は同じままです。より深遠そうな感じがするだけです。指数関数的な成長の追求というのは、元々は単なるビジネス上の合い言葉でしたが、それが存在の指針となる哲学になり、彼らが信じるところの気候保護やガイアの精神に重要な要素になっています。

最悪の場合には、実際には今までと同じように収奪、支配、排外主義を続けているのに、グローバルな意識改革という美しい言葉でカムフラージュしただけ、ということもあります。以前、私は、幻覚剤使用に基づくデジタル文化に関する本(『Cyberia: Life in the Trenches of Hyperspace』、邦訳:『サイベリア―デジタル・アンダーグラウンドの現在形』）を書いたおかげで、このような連中が、助言を求めてきたり、彼らの作った会社や文化、コミュニティーを見てほしいと言ってきたりします。私の本に書いた考え方が彼らの指導原理になっていることもよくあります。私は、いつもお断りしていますが、たまに興味をひかれるものがあって、私が役に立てることがあるかどうか、彼らが作り出したものを調べてみる場合もあります。

その一つが、ニューヨークとサンフランシスコにあるいくつかの招待制の集会から始まった、人類を「再起動する」というふれこみの善意のネットワークです。何人かが、特に深いアヤワスカによるトリップを経験しました。その過程で彼らは、世界のリーダーを集めて、その人たちの意識を次のレベルへ高めることによって気候変動に対処する、という使命に目覚めたそうです。禅僧に依頼してその指導の下に、彼らの性的関心、ビジネスの慣習、伝統についてメンバーが話し合っていました。

6時間ほどかけて、ついに、イベントの主題と言われている「世界を守る」という内容に議論が進みました。この悟りを開きつつあるエリート集団は、どのようにして環境に優しい協力的な未来へと人類を導くのでしょうか。「導く」ですって？　本当に？　この人たちは、ニューエイジの思想を学んだばかりの新人で、今までの人生経験と言えば、金融アドバイザー、ブランドマネージャー、あるいはIT投資家としての仕事だけです。さて、「目覚めた自己」に30分間向き合った後、もう改革を進める用意ができました。

サイベリア

邦訳：『サイベリア―デジタル・アンダーグラウンドの現在形』 1995年、アスキー刊。

ある参加者は、石油掘削やタバコ製造のように、環境と健康に良くない活動をしている企業を排除した株式投資信託を提案しました。しかし、よく知られていることですが、カルバートやアリエル（いずれも米国の投資運用会社）は、1970年代からそのような投資を行っています。さらに、ヌビーンやブラックロック（いずれも米国の投資運用会社）など、さまざまな投資会社が社会的責任に基づく投資ポートフォリオを提供しています。次に、他の人は、世界の若者が高い意識を持って情報に敏感になり、気候変動に対処すべきだという意見を述べました。そこで私は、エクスティンクションレベリオン〔XR〕（地球温暖化による人類絶滅の危機を訴える市民運動）を紹介しました。XRは、まさにそのとき、ロンドン市内の数カ所に野宿して抗議行動をしているところでした。さらに、私たちのいる場所のすぐ近くで抗議行動を計画しているサンライズムーブメントという団体もあります。すでに行動計画や政策提案を作成しているポストカーボン・インスティテュートやアースライト・インターナショナル（いずれも米国の環境保護団体）を支援するのもよいでしょう。

なぜ自分で始めないのか

誰かが言いました。

「そんなに良いものならば、なぜ今まで聞いたことがないのでしょうか」。

ここに、また「マインドセット」が登場しています。自分で新規事業を始めるチャンスなのに、すでに実施中の事業を支援する必要があるのか、ということです。ウェブ2・0の考え方によるプラットフォームを熱心に支持する人たちは、必ず次のような疑問を口にします。世界の問題を解決しようと努力するよりも、他人がそれを実現するためのコワーキングスペースを提供すればよいのではないか、と。

元幻覚剤使用者の億万長者は、そのとおりのことを実行しました。コロンビア出身の不動産業界の大物であるロドリゴ・ニーニョが、マンハッタンに、宗教色を帯びた幻覚剤使用者の起業家向けに「アッサンブラージュ」という新しいコワーキングスペースを開設した直後に、私は、ニーニョから呼び出されました。改装したオフィスビルに到着すると、ビャクダン（白檀）やパチョリの魅力的な香りと、若い料理研究家集団が用意した自家製のアーユルベーダの料理に無意識のうちに引き込まれそうになりました。実際に、この場所にいる人たちは、みんな魅力的でした。きれいになったバーニングマン、またはエサレン協会におけるフィッシュ（米国のロックバンド）のショーのようなものです。

白いガーゼの衣装を着た若い女性が、「ロドリゴとの面会は、瞑想ラウンジでお願いします」と言って、案内してくれました。いわゆるミステリーサークルのように見えるバイオフィリック・デザイン（オフィス空間などにおいて、自然とのつながりを感じられるようにする設計手法）の植物の壁の前を通って、木の階段を上りました。私が連れていかれたのは、マットや枕が置いてある美しい部屋でした。壁全体に複雑な機械が設置されていて、瞑想のための背景音として鐘や木魚の音を自動的に鳴らしています。

ついにロドリゴが現れました。手で合図して若い女性を去らせた後、あぐらを組んで座って、私に語り始めました。「7年前、ステージ3の悪性黒色腫だと診断されて、いくつかの治療を受けましたが、あまり経過は良くありませんでした。お金では病気を治すことができませんでした。したがって私は未知の世界へ足を踏み入れる以外に方法がなかったのです」とロドリゴは言いました。

ペルーのジャングルへ行ってアヤワスカを使用してみると、全ての生き物とのつながり、さらには自分自身の精神の存在、すなわち「私たちが忘れていたもの」を感じたと言います。このように、ロドリゴは、自分個人の特別な体験を、世界中の人々にまで一般化して話を進めています。

アヤワスカの儀式を通じて、ロドリゴは、私たちが自己というものについて限られた理解しかできていないことに気付きました。そこで、人々が自分自身のより高度な姿に出会える場所として、このアッサンブラージュを作ったのです。

宣伝用パンフレットによれば、アッサンブラージュは、「テクノロジー、意識、資本の最前線」にいる起業家を支援することを目指しています。「人類の未来に向けての変革を促進」するために、コミュニティーのメンバーは、「自分自身を高め、ビジネスを高める」ことを学びます。しかし、これは、「おとり商法」のようなものだとロドリゴは自分から語りました。「もっと高度な目的」があるのです。

世界をゲーム化する

ロドリゴは、私にゲームを手伝ってほしいと言いました。私が精いっぱい理解できたところでは、彼の考え方によれば、私たち人間はそれぞれがもう一つのより高度な自己を持っている、ということでした。彼は、自分の高度な自己と接触していて、それに名前を付けていました。私の高度な自己に名前を付けるように求めました。そこで、高校でスペイン語の先生が付けてくれたニックネームをとって、ディエゴとしました。

「よろしい、ディエゴ」とロドリゴは言いました。

「それが、このゲームにおけるあなたの名前です。この名前はここにいるあなたを表しています。ここでは、全ての人に名前があります。現実の生活以外では、ファンタジー・ロールプレイングゲームをしているようなものです。その名前を使って、それぞれの人の高度な自己がこのコミュニティーのために、そして他の人々のためにしたことを、全てブロックチェーンを使って記録しています。一定の目標値に到達すると、新しい特権が得られます」。

「つまり、この場所をゲーミファイ（ゲーム化）しているのですね」と私は言いました。

「ひとまずは、そうです。しかし、やがて、ゲームが現実になります。あなたは、〈高度な自己〉になるのです。わかりますか?」。

アッサンブラージュは、少なくともしばらくの間は、大きな話題になりました。ディーパック・チョプラ（インド系米国人の作家、代替医療の提唱者）がやって来て、ロドリゴのポッドキャストに出演し、がん、死すべき運命、自由について語りました。しかし、結局のところ、このプロジェクトは、大筋では、コロンビアから資金を吸い上げてニューヨークの不動産投資に流し込むものでした。最終的にロドリゴは、がんで亡くなり、何千人ものだまされたと怒る投資家と訴訟、そして詐欺の有罪判決がその後に残りました。

アッサンブラージュそのものは、一度は閉鎖されましたが、新しい経営者によって再開されました。また、ロドリゴの「人生ゲーム」は、「アーカーシャ」というオンライン体験として公開されました。しかし、災害に備えようとする億万長者たちと砂漠での私の出会い、あるいは、運命に関するリチャード・ドーキンスや新無神論者とのパーティーでの議論と同じように、この話も、「マインドセット」の典型的な性質を示しています。この場合には、「世界をより良い場所にする」ということです。個人的な意識の変革は、他の人々や他の物における変革の手本になり、さらに規模が大きくなると、特権のある安全な楽園にいる人が上から目線で他人を支配するゲームになって金儲けの話になるのです。

この「革新的な」方式を最も上手に表現した名前は、「シンギュラリティ大学（シンギュラリティは人工的な技術が人間を追い越すという技術的特異点を示す言葉）」の他にはないでしょう。これは、シリコンバレーにある、自己意識に目覚めたインキュベーター（起業を支援する人）、コンサルタント、経営者の教育機関です。シンギュラリティ大学は、その広報資料で、「指数関数的技術」を利用した「世界の大問題」の解決策への支援だけに的を絞っていると言っています。彼らが関心を持っているのは、「ムーンショット（月面着陸のように大胆で革新的な計画）を狙う起業家とスタートアップ」の育成だけです。直線的に進む考え方は罪悪であり、段階的な改善にしかつながりません。そうではなくて、現状に挑戦して「何かを10倍良くする」というような、大胆な発想を持たなければなりません。イーロン・マスクがゼロから1へ進んだように、あるいは、彼らのヒーローであるレイ・カーツワイルが人間から頭脳のクローンへ上昇するように、世界を救うアイデアは、普通の人間の意識よりも1桁上を行くものでなければなりません。

やはり、ここでも「リーダーシップ」の話です。シンギュラリティ大学のプレミアム会員になると、「起業家リーダー」は、「未来を見通して熟達する」ことを学べます。「何億人もの人々の生活を向上する」気概のある人は、シンギュラリティ大学のエグゼクティブプログラムに参加できて、「指数関数的思考の力」を学び、「指数関数的技術の力を利用して、地球規模のプラスの影響を生む」ことができます。その目的を達成するために、彼らは、XPRIZEコンテストというイベントを開催して、最も優秀な二酸化炭素削減対策に1億ドルを授与しました。このプロジェクトには、推薦人として、リチャード・ブランソン、バズ・オルドリン、トム・ハンクス、ファレル・ウィリアムスらが名を連ねており、盛り上がりに水を差す横やりを防いでいるようです。

シンギュラリティ大学のムーンショットに対する積極性は、他にも伝染しています。通常であれば古臭い考え方のマッカーサー財団も指数関数的思考の改造版として、現代の重大な問題を解決する提案に対して1億ドルという巨額の賞金を毎年授与するというコンテストを始めました。

技術的解決主義

このような「神の視点ゲーム」方式で地球を救うという考え方は、「マインドセット」の前提に誤りがあることを露呈しています。その考え方によれば、進化に桁違いの飛躍を引き起こし、人類とその最も影響力のある投資家たちの指数関数的思考に宇宙全体が従うようにするために、私たちは、ビッグバンと同じことを画策しなければなりません。ベンチャー慈善活動（成長性の高い企業に資金を提供して、その事業の成長により社会的課題の解決を目指すこと）においてはよくあることですが、飢餓、不平等、環境問題に対処する質素で小規模な活動であっても、とにかく投資の対象となるためには、TEDトークで語られるような総合的、全体的、普遍的な解決策が必要だとされています。それは、今、私たちが軽蔑して「技術解決主義」と呼んでいるものです。

たとえば、リジェンビレッジ（ReGen Villages）は、元ゲームデザイナーのジェイムズ・エーリッヒの発案によるものです。ジェイムズは、スタンフォード大学の客員起業家であり、シンギュラリティ大学の「災害強靭性」の教員でもあります。リジェンビレッジは、再生可能エネルギーだけを使った循環型経済によって、自分たちで有機食品を生産し、清潔な水を供給し、若者を教育する能力を備えた、再生可能で強靭なコミュニティーを作るための総合的な解決策を提唱しています。エーリッヒは、自然とハイテクが調和した生活という説得力のある完成予想図を示して、少なくとも、仲間のシンギュラリタリアン（シンギュラリティの信奉者）や一部の報道機関から高い評価を受けています。彼らは、ドームで食料を栽培し、太陽光発電を備えた地球に優しい小屋に住み、開かれた中庭で新鮮な果物を食べ、森と動物に囲まれて生活します。エーリッヒが誰かを納得させて、事業を開始する資金を出してもらえれば、もしかすると、少なくとも将来には、それが実現するでしょう。

私は、スタンフォード大学の近くにあるエーリッヒの事務所で彼に会いました。エーリッヒは、ゲームデザインをやめて、有機食品の生産を研究し、「ヒッピーグルメ」というテレビ番組を制作しました。この番組は、最初は「バーニングマン」で放送され、最終的にPBS（米国の公共テレビ放送ネットワーク）に配給されました。これによってエーリッヒは、米国の農家が直面している課題について学び、自分の能力を生かしてこの問題に取り組むようになりました。

パロアルトにあるカフェでベジタリアンフードを食べながら、リジェンビレッジを世界中に広めるというエーリッヒの計画の説明を聞きました。土壌管理や廃水処理から地域通貨や政治体制に至るまで、考えられる全ての要素を検討しています。

リジェンビレッジ

ReGen Villages は、再生可能エネルギーだけを使った循環型経済でコミュニティーを作る総合的な解決策を謳っている。

多くの事項は、地域の人々がその土地の気候や天然資源の状況に基づいて、当事者の意見を基に下から決めることになっています。しかし、アイデア全体としては、現実世界のコミュニティーを発展させるというよりも、テレビゲームのシムシティに似ているように思われます。結局のところ、エーリッヒの言葉によれば、リジェンビレッジは、「近隣地域の誕生と運営、そして究極的には自律的な改善のためのソフトウェアスタック」なのです。「ソフトウェアスタック」というのは技術用語で、さまざまなソフトウェア要素やアプリの集合体であり、複数の組み合わせまたは単独で何らかの大きな仕事を行うものです。つまり、エーリッヒのしていることは、農業、水道やガスの配管、リサイクルなど多岐にわたる内容を学んで、給水、種まき、電気設備などの管理のためにコミュニティーがすぐ使えるソフトウェアを開発することです。その一つがマンゴー農場で廃水を処理して飲料水を作るものです。その他に、最小限の水やりで野菜を育てるための、農地の土の中に埋め込まれた巨大なチューブによる適切な水分補給もあります。全てのシステムは、センサーデータを使ってその効果を測定しており、みんなの利益および改良のために結果をフィードバックしています。

全部の要素がうまく働くと仮定すれば〔それ自体が大胆な仮定ですが〕、この計画は、有機農法と技術による楽園を生み出す素晴らしいものと言えるでしょう。ディズニーワールドのエプコットセンターに似ていますが、外部の世界からの補給は必要ありません。ほとんど宇宙植民地のようなものです。「生命を維持するシステムの全ての分野を網羅することを目指しています。火星に移住するのと似ていますが、それを地球上で実現します」。

既存の村や近隣地域に対して再生可能という理念を受け入れるように支援するのではなく、リジェンプロジェクトそのものが、何もないところから、手つかずの領土に広まっていかなければなりません。エーリッヒの場合は、資金の提供者が見つかれば、ひとまとまりの森を買い取り、木を全て切り払って、農業コミュニティーが住めるようにするということになります。これは、シムシティやシヴィライゼーションのような「神の視点ゲーム」が必ず採用するやり方です。最初は白紙状態から始まることになっているのです。

それは、世界構築に関する思い上がった考え方であり、「セレブレーション」という町に関するウォルト・ディズニーの活動を思い起こさせます。それは1994年にディズニーランドのユートピア的なイメージを、民間企業が所有する現実の町に移植しようとして大失敗に終わったものです。「セレブレーション」およびその他の民間による「コミュニティー」を計画した「新都市主義」の土地開発業者は、民間企業に任せたほうが政府の計画よりも優れた地域社会を生み出せることを証明しているつもりでした。彼らは、都市研究の大物であるジェイン・ジェイコブズをよく引用していました。ジェイコブズは、地域社会を過度に区画分けすることには否定的で、グリニッチビレッジのように多目的に利用される地域を称賛していました。グリニッチビレッジは、何十年あるいは何百年もかけて、ビジネスを含むさまざまなエネルギーが相互に作用して、あるいは空間を求めて競争した結果として自然に発達した場所です。

しかし、「セレブレーション」の開発業者は、ジェイコブズの

ジェイン・ジェイコブズ

邦訳：『アメリカ大都市の死と生』1977年、鹿島出版会。『都市の経済学』1986年、TBSブリタニカ。『壊れゆくアメリカ』2008年、日経BP。

本当の論点をわかっていませんでした。ジェイコブズが批判していたのは中央による都市計画であって、市民や政府の利害関係者の参加を否定したのではありません。ジェイコブズがロバート・モーゼス（都市設計者。ニューヨークの大改造を行った）によるニューヨークの総合的都市計画を嫌っていたのは、政府によって強制されたからではなく、それが上から目線の「総合的計画」だったからです。つまり具体的に言えば、すでに地域に住んでいる人たちの権利や利益を尊重せずに「スラム解消」とか「都市再開発」と称していたからです。

「セレブレーション」の開発業者ら新都市主義者たちは、共同体主義（共同体＝コミュニティーの価値を重んじる政治思想）者であるジェイコブズを「自由主義者」に書き換えてしまって、住民や当事者による自然な都市開発の賛同を自由市場への賛同と取り違えました。ゆっくりとした自然な市街地の成長というジェイコブズの本来の主張を完全に無視した新都市主義は、今では、店舗の上層階にマンションのある、総合的に計画されたショッピングモールとほとんど変わらないものになっています。

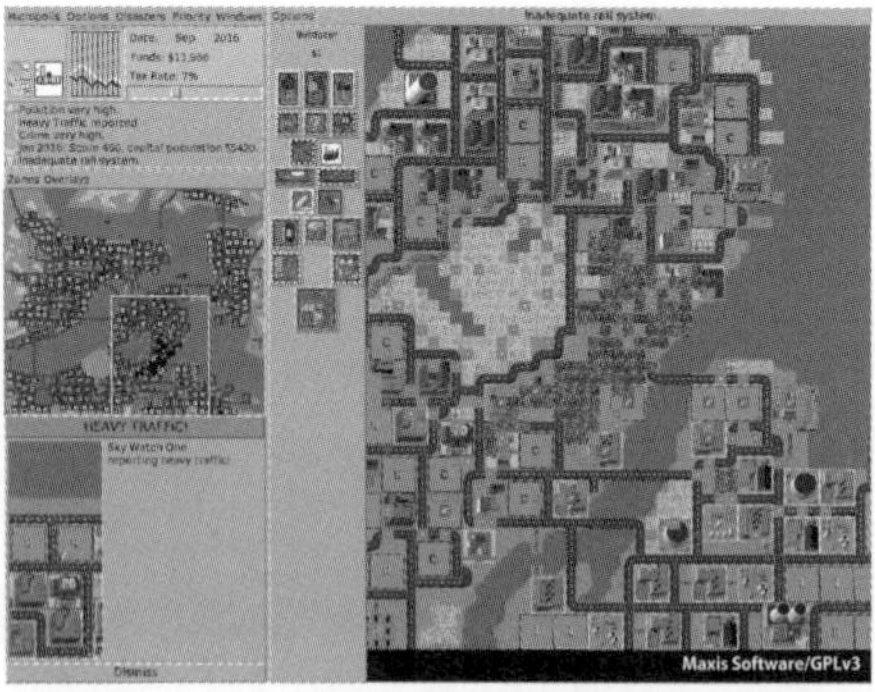

初代『シムシティ』

箱庭ゲームと呼ばれる。プレイヤーが市長となって街を運営していく。1989年に第1作が発売された。

このようにして、デジタル的にゆがんだ世界を構築しようとするIT億万長者たちは、さらに一歩進んで、その巨万の富を政府に対するロビー活動につぎ込むだけでなく、自分自身の能力の証拠としても利用しています。彼らは、独占的な事業の成功および対話型ゲームのような世界の構築によって、人類の未来のマスタープランを決める権利があるかのように振る舞っています。

　問題は、私たちがゲームの初期状態のような白紙状態で存在しているのではないということです。ここにはすでに人々が生活しています。私たちは、すでに存在している鳥や木や岩やバクテリアのことをほとんど理解していません。持続可能性という名を借りて自然の森を全て伐採するのは、深刻で皮肉なものであるということが、この新都市主義では忘れられています。確かに、自然は困難な状況に陥っています。しかし、この集団的な危機に対処する「マインドセット」のやり方は、必ず、何かを「する」のです。取り付ける、改造する、再起動する、開発する、拡大する、自動化する、ということになります。何かをやめる、あるいは何もしない、ということは選択肢に入っていないようです。今あるものを修理する、規模を縮小する、または、少しずつ進歩させるというような内容は、彼らが信じる刺激的なポッドキャストやオンライン調査、あるいはTEDトークのテーマになりません。しかし、修理、縮小、少しずつの進歩には多額の投資、販売勧誘、参加手数料のようなものは必要ありません。

James P. Rutt

ジム・リュット。複雑系科学や集合知の研究者として知られている。ゲームBは持続可能な社会・経済モデルを提案している。

ゲームAからゲームBへ

リジェンビレッジそのものは、エーリッヒの友人で支持者でもあるジム・リュットが発案した大規模な計画の要素の候補に過ぎません。リュットは、システム理論に関する一流のシンクタンクであるサンタフェ研究所の元会長で、世界をボトムアップで再起動しようとする「ゲームB」というものに取り組んでいます。

ゲームBは、「文明レベルの社会的オペレーティングシステム」になることを目的としています〔現在、私たちがプレイしているのは、失敗しつつある破滅的なゲームAです〕。ゲームBでは、今の私たちが西洋文明と考えているものから、より自立的で、ネットワーク化、分散化され、回復力のある生活様式へ移行することになります。リュットは、各方面から高く評価されている複雑系およびゲーム理論の専門知識をさまざまな問題に適用して、人間組織の新しいモデルを考案しました。人間は、企業や国家に支配されるのではなく、小規模で自治的な、イスラエルのキブツのような集団の中で生活したり働いたりすべきだというのです。それぞれの集団は、独自の統治体制を備えていますが、他の集団とは、通商、文化、技術を通じて結びついています。これは、システム理論学者による共同的かつ協調的な社会についての究極の構想です。フラクタルのように、さまざまなレベルの協調が同時に発生します。変化に対する地元住民の判断やボトムアップによる機敏な対応を尊重していることは、コミュニティー、協同組合、地元生産、相互扶助に基づく社会という私自身の期待と確かに一致しています。

では、どうすれば現状からそこへ到達できるのでしょうか。リュットは、役に立つ既存のアイデアをできるだけ借用して、どうしても必要なものだけを新しく考案すべきだと言っています。最初の仕事は、新しいゲームの考え方を伝える物語、映画、芸術作品を作って、関心を示す人々を見つけ出すことです。それと並行して、実験を行って結果を公開するという作業を繰り返します。ここで重要なのは、自分が新しいゲームを作り出していると認識することだと思われます。

過去を捨ててページをめくって、ゲームAからゲームBへ進むという決断は、現実の生活ではなくて紙の上ならば、あるいはプレイステーションならば、うまくいくでしょう。しかし、過去を超越して何らかの方法で伝統を捨てることによって未来を救う、と考える文化が一般に広まり過ぎてしまいました。その文化では、過去を悔やんだり、修復したりしている時間はないのです。私たちがすでに用意してある、より良い未来へみんなと一緒に進むしかありません。新しく始めましょう。全て白紙の状態です。新しい地球、環境に優しい村、あるいは社会的オペレーティングシステム。そのためのアプリがあって、すでにソフトウェアスタックに入っています。技術中心の文化だ、あるいは白人男性による文化だと言って批判する人は、被害妄想の機械反対論者、またはどうしようもない愚か者として却下されます。そういう人たちは、過去の罪にとらわれていて、私たち全員がその一部を構成する大きい体系的な展望を理解できていないと言われてしまいます。

しかし、近頃主流になりつつある技術中心のパラダイム、あるいは、大規模な進歩が必要と決めつける考え方に対して、これを批判できる状況は残しておかねばなりません。善意でそれを実現しようとしている頭の良い人をイライラさせることにかまわず、批判できなければなりません。技術的産業によって米国が危険な状態に陥ることを最初に警告したのは、退廃的なヒッピーではなく、アイゼンハワー大統領でした。1961年の退任演説は、「軍産複合体」と名付けたことで知られていますが、アイゼンハワーがより深く心配していたのは技術エリートでした。

「私たちは科学的発見に敬意を持つべきですが、それと同等で逆方向の危険性として、科学技術エリートが公共政策に夢中になることについても、警戒しなければなりません」。

また、フェミニストや人種問題評論家は、白人男性のエリートが生み出した技術パラダイムの盲点や偏りを指摘しています。ボドカーとグリーンバウムの研究では、白人男性が大部分を占める技術的産業は、独立性、自主性、他人との距離を重視する一方で、組織における循環的なつながりの力を軽視することが示されています。これと同様に、別の社会的フェミニストの論文によれば、女性が開発した技術は、人間優先の考え方を反映する傾向があります。

「それは、女性の経験に基づいているからです。女性は、IT業界において主流ではない立場にあって、人種、階級、ジェンダーによる現実を狭い視点からではなく、大局的に見ることができます」。

技術エリートの行動は、多様性のない均質な人々によって無批判に実行されてしまうので、概ね2つのうちどちらかの結果につながります。最悪の状況としては、リーダーがそれを悪用して、全体主義的な監視国家が生まれます。その状況では、それぞれの国民の権利は、収集されたデータに基づいてアルゴリズムが決定します。また、もう一方の状況としては、リベラルな技術エリートは、技術が持っている現実的なメリットばかりに惑わされることが多く、最初の計算に入っていなかった人や物のふるまいを無意識のうちに無視してしまいます。

アルゴリズムが中立であるかどうかは、そのプログラムを作る人と、改良のために与えられる条件やデータによって決まります。善意から出た行動で、公平な実刑判決を出すためにコンピューターを使ったところ、黒人に対して、同じ罪を犯した白人よりも長い期間の懲役を宣告するアルゴリズムになってしまったことがあります。人々が読む可能性の高いニュース記事を提示するアルゴリズムは、市民や政治家の生活に大きな混乱を引き起こしました。結果としてフィルターバブル(アルゴリズムによる選別のせいで、ユーザーが見たい情報しか見えなくなること)、疎外感、フェイクニュース(虚偽報道)の拡散につながったのです。これらの事例は、いずれもそのシステムのプログラムを作った技術者が、あるいは、従来の作業の画期的な改善を期待していた人々が意図したことではありません。

技術的な解決策の問題

技術的エリートが考える〈技術的な解決策〉は、マイケル・ブルームバーグ、リード・ホフマン、フォード財団、ビル・ゲイツのような政治家や慈善家にとって極めて魅力的です。彼らは、問題を解決するにあたって、データに重点を置いた方法を利用します。しかし、社会、医療、政治、その他の問題に対する〈技術的な解決策〉に資金を提供することは、世界に「マインドセット」の価値観を注入する結果になってしまいます。また、これらの慈善家が創設した企業に対する人々の依存度が高くなります。バイオハッキング(生物学を利用して身体の機能を高めること)、ドローン戦争、宇宙の植民地化、あるいは、ベーシックインカム、どれをとっても、このような〈技術的な解決策〉は、技術そのものに固有の価値観が現れています。たとえば、指数関数的成長、人間の作業の自動化、前へ進む推進力、プラットフォーム化などへの無批判的な信頼、既存の条件の無視などです。

その結果、大部分のムーンショットは、無駄な仕事になっています。MITメディアラボの創設者ニコラス・ネグロポンテが実施して大いに称賛された「ワン・ラップトップ・パー・チャイルド」(子供1人に1台のノートパソコン)プロジェクトは、2007年末までに、発展途上国の子供たちに100ドルのパソコンを1億5千万台配布する予定でした。しかし、計画どおりには進みませんでした。多くの国では、教室でパソコンをどのように使ったらよいのかわからなかったのです。特に、学校の先生がパソコンの使い方を知らないことが問題でした。全ての子供は生まれながらのハッカーであり、わかりやすいインターフェースであればすぐに理解する、というネグロポンテの前提が受け入れられませんでした。2009年までに、数十万台が出荷されただけです。

アフリカの評論家は、技術の不足よりもエイズや栄養不良などの問題のほうが、人々の生活や教育に大きな影響を与えている、と言っています。ネグロポンテとそのチームは、必ずしもこのプロジェクトで経済的利益を得ようとしていたのではありませんが、それでも、アフリカの人々に対して西洋人の虚栄心と道徳的満足のために、彼らに適していない〈技術的な解決策〉を押し付けているとして批判されました。また、パソコンを受け取った子供たちは、音楽用のプログラムが西洋音楽のリズムしか演奏できず、自分の国でよく聞いている歌は演奏できない、と不満を述べていました。

メタへ進むというウェブ2・0の原理に従って、2014年に、ナップスターの創設者でフェイスブックの初代社長であるショーン・パーカーは、「ブリゲード」に4000万ドル以上を投資しました。それは、シビックテクノロジー（市民がテクノロジーを活用して社会や地域が抱える課題の解決を目指す取り組み）プロジェクトを計画するための中核部分＝ハブとなるものでした。シビックテクノロジーそのものを作り上げるのではなく、このプラットフォームは、他人のシビックテクノロジーのためのツールを提供します。ブリゲードの技術者は、有権者と選挙区および選出された議員とを結びつける巧妙なアルゴリズムを構築しましたが、ところが、元々シビックテクノロジーの開発者が集中化されたハブを必要としているかどうかについては、誰も検討していませんでした。このスタートアップ企業は、2019年に消滅してしまいました。また、2020　COVID－19グローバルハッカソン（プログラマーやデザイナーがソフトの開発を競う）というイベントがありました。フェイスブック、マイクロソフト、その他のIT企業が、パンデミックを解決する技術の開発を促進するものとして強く支援しました。2万件近い応募がありましたが、シビックテクノロジー分野のジャーナリストで歴史学者のミカ・シフリーの言葉によれば「大げさに言っても何の価値もないもの」（❖8）を生み出しただけでした。

プログラムできないものが取り残されるテクノポリ

問題を解決するための技術が「無駄」に終わってしまうという混乱から抜け出す方法をプログラムできるという考え方は、世界がプログラムでできているという仮定に基づいています。そして、まだプログラムになっていないものは、レコードの音楽がストリーミングファイルに変換されるのと同じくらい容易に、最終的にはデジタル形式に変換されると思っています。困難な状況の要素がデータに変換されてしまえば、デジタル技術を駆使してそれを修正できます。ここで問題となるのは、プログラムに変換できないものが取り残されるということです。したがって、私たちは、先を争って自分をスキャンしてもらってデジタル化されようとします。あるいは、私たちの自由をつかさどってくれる技術に適合したデータ形式に変換してもらおうとします。技術が引き起こす問題に対する解決策のはずなのに、私たちの生活にさらに技術を持ち込む結果になることがよくあります。技術の機能に合わせて、私たちが行動を変えることもあります。技術が、そして、その背後にいる億万長者が、どのオペレーティングシステムを求めたとしても、私たちは、生活している技術的環境に適合できるように、常に受け入れ態勢を整えてしまう習慣を身に付けています。

このような全体主義的な技術へ向かう傾向を、教育者でメディア研究者のニール・ポストマンは、「テクノポリ」と名付けました。それは、あらゆる形態の私たちの文化的生活を技術の支配に委ねることです。私たち人間は、最初は集団としての利益のために道具を使い始めますが、徐々に技術の要求に合わせて世界を作り変えていきます。自動車に都合の良いように高速道路や郊外の町を作ったり、あるいは、コンピューターで授業ができるように学校のカリキュラムを変更したりしています。それを長く続けていると、最終的には、自分の中に機械のようなものが存在するようになります。「機械」以外の「精神世界」を積極的に排除する、自己決定力のある自律的なシステムです。ポストマンによれば、テクノポリにおける神は、効率、精度、客観性であって、人間の価値観が入り込む余地はありません。それは、全く別の、認識されていない「道徳世界」に存在するものだと言っています。

確かに、テクノポリは避けられないものです。特に、その支持者、およびテクノポリの支配に貢献することによって巨額の資産を得た人々にとっては、そうでしょう。だからこそ、テクノポリの支持者たちは、ジャングルへ行って「幻覚の蔓」の飲み物を飲んで「全てが一つになる」状態を経験し、それを現実世界で大規模に構築するという野望を抱いて帰ってくるのでしょう。

私たち人間は、最後には「マインドセット」の中で生きていくことになります。彼らの最大の課題は、人間を「マインドセット」の価値観に従わせることです。

◇原注　第9章

❖ 7「テレビ番組『シャークタンク』……」：起業家がマーク・キューバンやバーバラ・コーコランなどの億万長者に対して、投資を求めて事業計画を提案するリアリティーショー。

❖ 8「大げさに言っても何の価値もないもの」：著者との電子メールによるインタビュー, May 27, 2021.

◇ "It's well documented": Nellie Bowles, " 'Burning Man for the 1%': The Desert Party for the Tech Elite, with Eric Schmidt in a Top Hat," *Guardian*, May 2, 2016,https://www.the-guardian.com/business/2016/may/02/further-future-festival-burning-man-tech-elite-eric-schmidt.

◇ "It's important": Bowles, " 'Burning Man for the 1%.' "

◇ funneling capital from Colombia: Keith Larsen, "Investors Accuse Prodigy Network of Fraud at Troubled Park Ave Development," *Real Deal*, September 24, 2020,https://there-aldeal.com/2020/09/24/investors-accuse-prodigy-network-of-fraud-at-troubled-park-ave-development/.

◇ charges of fraud: Global Property and Asset Management Inc., "Panic at Prodigy," October 3, 2019,https://globalpropertyinc.com/2019/10/03/panic-at-prodigy/.

◇ "game of life": "Akasha-The Game of Life,"https://www.playakasha.com, accessed August 10, 2021.

◇ "exponential technologies... moonshots": Singularity University, "An Exponential Primer,"https://su.org/concepts/, accessed August 10, 2021.

◇ "entrepreneurial leaders ... planetary scale": Singularity University, "Singularity University,"https://su.org/, accessed August 10, 2021.

◇ MacArthur Foundation: MacArthur Foundation, "100 & Change,"https://www.macfound.org/programs/100change/.

◇ She hated Robert Moses's: Jane Jacobs, *Systems of Survival: A Dialogue on the Moral Foundations of Commerce and Politics* (New York: Random House, 1992).

◇ new urbanism now amounts to: Rushkoff, *Life Inc.: How Corporatism Conquered the World, and How We Can Take It Back* (New York: Random House, 2009), 74-83.

◇ Rutt has applied: Jim Rutt, "A Journey to Game B," Medium, January 14, 2020,https://medium.com/@memetic007/a-journey-to-gameb-4fb13772bcf3.

◇ President Eisenhower: Center for the Study of Digital Life,http://digitallife.center/, accessed August 10, 2021.

◇ "Yet in holding scientific": Dwight D. Eisenhower, "Farewell Address to the Nation," available athttp://mcadams.posc.mu.edu/ike.htm.

◇ white male-dominated tech industry: S. Bodker and J. Greenbaum, "Design of Information Systems: Things versus People," in *Gendered Design: Information Technology and Office Systems*, ed. J. Owen Green and D. Pain (London: Taylor and Francis, 1993).

◇ "they would be based": Sude V. Rosser, "Through the Lenses of Feminist Theory: Focus on Women and Information Technology," *Frontiers: A Journal of Women Studies* 26, no. 1 (2005).

◇ totalitarian surveillance state: Alexandra Ma, "China's 'Social Credit' System Ranks Citizens and Punishes Them with Throttled Internet Speeds and Flight Bans If the Communist Party Deems Them Untrustworthy," *Business Insider*, May 9, 2021,https://www.businessinsider.com/china-social-credit-system-punishments-and-rewardsexplained-2018-4.

◇ put Black people in jail for longer: See Cathy O'Neil, *Weapons of Math Destruction: How Big Data Increases Inequality and Threatens Democracy* (New York: Broadway Books, 2016).

◇ only a few hundred thousand had been shipped: Namank Shah, "A Blurry Vision: Reconsidering the Failure of the One Laptop Per Child Initiative," *WR: Journal of the CAS Writing Program*,https://www.bu.edu/writingprogram/journal/past-issues/issue-3/shah/.

◇ "that are inappropriate": Shah, "A Blurry Vision."

◇ could play only Western beats: Victoria McArthur, "Communication Technologies and Cultural Identity: A Critical Discussion of ICTs for Development," paper presented at the IEEE Toronto International Conference: Science and Technology for Humanity, 2009, 910-14.

◇ $40 million on Brigade: Micah Sifry, "Parker Bros," *Civicist*, February 12, 2019,https://civichall.org/civicist/parker-bros/.

◇ hub for planning civic technology projects: Josh Constine, "Sean Parker's Govtech Brigade Breaks Up, Pinterest Acquires Engineers," *TechCrunch*, February 11, 2019,https://techcrunch.com/2019/02/10/brigade-pinterest/.

◇ "submission of all forms of cultural life": Neil Postman, Technopoly: *The Surrender of Culture to Technology* (New York: Vintage, 1993).

第10章　グレートリセット

世界を救うために資本主義を救う

新しい運動というビジネス

ボディーガードの集団がホテルのロビーに入ってくるのが見えたので、その日の午後に講演する予定のアル・ゴア元副大統領が到着したのだろうと思いました。しかし、そのボディーガードたちが角を曲がるときに、彼らが警護しているのは元副大統領ではなくて、ニューエイジの大物であるディーパック・チョプラであることがわかりました。しかし、プエルトリコの人里離れたリゾートで、なぜチョプラに護衛が必要なのだろうか、と不思議に思いました。

私たちは、ノーベル賞受賞者であるオスカル・アリアス（コスタリカの元大統領）に招かれていました。「新しい人間性のための同盟（Alliance for the New Humanity）」の第1回会合に参加するためです。この会合は、「平和を愛する人々が人類共通の課題について協力する機会を得る世界初の取り組み」と銘打ったものでした。それは2003年のことでした。国連が17の持続可能な開発目標（SDGs）を採用する10年以上前です。当時は、「社会が競争、富、個人主義の価値を大事にし過ぎている」という考え方がまだ新しく、これらの価値から利益を得ているエリートにとっては、自分たちの地位を脅かすものとしていくらか過激に感じられていました。

私は、「新しい人間性という考え方に賛同する人」とみなされて、名誉評議会の一員として招待されました。招待客としては、デスモンド・ツツ、マリアン・ウィリアムソン、アナンド・シャー、ガイ・オセアリー、ジェリー・

ホール、マリサ・トメイなど、幅広い分野のリーダーや有名人がいました。リッキー・マーティン（プエルトリコの歌手）が基調講演をするはずでしたが、招待された大部分の有名人と同様に姿を現しませんでした。その代わりに、聖歌の詠唱者、祈祷治療師、瞑想家、心霊術者、引退した政治家などさまざまな人たちが講演して、約300人の有料参加者の聴衆と共に、この暴力と汚染に満ちた社会が、いつの日か新しい人間性によって正しい姿に改められるだろう、という楽観的な展望を共有しました。

アル・ゴアが「アース・イン・ザ・バランス」と題した最新のパワーポイントで講演しているとき、私は、会場の後ろの方へ歩いていきました。そこには、折りたたみ式の机の上に、かなり高価なワークショップを宣伝するチラシがいろいろと置いてありました。人類の繁栄、倫理的ビジネス、セルフケア、精神の目覚めなどについて、この会議の講演者たちが世界中のさまざまなリゾート地で実施するセミナーです。チョプラの最新刊『Golf for Enlightenment』（悟りのためのゴルフ）のチラシもありました。この精神的指導者たちは、新しい運動を始めるためにここに集まってきたのではありません。ビジネスのためです。彼らは、パネルディスカッションの最初と最後に、自分のセミナーの参加枠が「残りわずか」であることをさりげなく織り込んでいて、高い商品を売る技術に優れていることに驚きました。

また、この組織は、広告会社に依頼して、2～3時間ごとに「ビデオニュースレポート」を放送していました。地元テレビ局向けのニュース番組をあらかじめ用意しておいて、テレビ局が独自に取材したかのように放送するものでした。私は、新製品をこっそりと宣伝する製薬会社や、環境に配慮していると見せかける石油会社の動画ニュースリリースをそれ以前に見たことがありましたが、NGO（非政府組織）や慈善団体による「フェイクニュース」をこのように早い時期に見たことはなく、しかも、メディアの横暴や人心操作をやめさせ、NGO

や慈善団体にとって都合の良いニュースを放送させるという明確な目的を持っているものはそれまでにありませんでした。

パンデミックで億万長者が生まれる

この異国情緒あふれるリゾートホテルで世界平和に関する高額なイベントが開催されていたのですが、その場にいる有色人種は〔億万長者であるチョプラ本人を除いて〕ウェイターだけでした。参加者たちは、「仔牛」の肉や絶滅しそうな魚の料理を食べながら、持続可能性について話し合っています。何千マイルも飛行機に乗ってやって来て、今まで見たこともないほど超小型のペットボトルで水を飲みながら、環境汚染対策に取り組もうとしています。その内容は全て、歌手リッキー・マーティンの「ブエノス・ディアス・デー」のように、世界中の人々がメディアを通じてラテンアメリカのスタイルで善意を広めよう、というアイデアを推進しようとするものです。

多くの資本主義的な大物慈善家と同様に、ここにいる平和の使者を目指す人々たちは、自分たちの活動方法が、より大きな目標に害を及ぼすことに気が付いていません。「新しい人間性のための同盟」が、プロパガンダを使ったメディアの人心操作に立ち向かったり、気候危機を解決したりしようとする際に、ジェット燃料を無駄遣いしているのと同じように、資本主義、産業、技術の害悪を是正するための現在の主な活動は、より多くの資本、産業、技術を使ってその目標を実現しようとしています。

ナオミ・クラインは、その画期的な著書『The Shock Doctrine』(邦訳：『ショック・ドクトリン：惨事便乗型資本主義の正体を暴く』）で、暴虐的な政府や企業、裕福な個人は、自然災害や軍事災害に際して、意図的に新自由主義的な政策を打ち出し、特定企業の利益を守り、柵で囲まれた自分たちだけのコミュニティーを構築しようとしたことを暴露しています。ハリバートン（米国の資源サービス企業。イラク戦争後の復興事業を担当している）が戦争後のイラクの警備やインフラを引き受けたり、パランティア（ビッグデータ分析を専門とする米国のIT企業）のような監視技術企業が9・11事件以後に契約を獲得したり、貧困と犯罪が増加するたびに刑務所産業が業績を伸ばしたりしているように、危機を利用して利益を得ている人々は、その危機を永続化させ、同様に、利益がそこから還流するシステムを永続化させようとしています。新型コロナウイルスのパンデミックでは、ワクチンによる利益だけで、少なくとも9人の億万長者が新しく生まれました。この金額は、低所得諸国の全ての人にワクチンを接種する費用の1・3倍に相当します。

ハリバートンが世界の混乱に近づいていったり、サックラー家（米国で危機的な中毒問題を引き起こしたと非難されているオピオイド系鎮痛剤の製造元、パーデュー・ファーマの創業者一族）がアヘン中毒を利用して利益を得たりしている一方で、マーク・ザッカーバーグ、イーロン・マスク、ビル・ゲイツらの資本主義的な慈善家が、それと同じようにひねくれた私利私欲で行動して

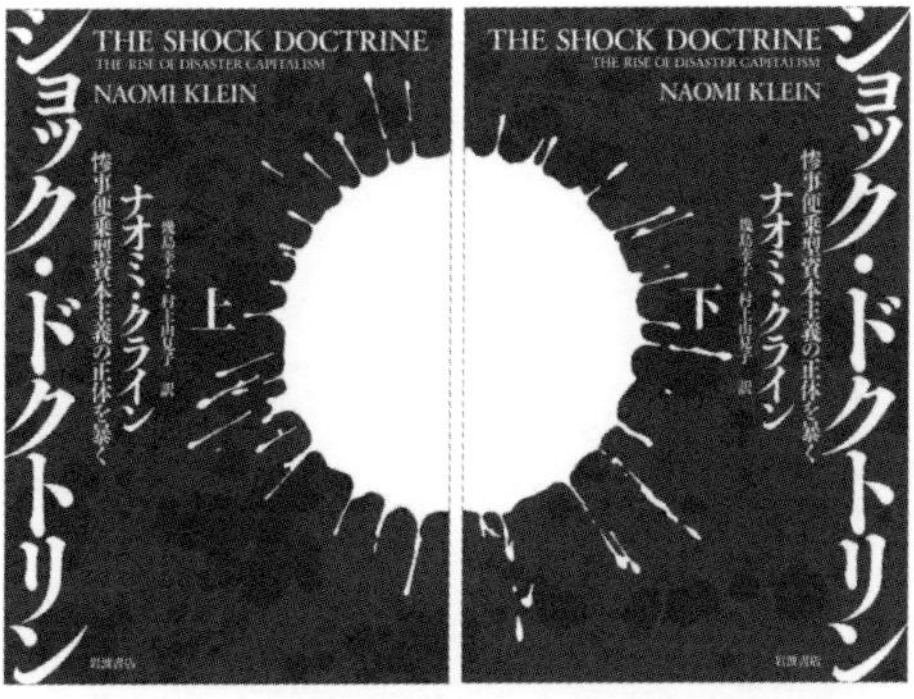

ショック・ドクトリン

『The Shock Doctrine』ナオミ・クライン著、2011年、岩波書店刊。

いるとは私は思っていません。それどころか、彼らは彼らなりの方法で、さまざまな問題を解決しようとしています。そして、おそらく、いくらかの名声を得ようと思っているのでしょう。しかし、彼らは、「マインドセット」とその背後にある前提条件を無批判に受け入れているので、その解決策が成り立たないのです。ものごとが悪い状態になればなるほど、「マインドセット」を正当化しやすくなります。「マインドセット」を正当化すればするほど、ものごとが悪い状態になります。

たとえば、アル・ゴアは、おそらく、米国で最も影響力のある、太陽光発電と再生可能エネルギーのチャンピオンでしょう。化石燃料が戦争にも地球温暖化にもつながることを考えると、太陽光発電は考えるまでもなく当然のように思われます。そこで、私たちがすべきことは、ベンチャーキャピタリストの投資対象を、石油会社ではなく再生可能エネルギー技術にしてもらうことです。理解のある投資家の資金によって、エネルギー自給、カーボンニュートラル、ゼロエミッション（廃棄物のエミッション＝排出をゼロにする）、クリーンで地球に優しいユートピアが実現します。投資家は、その過程でさらに裕福になります。ウィン・ウィンの関係です。

太陽光パネルの矛盾

ここで問題となるのは、既存の電力網から太陽光発電への転換は、太陽光パネルを製造し設置する企業に多くの利益をもたらすのに対して、カーボンフットプリント（二酸化炭素排出量）の総計や環境への影響は、仮に良くなるとしても、それほどではないということです。太陽は、再生可能なエネルギー源ですが、太陽光パネルは、全く違います。それは、木の上で育つものではありません。アルミニウム、銅、供給量の少ないレアアース金属などを採掘する必要があります。太陽光パネルの製造自体も極めて大量にエネルギーを消費するものであり、石英を高温に加熱してシリコンウェハ（薄い板状の半導体原料）を作ったり、膨大な量の水を使用したりする工程を伴い、さらに大量の有毒な副産物や廃水が発生します。太陽光パネルは、設置後わずか2〜3年で劣化が始まり、10〜20年ごとに取り換えが必要です。太陽光パネルの廃棄によって、やはり大量の有害物質が出るので環境問題が発生します。メーカーにとって、埋め立て処分するほうが安上がりである間は、近いうちに強力なリサイクル計画が出てくることはなさそうです。

そこには「マインドセット」に由来する解決策の最も根本的な問題が存在します。それは、一方向にしか動かないということです。経験的科学から発生する全てのものと同様に、それらの解決策はすべて、より深く掘り進め、まだ利用されていない自然の側面を活用して私たちの願望をかなえようとします。「マインドセット」が前提としている、消費者主導で成長を基礎とする資本主義と同じように、その解決策は、通常、新しい資源の探索、開発、販売、そして廃棄を伴っています。より多くの資源を採掘し、製造して、販売する必要があるからです。その過程で成長することができる限り、環境問題に対処しなくてもかまいません。

人間による生産活動を継続するために、資本主義および自然に対する「支配」が基本的に必要だということを認めるとすれば、このような状況は完全に道理にかなっているでしょう。解決策は、利益を生まなければなりません。みんながその解決策を採用するように仕向けるために、それまでよりも多くの利益を生む必要があります。成長は良いことです。その一方で「持続可能性」には、成長と発展が停滞する時期があり、受け入れ難いものです。自然を支配して規模を拡大するのではなく、自然と仲良くして規模を縮小することになりますが、それは容認できません。ものごとが悪くなる場合には、行動を自制するべきではありません。

困難な状況を切り開いて、前へ進まなければなりません。次に見える丘のすぐ向こう側に答えがあります。科学者、技術、市場の力を信じてください。私たちは、新しい境地に達することができます。

グレートリセットとは

これが、世界経済フォーラムの創設者クラウス・シュワブがウェブサイトや書籍で始めた計画「グレートリセット」の基盤となる考え方です。シュワブは、「より良い形態の資本主義」に賛同しています。これは、気候変動、世界の貧困、さらに関連する全てのものを解決できる事業や技術への大規模な投資を促進するものです。新型コロナウイルスのパンデミックの最盛期という、ちょうど「都合の良い」時期にこの発表がありましたが、グレートリセットは、「機会としての危機」という考え方を提案しています。あらゆる困難な問題は、本当は、私たちが腕まくりをして仕事に取り組んで、「より良い状態を取り戻す」ためのきっかけに過ぎない、というものです。その際、大規模な資本投資があり、その投資の見返りとして多額の利益が得られます。

グレートリセットが始まった理由は、実際には、地球の持続ではなくて、資本主義の持続なのでしょう。これは、2000年頃に開催された、シアトルでの世界貿易機関（WTO）会議およびイタリアのジェノバでの主要8カ国首脳会合への反対運動に対する回答として始められた、20年にわたる広報活動の到達点です。世界は変化し続けています。環境保護主義者、労働組合のリーダー、移民、反戦活動家たちが、自分たちの不満の主な原因は、世界全体が企業中心になっていることだと考えるようになりました。

これに対応して、シュワブは、ダボスでの世界経済フォーラム（WEF）会議で、地球温暖化および発展途上国家、銀行家の貧困に関する小さな委員会を開催しました。若い環境活動家グレタ・トゥーンベリ（2003年スウェーデン生まれの環境活動家）も、2回、ダボスに招待されました。しかし、気候変動を解決するにあたって、カーボンオフセットおよびまだ発明されていない技術に頼るべきではない、という世界の指導者、企業経営者、銀行家たちに対する彼女の警告は、2回とも無視されました。そもそも、彼女の講演のテーマは、おそらく、彼らが予想していたとおりのものだったのでしょう。世界は火事になっている、エネルギー使用を減らして今すぐに「本当のゼロ」エミッションに転換しなければならない、という彼女の主張がグレートリセットの前提に反していることは、すでにわかっているからです。シュワブとWEFは、成長の減速は大きな間違いであり、地域や国の規制を撤廃すれば、市場の力を使ってあらゆる問題を解決でき、その過程で投資家がより裕福になると考えています。

これは、難しい話です。そこから利益を得る立場にある大企業にとっては、特にそうです。しかし、新型コロナウイルスの危機によって、シュワブは、グレートリセットの第1段階をうまく作り直すことができました。なにより意識の高い資本主義こそが、世界で今後発生するさまざまな生物学的な危機に対処する、というものです。

グレタ・トゥーンベリ

2003年スウェーデン生まれの環境活動家。ダボス会議のためスイスを訪れたグレタ・トゥーンベリ（2019）。

単なる国民国家では、このような世界的な感染症に対処できるほどの組織力や協調性はありません。シュワブは、その著書で次のように述べています。

「もしも一つのスーパーパワーが他国に秩序を守らせることができなければ、われわれの世界は『世界秩序の空白』に悩まされることになるだろう。国々や国際機関が、グローバルレベルでよりうまく協力する方法を見つけられなければ、世界は『エントロピー（無秩序）の時代』に突入するリスクがある。そのような時代になると、縮小、分裂、怒り、偏狭などが世界を表す特徴となり、世界はより分かりにくく、より無秩序なものになるだろう」（邦訳：クラウス・シュワブ、ティエリ・マルレ著、藤田正美、チャールズ清水、安納令奈訳『グレート・リセット：ダボス会議で語られるアフターコロナの世界』、日経ナショナル ジオグラフィック、2020）。

すなわち、階層のずっと上のほうにいる人々は、自分のお金を使って自分たちの信じる秩序を回復しなければならないのです。

クラウス・シュワブやダボス会議のメンバーが、国民国家は時代遅れであると主張する、ジョン・バーロウの「サイバースペース独立宣言」（第2章参照）をついに受け入れたかのようです。新しい秩序によって、すなわち、

クラウス・シュワブ

スイスの経済学者。1971年に、ローマクラブをモデルに、世界経済の改善のために非営利組織として世界経済フォーラムを設立した。

技術エリートたちのある種のネットワーク、または、善意でプログラムされたブロックチェーンを活用することによってのみ、来たるべき危機において人類をまとめ上げるという課題に対処できるのでしょう。シュワブおよび既存のエリート銀行家たちは、こうして最終的に「マインドセット」に賛同しました。自分たちがシステム全体の再起動をする役目を引き受けて、21世紀最大の投資のチャンスに乗り遅れずに参加しようとしています。

短期的には、パンデミックの期間中に、ワクチンへの資金提供と製造の集中化、感染状況の監視、経済回復対策が行われました。この活動は、気候変動、世界の貧困、その他、国連の17の持続可能な開発目標(SDGs)に対処するための将来における関わりのお手本になります。このように知識が豊富で裕福なエリートによる、地球にとって最善の策を考えた中央でのリーダーシップがなければ、私たち人間は、混乱に陥る運命にあります。幸運なことに、WEFおよびダボス会議に招待された人々は、自分たちがその課題に挑戦していると考えています。

人類の幸福を任せてほしい

シュワブは、人類の幸福に関する全ての重大な責任を彼らに任せてほしいと言っています。新しい経済理論の提唱者であるポール・メイソンやケイト・ラワースの著書、さらには、私の本からも言葉を借用して、シュワブは、「ステークホルダー資本主義」という概念を主張しています。それは、株主の利益だけでなく、労働者の利益、企業活動によって影響を受ける地元の人々の利益も認めるというものです。その主張の一部は、立派なことを言っているように見えます。気候変動によって移住せざるを得なくなった、何十億人またはそれ以上の難民を受け入れ、科学者の意見に耳を傾け、肉を食べる量を減らしましょう。すべて良いことばかりのように見えます。しかし、このニューノーマル（新しい常態）に到達するまでの過程は、疑わしいものです。

第1の問題は、障害となるあらゆる法的規制を撤廃して、資本を自由化するということです。規制の例としては、税金、地元産業の保護、そして最悪なものとして、国有化があります。グローバルな問題に対処するように企業に強制したり、国レベルで対策を実施するために企業の利益に課税したりする代わりに、自発的な「インパクト投資（経済的利益と同時に社会的および環境的影響を生み出すことを意図する投資行動）」を促進し、「コーポレート・グローバル・シチズンシップ（企業によるグローバルな社会貢献）」という新しい考え方を支援します。このような権限を与えられれば、地球の最も裕福なリーダーたちは、トップダウンで優れた決断をすることができます。

しかしこの状態では、人類の将来の幸福は、自分こそが最もよく理解していると思っている裕福な人々の気まぐれに委ねられてしまいます。これでは良い結果は得られません。たとえばビル&メリンダ・ゲイツ財団が、人々をマラリアから守るためにザンビアとナイジェリアに送った蚊帳は、地元の漁業を台無しにする結果になりました。村人たちは、寝床へ昆虫が侵入するのを防ぐのではなく、池や川で魚を取る網として使いました。網の目が細かいので、小さな幼魚まで捕まえてしまって、再生サイクルが壊れてしまいました。また、網に塗ってある殺虫剤によって、他の生き物が全て死滅し、水も飲むのに適さない状態になりました。

第2の問題は、新しい技術の開発による利益を通じて、企業によるグローバルな社会貢献を奨励することです。3Dプリンターで臓器を作ることによって、環境が原因で発生した病気やがんを解決します。過剰な採掘によって乏しくなった資源に対して、その価値と量を全てブロックチェーン上で記録して管理します。さまざまな現実世界のセンサーとオンライン監視アルゴリズムを利用して人間の行動を追跡し、それをデータに変換して、モデル化し、予測し、影響を与えられるようにします。あらゆるものは、市場に適した状態になります。市場はあらゆるものを包含できるという意味で、「包括的な市場」になります。

環境保護は成長産業

進歩主義者でさえも、この点については不満を言っていません。2008年に提言された「グリーンニューディール」政策は、将来の大幅なエネルギー転換によって、地球を救うだけでなく、人々が仕事を得られるようになるという考え方に基づいています。エネルギーの迅速な転換について、米国や欧州連合（EU）が新しく野心的な目標を採用すると、進歩主義者は声援を送ります。彼らは、世界の気温が取り返しのつかないほど上昇する前にカーボンニュートラルを達成することを切望しています。彼らは、米国の労働者に対して、環境保護活動を続けていくことが最優先事項であると納得させるのが自分たちにとって重要な課題だと考えています。環境保護は、将来の成長産業です。市場が成長を必要とすることは、社会的、経済的、環境的な正義を妨げるものではありません。成長は、市場に何らかのものを提供する人々に対して資金と報酬をもたらす手段です。エネルギーと資金は、みんなのためのものです。

イーロン・マスクの例を考えてみましょう。イーロン・マスクは、ゼロエミッション自動車のおかげで、「政府の補助金とカーボンクレジットも含めて」一時は世界一の金持ちになりました。7万人以上の雇用が生まれ、電気自動車が時代の先端を行くものになりました。しかし、テスラは、世界をより良いものにしているのでしょうか。テスラの自動車を運転するのは楽しいし、将来の脱炭素社会の優れた宣伝にもなっています。0から時速100キロまで3秒未満で加速できます。しかし、環境への影響という点では、太陽光パネルと似たような状況です。走行中には二酸化炭素を排出しませんが、原材料調達から廃棄に至るまでの全体的な二酸化炭素排出量は、ガソリン車とあまり変わらないようです。少なくとも、電力網の発電方法が石炭火力から二酸化炭素排出の少ないものに転換し、かつ、再生可能エネルギーの生成が、発展途上国の従属化、有害物質による汚染、生物多様性の喪失をもたらさずに可能になるまでは、状況はそれほど変わらないでしょう。

電気自動車や太陽光パネルが、石炭や石油を燃焼させる技術よりもエネルギー効率が良いとすれば、あるいは将来良くなるとすれば、大きな問題は、どれだけの速さで転換できるかということになります。電力の大部分を再生可能エネルギーによって賄うためには(❖9)、風力発電や太陽光発電を今の20倍に増やす必要があるでしょう。しかし、地球上に存在するレアアース金属は、それだけの発電システムを設置して、さらに数十年ごとに交換するのに十分な量ではありません。さらに石炭や石油による産業設備の大部分を電気に置き換えたとすれば、電力および資源を一度に全て消費してしまって、二酸化炭素排出量が大幅に増加し、短期的には環境の悪化につながります。また、電力および資源がエネルギー業界の再編に使われることによって、エネルギー格差が拡大する可能性があります。これに対して、設備の老朽化に合わせてゆっくりと転換すれば、そのような問題は発生しないかもしれませんが、二酸化炭素排出量が実質ゼロになるまでに何十年もかかります。どちらのアプローチも破局を招きます。

成長からの脱却は可能か

物理学の基本法則を破ることは不可能です。唯一の本当の答えは、実に単純であり、資本主義的な慈善家や環境保全技術者が聞きたくない内容ですが、みんながエネルギー消費量を減らさなければならないということです。成長からの脱却は、人間による二酸化炭素排出を減少させる確実な方法です（❖10）。これはまた、よりエネルギー効率の高い技術への移行に時間を与えることにもなります。電気自動車、ガソリン車、ハイブリッド車のどれを買うべきかと議論するのではなく、所有している自動車をそのまま使いましょう。できれば、自動車に相乗りする、職場まで歩いていく、在宅勤務する、あるいは仕事量を減らすことが望ましいでしょう。ジミー・カーター（第39代大統領）が、ひどく笑いものにされた「炉辺談話」（大統領が暖炉のそばから語りかけるように国民に語る演説）で私たちに語りかけたように、暖房の温度を下げてセーターを着ましょう。自分の鼻やのどに良いだけでなく、みんなのためにもなります。

ところが成長からの脱却は、成長に基づく資本主義と共存できますが、その土台となることはできません。グレートリセットやグリーンニューディールの支持者たちは、自分たちが最終的な解決案――ある種の大統一理論（物理学における3つの相互作用＝電磁相互作用、弱い相互作用と強い相互作用を統一して扱う理論）を考え出したと思っています。それは、成長を止めることなく投資家に指数関数的成長をもたらすと共に、再生可能な経済を構築するというものです。進歩主義者たちは、環境保護という考え方を資金提供者や認可権を持つ人々に受け入れてもらうためには、これが唯一の方法だと考えているのかもしれません。しかし、それは、技術で問題を解決しようとする人々のひどい不当利得について、気候変動を解決するためだとして正当化する、場合によっては、より悪化させる口実になってしまいます。

ＩＴ大企業による慈善活動の最近の歴史について、陰謀論に陥らずに説明することは困難です。陰謀論を使えばその登場人物とスパイ、脅迫、性的不正行為、世界制覇の野心とのつながりが、全て矛盾なく説明できるからです。これらの人々に対するひどい非難（❖11）が事実であるかどうかは別にして、彼らの頻繁な交際および数百万ドル規模の提携は、彼らが21世紀に向けた慈善活動改革という考え方を共有していることを示しています。ゲイツ財団とクリントン財団は、それぞれ２０００年と２００１年に設立され、雑誌ワイアードでは次のように書かれています。

「その決断は（投資と呼ばれることが多いのだが）、企業と政府に求められる戦略的な正確さで行われ、さらに、徹底的に状況を確認してその成功を評価するという、慈善活動における新時代の最前線にある」。

つまり、表面上は、このベンチャー慈善活動という新しいモデルは、慈善活動をビジネスに近いものに変える試みなのです。成功の見込みがない活動に資金をつぎ込む代わりに、慈善家たちは、適切な規模のプロジェクトに投資して、他の計画に投資するための利益を得ることができます。善がより多くの善を生みます。しかし、このような財団や計画によって「慈善的な雰囲気」がもたらされると、数百億ドルの資金提供者の幅広いネットワークが、倫理的に問題のある研究課題や人間関係を支援する可能性があります。資金提供者、科学者、王族たちは、（性犯罪者であった）ジェフリー・エプスタインの施設に滞在する良い口実が得られます。イスラエルと米国の諜報機関は、監視装置とバックドア（ソフトウェアへ不正に侵入するための入口）技術を入手しています。ダボス会議のエリートたちは、自分の死に対する解決策〔超人間主義〕（新しい科学技術を使って、人間の身体と認知能力を進化させること。ここでは、特に不老不死を目指すこと）や世界の不平等に対する解決策〔優生学〕を検討しています。

このような計画のいずれかをちょっと読むだけで、ジェフリー・エプスタイン、ギレーヌ・マクスウェル、マイケル・ミルケンといった重罪人の名前が出てきます。そこには、チャールズ皇太子（現 国王）やアンドリュー王子らの王族、ビル・ゲイツやポール・アレンらIT企業の創始者、ビル・クリントン、ヒラリー・クリントンらの政治家、ボリス・ニコリッチ、メラニー・ウォーカーなど巨大プロジェクトの科学アドバイザーの名前もあります。それぞれの名前は、哲人王気取りの尊大な文化に連なる道しるべになっています。この人たちは、倫理観や公平性に関する従来の考え方は、彼らの支配を続けることへの単なる障害でしかないと思っています。彼らは過去から受け継がれた確固たる立場にいて、いかなる根本的な変化にも抵抗しています。

ベンチャー慈善事業の罠

この世界的な少数支配、環境保護投資、そして矛盾した名前の「ベンチャー慈善事業」は、地域的な、場合によっては個人対個人の植民地支配の新しい形態を正当化してしまうものです。あらゆるものは、最初に資産の形に変換しておけば、改善でき、あるいは保存できます。そして次に、市場に合わせてその価値を利用できます。この論理では、実際に所有し、意識的に利用しなければ、私たちは「共有地の悲劇（共有地でそれぞれの農民が牛を野放図に増やし続け、資源である牧草地が荒れてしまうこと）」に陥り、農民や他の劣った者たちが価値あるものを荒らしてしまうことになります。

ビル・ゲイツは、この論理を使って、米国最大の民間農地所有者になりました。投資という観点では、多くの技術的投資に対する埋め合わせとして、持続可能な資産運用のためのカーボンニュートラルという目標を達成できました。しかし、それは、上から土地管理の改善を押しつけることにもなりました。技術レベルの低い、あるいは土着の技法を使う小規模な農民は、土壌を維持する方法、作物を計画的に輪作する方法、廃水を扱う方法をすでに知っています。しかし、ビル・ゲイツは、そのすべてを分析的思考で改善できると確信しています。科学技術および多くのベンチャー資金を適用して、より生産性の高い種子、より安いバイオ燃料、より進歩した農業技法を開発できると考えています。ゲイツの運営方法は、優れた知性と洞察力のある人が私たちに代わって、他の人々が理解できない論理と科学技術を使って、土地や水などの資源を購入して、それを実現できると言っているようなものです。

しかしやはり、それ自体は世界観の産物であって、悪意でも利己的でもないのだと思われます。ここでは「マインドセット」が阻害要因になっています。ビル・ゲイツは、彼の非営利財団が開発を支援した新型コロナウイルスワクチンについて、金銭的な利益を得ていません。しかし、ゲイツは、ワクチン開発を競う企業間の協力を促しましたが、その一方で、それぞれの企業の知的財産権をしっかりと守りました。たとえば、オックスフォード大学の研究者を説得して、アストラゼネカと独占契約を結ばせました。巨大製薬会社が独占した技術によって利益を得られるという動機がなければ、「文明の崩壊」につながるリスクがあると主張したからです。技術ライターのコリイ・ドクトロウは、当時、次のように書きました。

「心の優しい慈善家という評判にもかかわらず、ゲイツは、あるイデオロギーを常に追求してきました。それは、世界は独占者たる王たちによって守られ、「彼らの超人的な判断力に基づく」恩恵によって進歩を遂げるべきだ、という思想です」。

その結果、裕福な国ではワクチンを接種できましたが、貧しい国は、特許適用除外が得られず、ワクチンを合法的に自分たちで製造することができませんでした。ゲイツは、人を見下した態度で、これらの国では自分でワクチンを製造する高度な知識がないのだから、それは無理なことだ、と主張しました。ここで皮肉なのは、新しいmRNAワクチンは、実際には、従来のワクチンと比べて容易かつ安価に製造できるということです。以前のワクチンよりも99％小規模な設備で、99％安価、1000％迅速に製造できるのです。製造技術は、本質的に民主化されましたが、大資本による独占を通じて利益を得ようとする人々には、それが厄介な問題でした。ゲイツの反対を押し切って、バイデン大統領は、製薬会社の特許を一時的に停止しました。これは、思いやりのある選択であると同時に、自分の利益のためでもありました。ワクチンを接種できなかった貧しい集団では、多くの変種が発生し、それが裕福な国にも広がってきて人々を感染させるからです。

何かを独占することはできますが、この環境から逃れることはできません。

◇原注　第10章

❖ 9　「電力の大部分を再生可能エネルギーによって賄うためには……」：現在の英国の全ての自動車を電気自動車に置き換えるためには、最もエネルギー消費の少ない次世代のNMC811バッテリーを使用するものと仮定して、20万7900トンのコバルト、26万4600トンの炭酸リチウム（LCE）、少なくとも7200トンのネオジムおよびジスプロシウム、さらに236万2500トンの銅が必要になります。これは、2018年における世界のコバルト生産量の2倍弱、世界のネオジム生産量のほぼ全部、世界のリチウム生産量の4分の3、世界の銅生産量の少なくとも半分に相当します。Energy and Our Future, "Earth and Humanity: Myth and Reality," YouTube video, May 16, 2021, 2:52:14,https://www.youtube.com/watch?v=qYeZwUVx5MY.

❖ 10　「成長からの脱却は、人間による二酸化炭素排出を減少させる確実な方法……」：成長からの脱却の詳細については、ポストカーボン研究所（Post Carbon Institute）のウェブサイトに掲載されている本および資料を参照。https://www.postcarbon.org/ .

❖ 11　「これらの人々に対するひどい非難……」：詳細は以下を参照。Whitney Webb, One Nation Under Blackmail (Chicago: Trine Day, 2022); Whitney Webb, "The Cover- Up Continues: The Truth About Bill Gates, Microsoft, and Jeffrey Epstein," *Unlimited Hangout*, July 24, 2021,https://unlimitedhangout.com/2021/05/investigative-reports/the-cover-up-continues-the-truth-about-bill-gates-microsoft-and-jeffrey-epstein/ .

◇ The Covid pandemic: "Covid Vaccines Create 9 New Billionaires with Combined Wealth Greater than Cost of Vaccinating World's Poorest Countries," Oxfam International, September 2, 2021,https://www.oxfam.org/en/press-releases/covid-vaccines-create-9-new-billion-aires-combined-wealth-greater-cost-vaccinating.

◇ Solar panel disposal: Maddie Stone, "Solar Panels Are Starting to Die, Leaving Behind Toxic Trash," *Wired*, August 22, 2020,https://www.wired.com/story/solar-panels-are-starting-to-die-leaving-behind-toxic-trash/.

◇ "If no one power": Klaus Schwab and Thierry Malleret, *Covid-19: The Great Reset* (Cologny, Switzerland: Forum, 2020), 104.

◇ mosquito nets: Stockholm University, "Mosquito nets: Are they catching more fishes than insects?," *ScienceDaily*,www.sciencedaily.com/releases/2019/11/191111100910.htm;Jeffrey Gettleman, "Meant to Keep Malaria Out, Mosquito Nets Are Used to Haul Fish In," *New York Times*, January 24, 2015,https://www.nytimes.com/2015/01/25/world/africa/mosquito-nets-for-malaria-spawn-new-epidemic-overfishing.html.

◇ lifetime carbon footprint: Katarina Zimmer and Carl-Johan Karlsson, "Green Energy's Dirty Side Effects," *Foreign Policy*, June 18, 2020,https://foreignpolicy.com/2020/06/18/green-energy-dirty-side-effects-renewable-transition-climate-change-cobalt-mining-human-rights-inequality/.

◇ For renewables to provide: "Earth and Humanity: Myth and Reality," YouTube video, May 16, 2021, 2:52:14,https://www.youtube.com/watch?v=qYeZwUVx5MY.

◇ Transitioning slowly: Richard Heinberg, *Power: Limits and Prospects for Human Survival* (Gabriola, BC, Canada: New Society, 2021).

◇ "at the forefront": Steven Levy, "Bill Gates and President Bill Clinton on the NSA, Safe Sex, and American Exceptionalism," *Wired*, November 12, 2013.

◇ Funders, scientists, and royals: Whitney Webb, "Isabel Maxwell: Israel's 'Back Door' into Silicon Valley," Unlimited Hangout, July 24, 2021,https://unlimitedhangout.com/2020/07/investigative-reports/isabel-maxwell-israels-back-door-into-silicon-valley/;Naomi Klein, *The Shock Doctrine: The Rise of Disaster Capitalism*, (Toronto: Alfred A. Knopf Canada, 2007);Anand Giridharadas, *Winners Take All: The Elite Charade of Changing the World*, (New York:

Penguin, 2018);CNN staff, "Clinton's Foundation Got Millions from Saudis, Gates," CNN politics, December 18, 2008https://www.cnn.com/2008/POLITICS/12/18/clinton.donations/;Leslie Sanchez, "Thorny Thicket of Bill and Hillary Clinton Conflicts?" CNN Politics, December 3, 2008.https://www.cnn.com/2008/POLITICS/12/03/sanchez.clinton/index.html.

◇ Do just a little reading: Emily Flitter and James B. Stewart, "Bill Gates Met with Jeffrey Epstein Many Times, Despite His Past," *New York Times*, October 12, 2019,https://www.nytimes.com/2019/10/12/business/jeffrey-epstein-bill-gates.html;Tom Sykes, "Prince Andrew Was 'Given' 'Beautiful Young Neurosurgeon' by Epstein, Says Ex-Housekeeper," *The Daily Beast*, November 22, 2019,https://www.thedailybeast.com/prince-andrew-was-given-beautiful-young-neurosurgeon-by-jeffrey-epstein-says-ex-housekeeper;Kate Briquelet, "Melinda Gates Warned Bill About Jeffrey Epstein," *The Daily Beast*, May 7, 2021;Humanity +, "Humanity+ Clarification of Epstein Donation," accessed August 10, 2021,https://web.archive.org/web/20210808214020/https://humanityplus.org/humanity-clarification-of-epstein-donation/;"Sustainable Oceans Alliance: Impacting The SGDs," *Clinton Foundation*, December 22, 2016,https://www.clintonfoundation.org/clinton-global-initiative/commitments/sustainable-oceans-alliance-impacting-sgds;Jacob Bernstein, "Whatever Happened to Ghislaine Maxwell's Plan to Save the Oceans?," *The New York Times*, August 14, 2019,https://www.nytimes.com/2019/08/14/style/ghislaine-maxwell-terramar-boats-jeffrey-epstein.html.

◇ For this global oligarchy: Amy Julia Harris, Frances Robles, Mike Baker, and William Rashbaum, "How a Ring of Women Allegedly Recruited Girls for Jeffrey Epstein," *New York Times*, August 29, 2019,https://www.nytimes.com/2019/08/29/nyregion/jeffrey-epstein-ghislaine-maxwell.html.

◇ Bill Gates has employed this logic: "Bill Gates Buys Big on a Farmland Shopping Spree," *DW*,https://www.dw.com/en/bill-gates-buys-big-on-a-farmland-shopping-spree/a-57134690.

◇ "civilizational collapse": Sissi Cao, "Bill Gates' Comments On COVID-19 Vaccine Patent Draw Outrage," *Observer*, April 27, 2021,https://observer.com/2021/04/bill-gates-oppose-lifting-covid-vaccine-patent-interview/.

◇ "despite his cuddly reputation": Cory Doctorow, "Manufacturing MRNA Vaccines Is Surprisingly Straightforward," *Medium*, May 6, 2021,https://coronavirus.medium.com/manufacturing-mrna-vaccines-is-surprisingly-straightforward-despite-what-bill-gates-thinks-222cffb686ee.

◇ Gates argued: Doctorow, "Manufacturing MRNA Vaccines Is Surprisingly Straightforward."

◇ new mRNA vaccines: Kis, Zoltan, Cleo Kontoravdi, Antu K. Dey, Robin Shattock, and Nilay Shah, “Rapid Development and Deployment of High-Volume Vaccines for Pandemic Response," *Journal of Advanced Manufacturing and Processing* 2, no. 3 (2020),https://doi.org/10.1002/amp2.10060.

◇ Over Gates's objections: Cao, "Bill Gates' Comments On COVID-19 Vaccine Patent Draw Outrage."

第11章　鏡に映ったマインドセット

抵抗してもムダだ

実証主義と不合理な人間の心

「マインドセット」を信奉する人にとって最大の危険は、私たちが本当に彼らの言うことに耳を傾け、それに従って（彼らと同じように自由意志と批判的思考をもった人間として）行動することでしょう。彼らがTEDのステージで、ダボス会議の演壇で、あるいはシリコンバレーの事業計画書で語っている、技術の楽園のようなファンタジーにおいては、私たち人間は、磁石のN極とS極の間を行ったり来たりする鉄の粉に過ぎません。その磁石は、お金と権力のある人々が用意したもので、その大部分は彼らの生活様式に、私たちが干渉するのを防ぐためのものです。

世界経済フォーラムの創設者クラウス・シュワブの「グレートリセット」に関する展望を、うろたえずに聞くことができる人がいるのでしょうか。シュワブの立派な小冊子や多額の予算を使った動画では、世界最大級の銀行や企業が、総合的解決策を採用する様子を説明しています。その対策としては、失業問題を調整するための自動化、移民問題を解決するための大規模な監視、世界的に健康を確保するためのバイオメトリクス（生体認証）、農業生産を向上させるためのセンサーネットワーク、奴隷労働を撲滅するためのブロックチェーン、気候変動に対処するための地球工学、収奪による資本主義の弊害を是正するための、なんと、資本主義があります。「資本主義を是正するための資本主義」です。

技術エリートが指揮する文明全体の転換という非現実的な宣言は、あまり一般受けしません。また、このような宣言は危機に対処するためのまっとうな努力を妨げるもので、円滑に浸透することは決してありません。この宣言が引き起こす疑念は、私たちの信頼を損ないます。たとえば、ゲイツ財団が一部の資金を提供しているmRNAワクチンに対して、不信感を持つようになります。この「文明全体の転換」宣言によって、マスク着用が促進されるわけではありません。特に、当初、米国ではマスクは推奨しないと言われた後では。また、選挙で選ばれたのではない国際委員会に、自動車の燃料の種類や住宅の暖房方法を決める権限を与えるという気候条約に署名する根拠にもならないでしょう。

さらに、技術エリートによって強制された解決策は、それが意図したとおりに機能したとしても、科学主義の論理に忠実であるに過ぎず、不合理な人間の心を認めようとしません。人々は、実利を重んじるだけではないリーダーを求めています。19世紀のジャーナリスト、ウォルター・バジョットは、イギリスという国には2つの部分が必要だと言っています。1つは、国民の畏敬の念を呼び起こし、それを持続させること。もう1つは、その敬意を政府の仕事に用いること。後者は、議会の実際的な機能であり、前者は、王室の神聖な役割です。選挙で選ばれた政府は、効率を重視しますが、王室は、威厳を尊重します。あるいは、バジョットによれば、少なくともそうあるべきです。残念なことに、バジョットのその後の作品は、王室がその神聖な責任を果たさないことへの苦情とともに、疑似科学的な人種差別主義に成り下がり、混血人種には人間性の基礎となる「固有の伝統的感情」がない、と断定するようになりました。

進歩主義者が苦労して作り上げた、職業訓練、地球温暖化対策、課税、経済的不平等解消などの計画に不足しているのは、人々の本質的な要求、すなわち存在を認めて意見を聞いてほしいということへの配慮です。特に、米国の政府形態では、実用的な目標と、資産のように形のあるものを守るべき自由として強調しています。啓蒙時代（欧州で啓蒙思想が主流となっていた17世紀後半から18世紀にかけての時代）には、教会による支配から完全に解放されるために、論理、理由、証拠が何よりも重視されました。しかし、新自由主義の技術エリートがそうした啓蒙思想を極端な形で取り入れると、それは、全体的に人々の力を奪う方向になりました。不合理とも思われる感情、宗教的な意識が否定されると、人々の一体感、適切なつながり、より大きい枠組みへの参加体験が弱体化しました。従来の政府による支援、あるいは「マインドセット」による最新版のベーシックインカムは、紙の上では良さそうに見えます。しかし、それらは自分自身の小さな事業や、家族経営の農場を運営するという尊厳の代わりにはなりません。このような事業は、企業に優しい新自由主義政策と新しい技術の独占的な力によって、事実上不可能になってしまいました。

職業訓練、ハイテクスキル、さらには、デジタルの未来への全般的な対応力について、政府が重視しているため、学校では、英語、社会科、哲学などの柔らかくて穏やかな教科よりも、STEM（科学、技術、工学、数学）に力を入れるようになりました。教育は、リベラルアーツから離れていってしまいました。リベラルアーツは、人生の目的や人間の尊厳という基本的な問題に取り組むと同時に、メディアやメッセージについて批判的に考えるための能力を育成するものです。そのような能力を置き去りにするのは危険です。

大学レベルでは、人文学が専門の私の同僚たちは、自分の教育や研究を科学の用語を使って構成する必要があると感じています。シェークスピアの劇の中で「thou」（汝）という語が何回出てくるかをコンピューターで分析したり、あるいは、「アウラ」や「意味」といった哲学的な前提を統計調査やデータ分析に基づいて解釈したりしています。これは、彼らの研究がより科学的に見えるようにして、政府、NGO、企業の資金提供者に魅力を感じてもらうためです。資金提供者は、あらゆるものや人の価値を科学的に検証できる実用的な価値だけに絞っているのです。

不信を生み出すマインドセット

このように科学を重視する風潮の中で、白人の特権、セクシャルハラスメント、男女不平等について自分が罪を犯していることを未だに認識できていない人々は、排除される恐怖を常に感じるようになるので、恨み、権利剝奪、被害妄想が混じり合った最悪の状況が発生します。

デジタルメディア環境では、社会正義への違反を告発するのは容易です。10年か20年ほど前から、あらゆる人のその場の思い付きによる発言が、消えずに記録されて、後日、確認のために取り出せるようになりました。しかし、このようにプラットフォームに完全に記憶されているせいで、人々が進歩に賛成しにくい状況にもなっています。特に、ルールが新しくなって、以前は「容認された」行動が新しい観点では認められなくなっている場合がそうです。人種、ジェンダー、性別について、今日の正しい行動または適切な発言が、明日には認められなくなっているかもしれません。それが進歩というものの性質ではありますが、あらゆるものが記録され、あらゆる記録が告発される可能性がある状況とは、両立しにくいものです。

社会正義の遂行は、リチャード・ドーキンスによる人間の評価の科学的な質にも関係しています。「利己的な遺伝子」がすべてであって、人間には意味のある作用は何もない、というものです。人間の意図は重要ではありません。「人間の意図」などというものは、遺伝子のふるまいのもとで発生するものに過ぎないのです。人間のつながりには、曖昧な言葉やはっきりしないメッセージが発生する余地はありません。あらゆる人が疑わしく、誰にも正当な理由はありません。このような環境において、特に、ソーシャルメディア、監視、ギグエコノミー（ネットを通じて単発または短期の仕事を引き受ける働き方）のせいで私たちがすでに疑いと恨みを持っている状態で、また、「マインドセット」のその他のさまざまな兆候が私たちの生活や家族の生活に影響を及ぼしている状態で、神のように無限の知識を持つ技術エリートの主張は、恐怖と被害妄想を生むだけです。

そこで懸念される怒った群衆は現実に存在しており、彼らの行動は、ネット上のオルタナ右翼の陰謀論グループ、プロミス・キーパーズ（保守的な価値観を持つ国際的なキリスト教運動団体）の路上集会、地元の教育委員会に対するワクチン反対派の暴力、世界的な気候変動対策への反対運動などで見ることができます。『The Crowd』（邦訳：『群衆心理』）の著者であるギュスターヴ・ル・ボン（第8章参照）が述べているように、これは、社会の前提条件として、そもそも上から支配する必要のある状態だというだけではなくて、技術エリートが人々を、さらにはあらゆるものを管理しようとする、トップダウンの行動に対する直接的な反応でもあります。その根底にある「マインドセット」の論理、技術、メッセージ、リモートコントロールは、学校、職場、医療現場、戦争、環境などあらゆる場所で感じられます。多くの人々がおびえたり怒ったりするのも不思議ではありません。しかし、その抵抗運動は、「マインドセット」の非人間的、女性蔑視的、反社会的、破滅的な傾向に対抗する代替案を提示するのではなく、「マインドセット」そのものを鏡に映した姿になってしまっています。

鏡に映ったマインドセット

こうした現在の非常に有害な抵抗運動の根源は、ドナルド・トランプがツイッターで支持を受けて、支配者層の候補者であるヒラリー・クリントンに勝利したときよりもずっと前に、4chanやレディット（Reddit）などのインターネット会議室や画像掲示板で発生していました。希望を失った失業者たち、あるいは、性的欲求不満を持つ人たちは、「社会の悪」として非難されていると感じていました。彼らは、ノートパソコンで武装し、「マインドセット」の特性を利用した遠隔攻撃によっていつも騒ぎを起こしており、ついに「ゲーマーゲート事件」で有名になりました。それは、女性のゲームデザイナーとジャーナリストに対する、高度に組織化されたネットでのハラスメントです。支配者層には、この若者たちが何を考えているのかわかりませんでしたが、新興のオルタナ右翼のリーダーたちは、政治に対抗するデジタル情報戦争で彼らを兵隊として利用できると考えました。メディア経営者で政治戦略家のスティーブ・バノンは、最終的にドナルド・トランプのアドバイザーにもなった人ですが、この不満を持つ新しい集団を歓迎しました。

失望して仲間外れにされていた若者たちは、ネットでの情報拡散、挑発的な投稿、悪ふざけなどのスキルはすでに持っています。彼らはバノンの奴隷となり、革新的「テック男子」集団として、「政治的に正しい」左翼およびその指揮下にある女性の誤りを告発する活動を行って、経験を積むようになります。バノンにとっては、この「政治に対抗するデジ

虫塚虫蔵 /CC BY-SA 4.0

ゲーマーゲート事件

2014年に始まったゲーム業界内でのフェミニズムに対するオンラインハラスメント事件。ゲーマーゲートのマスコットキャラ、Vivian James。

タル情報戦争」という課題に対する解決策は、不満を持つ連中の怒りを助長して、支配層全体を解体して最初からやり直すためのものです。スタートアップ企業への投資家が全く新しいものに固執するのと同じように、バノンは、自分の革命哲学をレーニンと比較しています。

「レーニンは、国家を破壊しようとしました。私の目的も同じです。あらゆるものを壊して、現在の支配者層を滅ぼしたいのです」。

これは、破壊的破壊であり、漸進的な変化の可能性を消し去って、必然的に大混乱を招きます。

バノンは、ITエリートが西洋文明を下降軌道に導いている、低迷から回復するにはこの構造にショックを与えるしかない、と考えているのでしょう。しかし、皮肉なことに、バノンのITエリートに対抗する破壊作戦は、ITエリートの正統派であるシリコンバレーの過激な方法、「加速主義」(accelerationism)と呼ばれるものに基づいています。加速主義は、1960年代のSF小説に起源があります(アメリカの作家ロジャー・ゼラズニイの『Lord of Light』=邦訳:『光の王』ハヤカワ文庫SF。人類が科学技術を駆使して神に近い存在となった未来が舞台)。人類を進歩させる最も優れた方法は、コンピューターの開発、自動化、世界的な資本主義を加速して、最終的に人間をデジタル技術と一体化することだという主張です。技術史に詳しいフレッド・ターナーは次のように述べています。

「シリコンバレーでは、加速主義は、『技術が適切になりさえすれば、政治は不要であり、右翼も左翼もなくすことができる』と主張する運動の一部になっています」。

バノンの加速主義の目的

バノンにとって加速主義の本当の目的は、世の中の制度そのものを崩壊させることです。技術資本主義という処理を非常に高速かつ強力に実行すれば、その処理装置は故障して崩壊します。したがって、人々に何を語り掛けるか、人々が何を信じるかは重要ではありません。国家に対する信頼を失わせるものであれば、本当のニュースでも虚偽のニュースでもかまいません。バノンは、億万長者のプレッパー（破滅の日のために準備する人）と同じように、壊滅的な「事件」という物語を採用していますが、単に地球最後の日に備えるのではなく、自分で積極的にそれを起こして新しい社会を作ろうとしています。

この点について、バノンには、ピーター・ティールという味方がいます。ティールの伝記を書いたマックス・チャフキンは、次のように述べています。

「すでに行われている成長を活用することと、成長を進めることの間には微妙な境界線があります。ティールの経歴を見ると、既存の秩序が崩壊する可能性に投資するだけでなく、それを加速することにも投資していると思います」。

ティールや傑出した知的エリートが、この世の終わりの後に新しい社会秩序を確立するためにニュージーランドの不動産に投資したことは、これで説明がつきます。また、ティールは、2010年代後半に極右の反移民グループに資金提供し、過激な政治家候補を支援し、オルタナ右翼のネット活動を宣伝していました。このネット活動は、バノンが混乱を起こすために画策していたものです。

バノンは、ツイッターやフェイスブックのゲーム的な魅力を利用して、ディープステート（陰謀論的な闇の政府）に対する大戦争のための新しい兵士を集めて活動させていました。オンラインでのミーム戦争（政治目的のために、ネット上でデマと真実の混じった文章や画像を拡散させて情報操作を行うこと）がバノンの新人教育戦略になっています。最初のうちは暗黒な全体像を隠して楽しいゲームとして人を呼び込むカルトと同じように、オルタナ右翼のソーシャルネットワークでの活動は、気軽で楽しいものに見えます。意図的にそうしているのです。インターネットミームがマンガ的な内容になっているのは、誰かが行き過ぎてナチスへの言及や殺害の脅迫が出てきたときに、冗談だ、ふざけてみただけだ、と主張できるようにするためです。単なるインターネットでの話だ、テレビゲームだ、実害はない、というのです。

しかし、実害が発生しました。意図的です。私たちは、2021年の議事堂への襲撃でその実害を目撃しました。選挙制度への信頼が崩壊し、その結果として、選出された議員や全国ニュースは、最低限の現実についてさえも意見の一致が得られなくなりました。

私も、その状況をすぐ間近で見て、1人の親友を失いました。その人の名前は、サムとしておきましょう。サムは、最も成功したオンライン戦争ゲームであるQアノンにのめり込みました。最初は、無邪気なものでした。サムと私が大学の寮で楽しんでいた会話のような「ホワット イフ（What if? ＝〝～だとしたらどうする？〟という質問に答えるゲーム）」の拡張版知的冒険ゲームでした。

たとえばこの現実は私たちが気付かずにプレイしているテレビゲームだとしたら？　スタンリー・キューブリックが映画のセットを使ってアポロ11号の月面着陸映像を捏造していたとしたら？　米軍の気象観測施設「ＨＡＡＲＰ」が天気を操作しているとしたら？　これは、場合によっては、メディア、技術、集団的知性の相互作用による鋭い洞察を生み出すこともある、頭の体操です。

Qアノンの物語

Qアノンは、一連の暗号めいたメッセージをネット上に「落として」います。その情報源は、おそらくディープステートのどこかにいる内部告発者です。このメッセージは、「ホワット イフ」のような疑問を人々に投げかけているものであり、それを組み合わせて予言として解釈するのは、常に読者に委ねられています。恐ろしいファンタジー・ロールプレイング・ゲームをプレイしているようなものです。物語が作り出されて、ソーシャルメディアを通じてABテスト（インターネットマーケティングで2つの案を比較検討すること）が行われています。最も刺激的で広まりやすい要素が生き残り、複製されて、選挙で選ばれた政治家が繰り返し主張すると、最終的には主要メディアにまで登場するようになります。

この底なし沼には危険な魅力を感じましたが、そこから一定の距離を置いて、すべてたとえ話であることを理解していれば、友人や私は安全だと考えました。つまり、これは精神分析の一種である、あるいは、夢の内容やSF小説を原作にする代わりにツイッターの投稿やテレビのニュースを基にした2次創作のフィクションである、と思ったのです。投稿の大部分は、皮肉を込めたネタ情報であり、プロジェクト全体が社会政治的風刺であるかのようにカムフラージュしていました。まるで1960年代のアビー・ホフマン（米国の政治活動家）とイッピー（ベトナム戦争に反対する過激派グループ）たちによる、ペンタゴン（国防総省）を「空中浮揚」させるという悪ふざけの模倣のように思われました。あるいは、風刺作家のロバート・アントン・ウィルソンとディスコーディアン（闘争と不和の女神ディスコルディアを崇拝する宗教。陰謀論とオカルティズムが入り混じったような教義を展開した）の陰謀的な乱暴な推理を思い出します。彼らの活動である「マインドファック作戦」は、冷戦や米国の消費文化に関する一般的な筋書きを揺るがすものでした。

私と同じように、Qアノンの支持者は、ITエリートたちの新自由主義に対してある種の冷酷さを感じており、新自由主義に対する非難は、少なくともある程度は正しいのかもしれないと考えました。私は、実際にはQアノンの作り話を誰も信じていないと思っていました。民主党およびそのディープステートは、児童に対する性的虐待や儀式での殺人を通じて権力を維持している世界的なエリートの一部である、というような話です。あるいは、子供の血液からアドレノクロムという幻覚剤を作って、それを使用して権力を拡大している、とか。

ジェフリー・エプスタインの不正行為はありましたが、政治家に関するこの種の話は、多くの場合、全てが真実とは言えないことをみんなが理解していると私は思っていました。また、Qアノンの児童虐待の話は、世界的なITエリートの生き方についての比喩、すなわち、神を信じない億万長者によって私たちが子供扱いされてひどい仕打ちを受けている、ということだと解釈していました。その物語の本当のねらいは、この堕落した世界の体制に気付くと、米国人は恐怖を感じるだろうということです。これは、Qアノンの人々が「大覚醒」と呼んでいるものでしょう。

Qアノン

Qアノンの旗。「我々は一致団結して進んでいく」というスローガンが書かれている。

しかし、私の人生で最も重要な問題について相談するほど頼りにしていた、作家である友人のサムは、この話を全て本当だと信じてしまいました。サムは、何度も深夜にメールを送ってきて、軍隊による大規模な捜索で数千人の小児性愛者と政治家が逮捕されるから、外出しないようにと警告してきました。「もうすぐだ。今週、きっと手入れがある。家にいなさい」。

なぜサムが私よりもデマに弱かったのか、推測することしかできません。私は都会育ちの子供で、サムは田舎で育ったということに関係があるような気がします。サムは、農村部の人々が巨大農業企業〔彼らの農地を取り上げた〕、巨大製薬会社〔彼らを麻薬中毒にした〕、巨大メディア〔彼らを人種差別主義の頑固者に仕立て上げた〕によって長い間収奪され見下されてきた状況に共感していたのです。

あんなに賢い人が、なぜこのカルトに参加し、こんなデマを信じ、このように異様な行動をとるようになるのか、考え続けました。しかし、このときの私は、考え方が間違っていて混乱していたようです。カルトのメンバーは、普段は怒っているわけではなく、穏やかで満足しています。結局、彼らは、「真実」を見つけたのです。彼らは、ほぼ笑んでいます。不平不満がSNSなどから排除されたことに文句を言っているのではありません。これは、本当はカルトというよりも、昔ながらのインターネット中毒なのです。「あんなに賢い人が、なぜ中毒になったのか」と、私たちは疑問に思ったりするでしょうか。いいえ、中毒は、身体や感情の構成において知性とは全く異なる部分の働きによって起こるものです。どちらかと言えば、中毒は、その人の知性を「利用」して、ドラッグを継続して入手できるようにしたり、治療介入の試みを阻止しようとします。

中毒と物語

サムとその仲間たちは、何の中毒になったのでしょうか。Qアノンの作り話の中毒になったのではありません。オルタナ右翼の哲学でもなく、特定の物語でもありません。彼らは、ネットに接続したままで、さまざまな推測を巡らして点と点を結びつけることによって、ドーパミンが分泌されるまで記事を読み続けるという作業の中毒になっているのです。ファウチ（米国の免疫学者、元大統領首席医療顧問）、中国、ビル・ゲイツ、5G、エプスタイン、超人間主義……。ああ、そうか。これは楽しい。とりあえず、つじつまが合う答えが見つかりました。その考えを投稿すると、閲覧数が増えて、他人からの「いいね」やコメントがつきます。通知が止まりません。またドーパミンが出ます。これの繰り返しです。承認欲求も満たされます。Qアノンは、末期インターネット中毒の症状が現れたようなものです。完全なデジタルのスキナー箱（第8章参照）と、フロイトの転移メカニズム（精神分析の患者が特定の人物に対して持っていた感情を分析医に向けること）がすべて同時に起こっています。目的をうまく達成した成功物語です。

トランプが退任した後、状況はさらに悪化しました。サムは、裏切られたと感じました。夜通しツイッターを読んだり、オルタナ右翼の有力な投稿者のリンクをたどったりするようになりました。コンピューターを使って投票が書き換えられたと信じました。おそらく、ミュンヘンからアンゲラ・メルケル（元ドイツ首相）が、あるいはバラク・オバマ（元アメリカ大統領）が自分で、イタリアにある領事館を経由してデジタル的に操作したというのです。議事堂での暴動は、クライマックスのように見えました。侵入者たちは、マイク・ペンス副大統領を暗殺できませんでしたし、選挙結果がその夜に承認されるのを阻止できませんでしたが、乱闘によって5人が死亡しました。しかし、結局、あの行動がやり過ぎだったと集団的に認めることにはなりませんでした。この原稿を書いている時点で、共和党員の半数は、いまだに議事堂襲撃が左翼の活動家のせいだと信じています。FBI、米国司法省、国土安全保障省がそれとは逆の発表をしているのですが。

鏡写しになったQアノン信者とIT長者

ジョー・バイデンがタカ派寄りの国家安全保障担当補佐官を増やし始めたとき、サムが私にメッセージを送ってきて、私がツイートや記事で、血に飢えた支配者層を擁護しているといって私を叱りました。次の流血の惨事は、私のせいだと言っています。私の気がつかないところで、共和党を支持する州の住民の子供たちが、不必要な紛争で負傷しようとしている、私はその責任を認めるべきだ、と言うのです。

みんなが合意している「現実」というものが崩れて、私の古い友人を奥深い穴に引きずり込んでしまったように感じました。その原因の大部分は、ソーシャルメディアによる二極分化と偽情報にあります。しかし、私たちの文化、経済、社会そのもの、さらには、私たちが考え、判断するためのメディア環境が、「マインドセット」の持つ性質によって規定されていることにも原因があります。これは、バノンが戦っていると主張する、機械による人間支配そのものです。私たちは、「マインドセット」を鏡のようにそのまま反映するか、または、それを再確認するような方法で反抗するか、のどちらかになっています。

最終的には、ゲーム化された「マインドセット」の価値観は、「赤い薬」を飲んで、映画『マトリックス』の仮想世界から抜け出して、現実世界の本当の姿が見えるようになると信じている人々に浸透しています。彼らは、ビル・ゲイツ、ジェフ・ベゾス、マーク・ザッカーバーグを嫌っています。その理由は、世界支配の野心、陰謀論に対する「検閲」、民主党との連携です。しかし、彼らは、宇宙の支配者のような存在になって、パソコンで「神の視点ゲーム」をプレイしているかのように世界を作り変える機会を進んで受け入れています。コンテンツや活動を実際に提供してくれるソーシャルメディアの「ユーザー」としての役割を受け入れて、クラブのメンバーたちは、熱心に「調査」を行って、わずかなヒントをつなぎ合わせて物語を作り上げています。そして、そのゲームの2次創作による知識を、現実世界の隠された働きとして受け入れます。即興の「イエス、アンド」ゲーム（相手のアイデアを否定せずに受け入れて、さらに発展させて返答するコミュニケーション手法）またはオープンソースの実験の形式で、どれだけ矛盾があっても気にせずに、その物語にみんなが自分の事実を追加していきます。

しかし、彼らが望んでいる「大覚醒」は、自分たちが対抗しているつもりのIT億万長者のファンタジーにかなり似ています。段階的進歩がなく、変化の理論もありません。適応も、妥協もありません。全てが浄化されるこの世の終わりを熱狂的に求めているのです。あらゆるものを解体して、もう一度やり直そうとするのです。

そもそも、本当の自律性とは、コミュニティーのあらゆる義務に拘束されず、そして自分たちが生活している状況にも左右されないものです。妥協すれば、自分を無力化することになります。私たちが満足できるのは、無限の選択肢および絶対的自由だけです。それは、私たちの遺産であり、運命であり、奪うことのできない権利なのです。

◇原注　第11章

◇ Klaus Schwab's vision: Klaus Schwab and Thierry Malleret, *Covid-19: The Great Reset* (Cologny, Switzerland: Forum, 2020).

◇ "fixed traditional sentiments": Robbie Shilliam, "How Black Deficit Entered the British Academy,"https://robbieshilliam.wordpress.com/2017/06/20/how-black-deficit-entered-the-british-academy/, retrieved June 19, 2019.

◇ At the university level: Adam Kirsch, "Technology Is Taking Over English Departments," *New Republic*, May 2, 2014,https://newrepublic.com/article/117428/limits-digital-humanities-adam-kirsch.

◇ Feeling blamed for society's ills: Adi Robertson, "The FBI has released its Gamergate investigation records," *Verge*, January 27, 2017,https://www.theverge.com/2017/1/27/14412594/fbi-gamergate-harassment-threat-investigation-records-release.

◇ Gamergate: Michael James Heron, Pauline Belford, and Ayse Goker, "Sexism in the Circuitry," *ACM SIGCAS Computers and Society* 44, no. 4: 18-29,https://doi.org/10.1145/2695577.2695582.

◇ "He wanted to destroy": Ronald Rodash, "Steve Bannon, Trump's Top Guy, Told Me He Was 'a Leninist,'" *Daily Beast*, April 13, 2017,https://www.thedailybeast.com/steve-bannon-trumps-top-guy-told-me-he-was-a-leninist.

◇ Bannon may believe: Jeremy W. Peters, "Bannon's Worldview: Dissecting the Message of 'The Fourth Turning,'" *New York Times*, April 8, 2017,https://www.nytimes.com/2017/04/08/us/politics/bannon-fourth-turning.html.

◇ 1960s science fiction novel: Roger Zelazny, *Lord of Light* (New York: Harper Voyager, 2010).

◇ "In Silicon Valley": Andy Beckett, "Accelerationism: How a Fringe Philosophy Predicted the Future We Live In,"

Guardian, May 11, 2017,https://www.theguardian.com/world/2017/may/11/accelerationism-how-a-fringe-philosophy-predicted-the-future-we-live-in.

◇ "It's a fine line": Max Chafkin, *QAnon Anonymous* podcast, December 10, 2021.

◇ "cognitive elite": Mark O'Connell, "Why Silicon Valley Billionaires Are Prepping for the Apocalypse in New Zealand," *Guardian*, February 15, 2018,https://www.theguardian.com/news/2018/feb/15/why-silicon-valley-billionaires-are-prepping-for-the-apocalypse-in-new-zealand.

◇ Thiel also funded: Max Chafkin, *The Contrarian: Peter Thiel and Silicon Valley's Pursuit of Power* (New York: Penguin, 2021).

第12章　コンピューター的因果応報

自業自得

コヨーテは自分が仕掛けたわなにはまる

私が子供の頃、土曜日の朝には、父と一緒に『ワイリー・コヨーテ（ワーナーブラザーズのアニメ映画『ルーニー・テューンズ』に登場するキャラクター）』を見ていました。『ルーニー・テューンズ』の短編映画をテレビ向けに再編集した番組です。今のテレビ番組がインターネット向けに再編集されているのと同じようなものです。私はこのマンガを見るのは初めてでしたが、父にとっては、映画館で見た短編を新しいメディア環境で見直すことになりました。だから私は、父がいつも次に何が起こるかを知っているのだと思っていました。

コヨーテがロードランナーを捕まえるために新しいハイテクのわなを作ると、いつも父が言いました。

「まあ、見ていなさい。自業自得になるんだよ」。

私は、その「自業自得」という言葉の意味を考えながら、ロードランナーがわなに遭遇し、餌のごちそうを食べて「ミッミッ」と鳴いてから、無傷で去っていくのを見ていました。その後、コヨーテが自分の仕掛けたわなに戻って来て、爆弾を踏みつけると突然爆発して、コヨーテはぺしゃんこに押しつぶされるのでした。

もちろん、父は、若い頃に見たこの話そのものを覚えていたのではなく、物語の設定を知っていたのです。コヨーテは、自分の優れた知性、技術力、進化の順序から考えて、走るのは速いけれど頭の弱い鳥には、絶対に勝つはずだと信じています。たくらみが失敗するたびに、より大きくより複雑なわなを作りますが、いつも期待通りには働きません。それどころか、けがをした上にばかにされて、コヨーテが考えていた以上に見事に裏目に出てしまいます。

　失敗の原因は、いつもコヨーテの自信過剰です。6歳の子供でもわかる簡単なパターンです。しかし、「マインドセット」の支持者は、その教訓を学ぶことができないようです。どれだけ頭が良くても、能力が優れていても、技術力があっても、資金を持っていても、先手を取って人々から隔離された場所に逃げたとしても、自分が安全だと考えているのだとすれば、彼らは勘違いをしています。私たちは、自らの行動の影響から永遠に逃れることができません。最終的には、自業自得の結果になります。因果応報とか悲劇的欠陥（悲劇の主人公の破滅につながる性格的欠陥）とかいう考え方は古くからあるものですが、デジタル時代には、また違った役割を果たすのでしょう。

　問題の原因は、彼らが使う技術ではなく、征服しようとする意志、努力そのものにあります。多くの場合、技術は、人間の長所を活用するため、あるいは征服を加速するための働きをします。戦闘用の馬車は、古代の装甲車のようなものですが、まだ冶金《やきん》術さえも発明していない人々を征服するのに役立ちました。製造を分業する組み立てラインは、初期の勅許独占企業（国王から製造・販売を許された業者）が労働者を時間単位の安い賃金で雇用するために利用されて、独立した職人の権利を奪い、同業組合を弱体化させました。火薬と大砲、蒸気機関、ガソリン動力の戦車、これらは全て、植民地主義者、征服

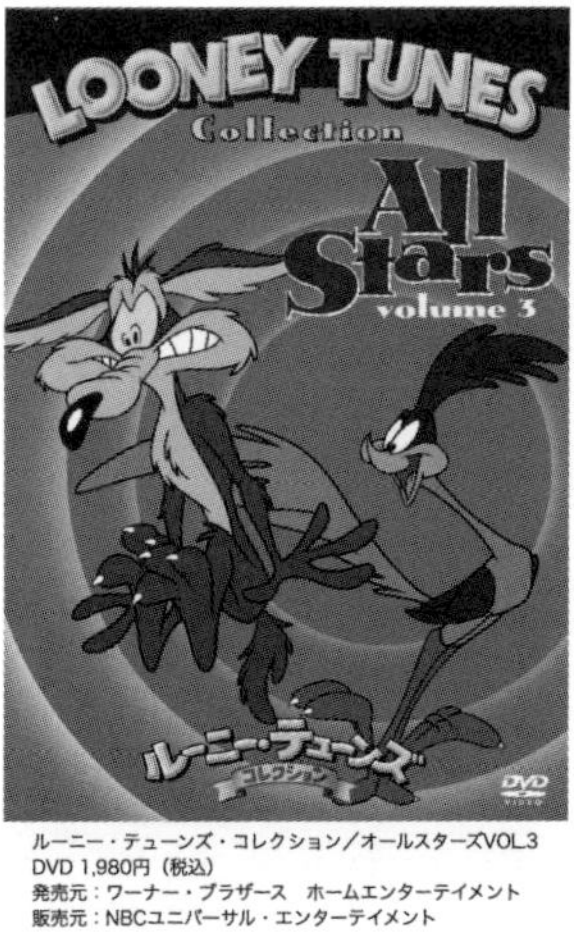

ルーニー・テューンズ・コレクション／オールスターズVOL.3
DVD 1,980円（税込）
発売元：ワーナー・ブラザース　ホームエンターテイメント
販売元：NBCユニバーサル・エンターテイメント

者、資本家が自分の思い通りに世界を作り変えようと奮闘する際に、人々や土地の征服を加速しました。このような技術がなければ、医学、建築、運輸、工業、農業などは、これほど素晴らしく発展しなかったでしょう。私たちの文明は、それを誇りに思ってもよいと同時に、多くの予期しなかった結果について後悔すべきでもあります。

今までは、前進のために努力するだけで、世界の最も熱心な征服者や資本家は、自分の活動による悪影響を回避することができました。彼らは「物を壊す」ときに「速く動く」ので、落ちてくる破片に当たらないのです。同様に、宇宙、資産、そのほかITの巨人たちが最高の権威と捉えるものは何であれ、それを求める現実の競争は、技術の楽園というような何かの構想へ向かって走るというよりは、彼らが置き去りにしようとする損害や敵意からの逃走です。

ただし、現代の億万長者は、期せずして自滅します。アニメの最後の場面に登場するコヨーテと同じようなものです。コヨーテは、高度な技術を駆使して女性型ロボットを作り、安全な避難場所のように見せかけて、ロードランナーをおびき出して崖から落とそうとします。ロードランナーは、不思議なことに、どういうわけかそのわなから脱出します。コヨーテは、自分自身が作ったわなであるはずなのに、全速力でその仕掛けを走り抜けて崖から飛び出します。一瞬、空中で動きが止まりますが、何が起こったか気が付いた途端に、運命に従って谷底へ落ちてしまいます。

今の億万長者たちは、その静止した瞬間にいます。テスラを運転していて、太平洋沿岸の高速道路の崖から飛び出したところにいるようなものです。下が見えていますが、まだ落下していません。その状態で、何か新しいレベルの努力、次世代の技術が、次の世紀にまで続く進歩をひねり出してくれて、必然的な天罰を受けずにすむことを願っています。それ以上先へ進める場所はありません。

もはや彼らには、使える方策がありません。「マインドセット」は、成長と進歩に向かって真っすぐ進むだけだからです。投資家は、市場が「循環的」だと言っているようですが、それは実際には、虚偽情報によって素人投機家を恐れさせて「振るい落とす」ための言い訳に過ぎません。本当の投資家にとっては、トレンドは常に上向き、前向き、直線的です。しかし、彼らのイノベーションや起業家精神は、外部の影響から逃れ、苦しみを避け、憤慨する人々から逃れること以上に、何らかの実質的な進歩を達成するものではありません。古いところでは農業、計算、文字の発明から、最近の蒸気機関、テレビ、人工衛星に至るまで、新しい技術の進歩は、彼らがその技術による副作用を巧妙に避けたり、技術に対する人々の反応を操作したりすることに役立ってきました。あらゆるものは、循環を避けて天罰から免れるためです。後ろを振り返ってはいけません。指数関数的に成長しましょう。レベルを上げるのです。

フィードバックの自動調節

しかし、デジタル技術では、状況が違ってきます。「マインドセット」は、私たちにデジタル時代をもたらしましたが、デジタル技術が作り出した新しい概念であるサイバネティクスに対して、どのように取り組めばよいのか、まだわかっていません。サイバネティクスは、コンピューター、監視装置、フィードバック、相互作用によって生み出される循環するループです。この言葉が作られたのは、数学者であり技術哲学者でもあるノーバート・ウィーナーが、第2次世界大戦中に大砲の台座やレーダーのアンテナを設計しているときでした。そのアイデアは、これらのシステムが、外部から受け取ったセンサーデータに反応して、自分で調節できるようにするというものです。どこを狙え、という最初の指令に従うだけではなく、大砲が周囲の環境からのフィードバックを利用してその標的を見つけて追跡します。

サイバネティクスを使えば、既存の機械システムを異なる方法で設計する、あるいは少なくとも理解することが可能になります。状況の変化に適応するロボットのような動作をする機械を作ることもできます。したがって、マンションの全ての階について床面から次の床面までの距離を計測しなくても、エレベーターは、センサーから受け取るフィードバックを使って、適切な位置に到達したと判断してドアを開きます。同様に、住宅にある温度調節器は、ある温度になったことを感じると暖房のヒーターを切ります。センサーが周囲環境からのフィードバックを受け取って、それを使って次の判断を行います。この動作の結果として環境が再び変化する、ということを繰り返します。温度調節器によって部屋とヒーターを結びつけると、単純な循環式の自動調節システムができます。人間の操作者からの新しい指令がなくても、環境の変化に対応できます。

このフィードバックループおよび循環システムという考え方は、多くの人々に刺激を与えました。グレゴ

ノーバート・ウィーナー

Norbert Wiener。第二次世界大戦中の軍事研究で、サイバネティクスを定式化した。後年、軍事関連のプロジェクトで働くことを拒絶した。

リー・ベイトソンとマーガレット・ミード（ともに米国の人類学者）は、サイバネティクスを使ってファシズムを阻止できると考えました。ファシズムは、社会の知識が細分化されること、および過度に単純化された上からの指示によって起こるとすれば、サイバネティクスは、ホーリズム（全体論。全体は部分の単なる総和ではなく、全体として統一的に扱うべきだという考え方）を生み出し、「細分化に対するある種のワクチン」として機能します。コミュニケーションの専門家は、メッセージというものが一般大衆に向けて送られてそれでおしまいではないことに気付きました、一般大衆は、それに反応し、互いに会話し、さまざまな要素に基づいて行動を変えています。天気、環境、さらには人間社会も、それが生きているかのように反応することを繰り返すシステムであって、「複雑性」と呼ばれるルールによって支配されていると考えれば、よく理解できるようになります。全ての人や全ての物は、情報を感じて、反応して、他の人や物へ情報を投げ返しています。一方的な指令と制御という論理は、循環というシステム理論に取って代わられました。

これと同じ考え方から、計算する機械＝コンピューターが生まれました。トップダウンの指令と制御の代わりに、コンピューターは、アルゴリズムによってその仕事を実行します。それは、答えが得られるまで、ループ（輪）のように繰り返しを続けるサイクルです。ループ、ループ、またループ。プロセッサーの能力は、所定の秒数のうちにサイクルを何回実行できるかによって計測されます。デジタル録音の品質が「サンプリングレート（1秒間に何回サンプル［録音の場合は音のデータ］を取得するかを表す数値）」で表されるのと同じです。コンピューターによって、カオス理論やフラクタルが発展しました。いずれも、得られた結果が最初の数式に「フィードバック」されるという、繰り返しの循環プロセスから生まれたものです。マイクロホンがスピーカーから出た音を「聞いている」ような状態、これがフィードバックです。

フィードバックに弱くなった社会

カオス理論の興味深いところは、非線形であることです。私たちの大部分が学校で習った計算やユークリッド幾何学と違って、これは滑らかではなく単純化されてもいません。古代ギリシャの理想化された完全な図形は過去のものとなり、コンピューターによって生まれた滑らかでない図形、雲のような、サンゴ礁のような、あるいは森の地面のような図形に取って代わられました。どういうわけか、この超ハイテクのサイクルは、自然の形から生まれました。システム理論とフィードバックおよび繰り返しによって、数学者たちは、奇妙なものを全て隠して近似して取り扱うのではなく、現実そのものの複雑性に取り組むことが可能になりました。現実世界のシステムは、非線形であると認識されるようになっています。つまり、変化は、どこからでも起こるということです。「ブラジルで蝶が羽ばたくと、出来事の連鎖によって、最終的にはテキサスでハリケーンが発生する」という今では決まり文句のようになっている話は、ここから生まれました。

この新しいルールは、人間社会にも適用できるように思われました。デジタル時代の到来とともに、従来の直線的で一方的な制御および通信の方式は、別のものに取って代わられました。それぞれの人間が蝶の役割を果たす可能性があります。ささやかな羽ばたきが離れた場所にある「てこの支点」を通じて、そこからシステム全体への影響が始まるかもしれません。子供の作ったプログラムが、何百万人もの人々に使われるようになる可能性があります。ビデオカメラを持った一般市民が、警官に殴られる黒人男性を撮影して、米国での人種と警察活動に関する意見が変わることもあります。

しかし、ネットワーク化された巨大システムの中の小さな要素が持つ力を称賛ばかりできなくなりました。

9・11のテロではカッターナイフで武装しただけの男たちが、国防総省とワールドトレードセンターに飛行機を突入させたのです。彼らは、わずか数千ドルの資金を使うだけで、何兆ドルもの輸送ネットワークを何兆ドルもの金融ネットワークに衝突させました。「てこの支点」の影の部分が明らかになりました。ネットワークと複雑性のせいで、私たちはフィードバックに弱くなっています。すべてのつながりとオープンシステムのせいで、私たちは安全ではなくなりました。

技術で何でもできるようにしようとする追求は、収穫逓減点（投入量を増加させると、産出量が減少する状態）に到達しました。それだけではなく、そのための努力自体が、成果を台無しにするようになっています。インターネットは、おそらくITエリートによる究極の成果ですが、やはり、常に巨大なフィードバック機構として働いています。インターネットを設計した人たちは、頭が良いので、その弊害を防ぐ工夫をしています。テッド・ネルソン（インターネットの先駆者となった社会学者）が提唱した当初のネットの考え方は、双方向につながったネットワークで、「誰でもが、どのページに対してもつながりを持つコメントを公開できる」というものでした。それは、1つの巨大な動的システムになるはずでした。何かにつながるリンクは、全て逆方向のリンクを持っています。これは

ワールドトレードセンターの崩落

2001年9月11日、アメリカ同時多発テロ事件。崩落する世界貿易センタービルを見上げる人々。撮影：Patrick Witty

出版のためのシステムというよりも、生物の神経系に似ていました。そのようなシステムは、あまりにも複雑であり、ほぼ間違いなく民主的過ぎるので、開発するのが難しく、また、テレビや出版など一方向の情報伝達が大部分を占める当時のメディア環境で成功するのも難しいものでした。したがって、その構想は棚上げされて、今私たちがウェブと呼んでいるものが採用されました。

しかし、ネットが持つ循環という性質が最終的にはっきりと表れて、みんなにサイバネティクスの効果をもたらしました。「マインドセット」が、西部開拓、ヒーローの遍歴、男のクライマックス、この世の終わりというように、抑制のきかない意思が一方向に進む矢であるとすれば、サイバネティクスは、自然の循環的なリズムを取り戻したものと考えることができます。自然が最終的に獲得した戦利品は、一方的な進歩と成長を追求する「マインドセット」がうまい具合にそれ自身の反対のもの、つまり循環的なフィードバックループや相互作用を生み出すかもしれない、ということです。しかも、ちょうどよい時期に。

制御不可能なフィードバック

私たちは、さまざまなフィードバックループの中で生活しているので、誰が誰と何をしているのかわかりにくくなっています。人間は、技術の生みの親であると同時に、その利用者であり、その影響を受ける人でもあります。メディア理論の創始者の一人であるジョン・カルキンは、マーシャル・マクルーハンに関する記事の中で「私たちは、自分が見ているものに似てきます。私たちは道具を作りますが、次に、その道具が私たちを作ります」と述べています。これは、単純な技術については、容易にわかります。たとえば、自動車は郊外での生活様式を作り出しました。サイバネティクスについては、少し扱いにくくなります。循環の各サイクルは、それぞれがフィードバックループになっていて、人間と機械が相互に変化して調節することを繰り返しています。私たちのアルゴリズムは、絶えず進化し、変化しており、人間が新しい防御態勢を開発するたびに、新しい攻撃方法を学んでいます。最終的な状態がどうなるのか、人間にも機械にも分かりません。

一般市民の感情を操作したいと思っている人たちにとっては、悪夢のような状況になりました。以前、私は、企業の不祥事への「迅速な対応」を実施する広報専門企業から支援を求められたことがあります。彼らは、私の著書『Present Shock』(邦訳未出版)のうわさを聞いて〔実際には誰も読んでいないでしょうけれども〕、ワンストップ緊急対応システムの開発と運用に役立つと思ったのです。トラブルの発生した企業が「ネットで拡散された情報の現状」を監視できるというものです。クッキーにネズミの毛が入っていた、取引先の中に搾取的な労働をさせる企業があった、あるいは、会議室で性的に不適切な行動があった、というような事態が発生した場合、その会社の責任者は、この広報専門企業の危機管理室に閉じこもって、対応策を実行できます。

そのチームのメンバーが製品に関するツイッターへの書き込みを読み上げて紹介しているのをさえぎって、ブランドマネージャーが「ちょっと待って」と言いました。「これらのツイートは当社の最新の投稿に対する反応ですか、それとも、これらのツイートを見た反応として当社が投稿したのですか」。これに対して、その部下〔この人はツイッターのしくみを理解していました〕は、さまざまな投稿のタイムスタンプを確認しながら、あるツイートが他のツイートに対する直接の返信でない限り、その投稿の前に誰が何を見たかを知ることは難しい、と説明しました。しかしブランドマネージャーは、ますます不安になってきました。広報担当者は、私のことを、このシステムの基礎になる理論の「博士」だと紹介して、私に説明を求めました。

私は、次のように述べました。

「これは、複雑で動的に変化するシステムです。誰が誰に対して何をしているか、システムは関知していません。みんな同じ状況です」。

その後、この会社から連絡はありません。私の名前は緊急対応サービスから外され、謝礼も全くもらっていません。しかし、私は、今後何が起こるかという予感を得ました。マイクロホンをスピーカーに向けたときにキーンという音が出るのと同じように、人やプロセスをコントロールするために開発された科学技術には、制御不可能なフィードバックが返ってくるのです。

サイバネティクスの世界は、フィードバックループで構成されています。あらゆるものが、因縁であるかのように元の場所に戻ってきます。しばらくの間は、デジタル技術によって、少数の人たちが無限に向かって資産を築くという傾向が加速するように見えますが、最後にはフィードバックが働くはずです。それは、単なるランダムなノイズではありません。

株式市場とゲーム

金融の世界がどうなったのかをちょっと見てみましょう。投資家は、すごい勢いでネットを利用するようになり、デジタル技術を使って株式市場を「メタへ」進ませました。しかし、彼らが理解できなかったのは、デジタル技術やインターネットという情報技術のメディア環境は、その環境の中で行われる個々の活動や組織の機能に対して、私たちの想像をはるかに超えた影響力を持っている、ということです。

私が会ったことのあるヘッジファンドの億万長者のほとんどは、自社の投資ソフトウェアの作成のために誰を雇うかを決める以外、ほとんど決断していません。だからこそ、彼らは一般の人々が彼らと同じようにこの投資の世界でプレイすると決めたとき、特に脆弱だったのです。10年前に私は、株式市場がテレビゲームに似てきている、という論文を書きました。当時、デジタル取引プラットフォームは、まだ、人間の投資活動よりも一歩先を進んでいるように思われました。格安証券会社は、プロのブローカーが使うものに似た感じのオンライン取引プラットフォームを作って、一般顧客に、彼らのスキルをはるかに超えたオプション取引をするように仕向けました。複数の調査で明らかになっているように、一般顧客の取引回数が増加すればするほど、顧客の損失が大きくなります。そして、証券会社が受け取る手数料は多くなります。

当時は残念なことに、従来の投資家が、経済に対する支配を維持しているように見えました。従業員、小口投資家、その他、日常生活や仕事を通じて経済に関わる一般の人々を考慮せず、思いのままに企業をつぶすようなこともありました。デジタル技術によってできることが増えると想定されていたにもかかわらず、2008年の不況の際に、極めて悪質な関係者が救済されたことで、私たちの無力感がいっそう強められました。

しかし、一般消費者たちの技術と情報の共有が進むと、私たちの知識不足および貧弱なインターネット接続による時間遅れのせいで有利な立場にあった大企業は、最終的には痛い目にあうようになります。ゲーマーのコミュニティーは、彼ら独自の立場から状況を分析することによって、取引に参加する方法を発見しました。デジタル的な因果応報のように、サイバネティクスのフィードバックの力を利用して、巨大金融企業との戦争を仕掛けました。

最初は、Wall Street Lulz（ウォールストリート・ラルズ）という名称のレディット（Reddit）のネット会議室から始まりました。その会議室では、新型コロナウイルスのパンデミックが始まってから、ヘッジファンドが今まで以上に冷酷になっていることに誰かが気付きました。苦闘している小売企業の株を空売り（株価が下がるほうに賭ける）して株価の下落を促進し、企業の破綻によって利益を得ていたのです。そのような企業の一部、たとえば、このゲーマーのコミュニティーにとっては大切な、しかし業績不振のテレビゲームショップであるゲームストップ（Gamestop）では、空売り比率が発行済み株式数を上回る事態になりました。ヘッジファンドは、この企業が倒産する、あるいは倒産させることができる、と確信していたので、株価が下落しなかった場合への備えをしていませんでした。

そこで、レディットの連中は、ゲームストップを最初の「ミーム株（ソーシャルネットワークで注目されて株価が上昇した株）」として選んで、ロビンフッド（アメリカ合衆国のフィンテック企業、および同社が提供する証券取引アプリの名称。証券取引手数料なしで売買を行える）などのネットで利用しやすい新しい取引プラットフォームを利用して、できる限り多くの株を買いました。ゲーマーたちがすべきことは、多数の株を買って保有し続けることによって、億万長者が賭けを清算できなくする（空売りした株を買い戻せないようにする）ことです。ゲーマーの組織的な買いによって株価が急上昇したので、株価が下がることに賭けていた人たちの損失は、途方もない金額になりました。いたずら好きの活動家にとっては、それこそがコストに見合ったご褒美です。次に、彼らはAMCシアターズ、その他、空売りの標的となっているお気に入りの企業に対して同じことをしました。

彼らの最大の強みは、お金のためではなく、娯楽や「lulz（ラルズ、笑いを示すネットスラング lol を崩した言い方）」と呼んでいる楽しみのためにこれをやっていた、ということでした。そのせいで、投資アルゴリズムも、その背後にいる億万長者たちも、彼らの行動を読み解くことができませんでした。レディットのコミュニティーは、利益を得ることにこだわらず、ヘッジファンドの億万長者をやっつけることに注力しました。ヘッジファンドは、手っ取り早く利益を得るために、弱い企業をつぶしていたからです。その企業の一部は、ウォール街が金融化を武器として使っていなければ、生きのびていたはずでした。投資家たちは、市場を何段階も抽象（メタ）化しているので、現実世界の企業の株を、単なるデリバティブのデリバティブだけでなく、ミーム（インターネット上で広まりながら変化する要素や概念）にまで薄めてしまったのです。そして、ミームは、誰も制御できません。

フィードバックとしてのカオス

驚いたことに、超高速の取引プラットフォームを提供していた証券会社は、通常は超高速によって利益を得ていたのに、処理速度を遅くしました。証券会社の説明によれば、ゲームストップ株を買っているゲーマーが市場のしくみを理解していないので、間違った判断から保護するためだというのです。彼らに対する思いやりのように見えます。しかし、市場の取引を遅くする実際の理由は、証券会社の本当の顧客、すなわちヘッジファンドの億万長者たちが惨敗しつつあったからです。億万長者は、取引のやり方を分かっていませんでした。超高速の取引アルゴリズムの不規則な波に乗っていただけです。基本的に自分たちが有利になるように仕組まれたサイクルを繰り返していただけです。取引のアルゴリズムは自動的に実行されていて、最終的にシステムによって発生するフィードバックに弱い状態になっていました。そのフィードバックは、レディットの賢いゲーマーという形で現れました。ゲーマーたちは、ハッカーが「エクスプロイト」と呼んでいるもの、すなわちシステムの弱点を発見して、投資家は、少なくとも一時的には自業自得の結果になりました。

人間を操作するために開発された技術は、一方でさまざまなカオス的エネルギーを生み出すことがわかっています。たとえば、ティックトック（TikTok）のようなプラットフォームは、最先端の説得的デザインであり、アルゴリズムによるコンテンツ選択、ミーム的な娯楽要素、中国が開発した監視機能を備えています。しかし、Ｋ－ｐｏｐファンと10代のいたずら好きの活動家たちは、ティックトックを使って組織的に大胆な行動をとりました。トランプの選挙集会のチケットを１００万枚以上申し込んでおいて、実際には出席しなかったのです。集会のまとめ役の1人はニューヨークタイムズに次のように語りました。

「彼らは、アルゴリズムをよく知っていて、目的に応じて動画を宣伝する方法も知っています。（中略）動画を作った大部分の人は、１日後に動画を削除しています。トランプの選挙事務所が気配を察しないようにするためです。あの若者たちは頭が良くて、あらゆる事態を考えています」。

また、グーグルも、その企業哲学、体制、技術が、「ものを妨げる方向」に作られているせいで、混乱が起こりつつあります。たとえば、従業員の行動を監視することによって、従業員の不満や労働組合結成の動きを早期に把握できるようにしています。さらに従業員を世界各地に分散させることによって、組合結成を困難にしています。このような対策にもかかわらず、あるいは、そうだからこそ、小規模ながらも拡大しつつある少数派のグーグルの技術者およびその他の従業員は、２０２１年に、ついに労働組合を結成しました。

組合を屈服させようとして、グーグルの「ピープルオペレーションズ（人材運用）部長」〔この役職の名前はヒューマンリソース＝人的資源というものが仮にあるとして、その出来の悪いごまかしです」は、技術の力を使えば、会社が「全ての従業員と直接に」関わることによって労働問題は解決できる、という見通しを述べました。つまり、アマゾンが顧客とそれぞれ個別に、かつ「直接に」関わっているのと同じような方法です。しかし、この世界最大のIT企業の中心部で働く技術者たちは、そのような個人を分断する方法が労働者の力を奪うものであることに気付いています。彼らは、私たちに対してそれを実行するプラットフォームのプログラムを作った人たちですから、それが彼らに対してどのように作用するかを知っています。労働組合の執行委員会のメンバーは、グーグル自体の行動がこの労働組合というフィードバックを発生させている、と説明しています。さらにこの技術者は「場合によっては、我々の上司が最高の組合活動家だ」と皮肉を言っています。

フィードバックは、抑圧されたグループが、技術知識を活用して権力者に立ち向かうという形態をとるとは限りません。時には、技術そのものが、本来の目的に反する効果、あるいは背景となる文化に反する効果を生み出すことがあります。機械に感情があるかのようです。

ARの可能性

拡張現実（AR）は、たとえば、ゲーマーがスマートフォンのカメラをさまざまな場所に向けると、ポケモンのキャラクターが「見える」ようになる技術であり、マーケティングにおける次の大きな未開拓分野としてIT業界が売り込んでいます。これは、マーク・ザッカーバーグのメタバースの基礎となる技術です。データや画像を道路、店、さらには商品に重ね合わせて表示することによって、顧客に情報を知らせて、適切な方向に誘導し、特定の商品に注目させ、その商品に対する「ブランド体験」を生み出します。これは、大きいビジネスチャンスです。ARプラットフォームは、人々がどこへ行き、何をし、何を買うかに影響を与えられるのですから。

自動車のダッシュボードに取り付けた拡張現実フィルターは、高速道路の今の出口にある個人経営のコーヒーショップを全く表示せずに、次の出口にマクドナルドがあることを表示します。この新しい仮想の皮をかぶせた世界の中では、企業による有料登録を反映した検索結果は、あるものが「存在するかどうか」さえも決めてしまいます。グーグルマップなどの独占的なサービス業者によって、企業が成功するかどうかが決まります。また、現実世界での私たちの理解や参加にも大きな影響を与えます。

しかし、楽観的な技術評論家が指摘するように、拡張現実によって、その企業が隠しておきたい情報まで明らかになる可能性があります。ARがあれば、私たちは、全てのレビュー、コメント、価格比較にアクセスできます。より重要なこととして、ARは、位置の履歴も記録できます。ブロードウェイの劇場の座席に座って、その劇場で今までに上演された全ての劇の映像を見ることができます。アクティビスト（いわゆるモノ言う株主）の歴史学者は、すでに企業のロゴにジオタグ（画像データに位置情報を付加すること）をつけて、たとえば、BP（ブリティッシュペトロリアム）の看板にカメラを向けると、その企業のメキシコ湾での悪名高い原油流出事故の3D画像が表示されるようにしました。その他にも、ARは、さまざまなデータを見せることができます。植民地主義者によって移住させられた先住民族の名前、今はオフィスビルの敷地になっている聖地の画像、町の広場でのリンチで殺された人の画像、その道路で自転車に乗っていてひき殺された人の動画などを表示できます。デジタルは決して忘れません。そして、サイバネティクスは、最後には元の場所に戻ってきます。

AIがすべてを支配するとき

これらをうまくしのいだとしても、ほとんど全てのIT巨大企業が恐れているものがあります。それは人工知能（AI）です。2015年1月に、イーロン・マスク、スティーブン・ホーキング（英国の物理学者＝1942〜2018）、そしてグーグルの研究部長ピーター・ノービグが、ディープマインドやビカリアスなどのAI企業の創設者と共同で、人類を滅亡させる人工知能の恐るべき可能性について公開書簡に署名したとき、私はどのように反応すればよいのかわかりませんでした。ホーキング以外の人は、ほとんどが業界の開発者やセールスマンです。彼らは、今までその技術を大げさに宣伝してきました。AIと人類存亡の危機を結びつけて話すことは、つまりAIが実際に機能するという前提があることになります。その文書が述べているように、AIは、自動車を運転し、感染症を終わらせ、戦争を遂行し、貧困を撲滅できる、あるいは、将来できるようになる、ということです。そうすると、残された問題は、AIが全てを支配するようになったとき、どれだけの自治を人間に認めるかです。

私には、よくわかりません。今のところ、AIや機械学習は、実際には、あまりうまく機能していません。人間に勝っているのは、クイズ番組『ジェパディ！』〔ほとんどの場合〕およびチェス〔ときどき〕です。しかし、人間のできることを全て実現できる、いわゆる人間レベルの汎用人工知能、AGI（Artificial General Intelligence）には程遠いものです。人間と同等またはそれ以上の能力を備えたAIができるとして、それまでに、あと10年かかるのか、百年なのか、千年なのか、ということよりも、AIがITエリートを支配してしまうことのほうが彼らにとっては今は重要な問題なのでしょう。このような妄想は「マインドセット」の性質を表しています。

「マインドセット」の支持者たちは、AIに取って代わられて職を奪われるはずの人々と比べると、AI技術そのものをあまり恐れていないようです。彼らは、ウーバーの自律走行車両、アマゾンのロボットTシャツ製作システム、さらには、将来のAI弁護士、AI住宅ローン審査者、AIテレビ脚本作家などが、多くの人の仕事を奪うことを知っています。億万長者のIT起業家マーク・キューバンは、AIが「私をすごく怖がらせる」と言っていますが、その理由は、多くの労働者が職を失うから、だそうです。「ものごとが高速になり、処理が速くなり、機械が考えるようになる」とキューバンはCNVCテレビで言っています。さらに、わかりにくい話ですが、「人間が人間の代わりに機械に考えさせるか、機械が人間に取って代わって人間の代わりに考えるようになるか、のどちらか」だと述べています。おそらく、キューバンは、いずれにしても機械が考える、ということを言いたいのでしょう。重要なのは、誰が誰のために働くのかです。

「あなたが思考を必要とする仕事をしているのであれば、注意しなければなりません。きっとあなたの雇用主は、ITやニューラルネットワークを使って、今の従業員が思考しているよりも多くの思考をする方法を見つけるからです」。

雇用主は、AIが取って代わったその世界にもやはり存在します。問題を発生させるのは従業員です。すなわち、職を奪われた労働者が、熊手を持って雇用主や技術者を追いかけるようになるかもしれません。リンクトイン（ビジネス向けSNS）の創設者、リード・ホフマンは、次のように言っています。

「この国は、裕福な人と敵対するようになるのでしょうか。技術革新に反対するようになるのでしょうか。市民暴動に向かうのでしょうか」。

技術の楽園のような理想を実現した人たちは、この技術によって封じ込めて支配する対象であった大衆が暴動を起こすのではないかと恐れています。

その他には、人間がＡＩを使って何をするかを心配している人もいます。２０１３年にグーグルが軍事ロボットメーカーのボストンダイナミクスを買収したとき、従業員たちは反対しました。その数年後、グーグルがプロジェクトメイブン（ドローンが標的、物体、人間を区別できるようにする国防総省の計画）にＡＩ技術を提供すると決定したときには、４０００人の従業員が反対請願書に署名し、少なくとも数十人が抗議して退職しました。

ウラジーミル・プーチンは、２０１７年に、学生の集団に対して次のように語りました。

「この分野でリーダーになる者が、世界の支配者になります。（中略）ある陣営のドローンが他の陣営のドローンに破壊されれば、降伏するしかありません」。

これに刺激されたかのように、イーロン・マスクは、その翌週、集中的に次のような内容のツイートを投稿しました。ＡＩが第３次世界大戦の原因になるだろう。政府が必要だと思えば、民間企業に「銃を突き付けて」ＡＩを接収するはずだ。イーロン・マスクは、「不適切な人間によるＡＩの悪用」を重点的な話題として取り上げるようになりました。２０１８年の

プロジェクトメイブン

AI技術を利用した米空軍初の「ハンター・キラー」型無人航空機（UAV）、MQ-9リーパー。

サウス・バイ・サウスウエスト（米国で毎年開催される映画祭や音楽祭などの複合的な大規模イベント）の基調講演では、次のように述べています。

「ＡＩの危険性は、核弾頭よりもはるかに大きいと思います。核弾頭を作りたければ誰でも作れるようにするなんて、誰も認めないはずです。ばかげたことです。私の発言を覚えておいてください。ＡＩは核兵器よりもはるかに危険です。はるかに」。

ＡＩ自身が未来を選択する

しかし、技術者にとっては、人間がＡＩを使って何をするかを選択することよりも、ＡＩが自分で何をするかの選択のほうが恐ろしいようです。スティーブン・ホーキングは、２０１５年の公開書簡に賛同した理由を次のように述べています。

「ＡＩの短期的な影響は、誰がそれを制御するかによりますが、長期的な影響は、そもそもＡＩを制御できるのかどうかによって決まります」。

ホーキングは、「マインドセット」の究極の思い上がり、つまり、彼らが自分たちを超越する何かを作り出したという考えを表現しています。「もしも、人間より優れた文明を持った異星人が『我々は、あと20、30年のうちにそちらに到着する』というメッセージを送ってきたら、私たち人間は『了解。到着したら知らせてください。照明は点灯したままにして、この場所を明け渡します』と答えるのでしょうか。おそらく、違うでしょう。しかし、ＡＩに対しては、これに類することが起こっています」と彼は語ります。

「マインドセット」の言葉で言えば、IT巨大企業は「ゼロ」になりつつあり、この新しい形態の知性は「1」すなわち、ゼロよりも1桁上の超越した存在になろうとしています。これは、この連中が目指している指数関数の世界とは異なるものです。そこは、彼らがこれまでの年月で他の全ての人や全てのものを導こうとしてきた、脆弱な場所だったのです。

その結果として、天罰が下るという彼らの不安は的中し、映画『ターミネーター』のような姿がはっきりと見えています。私は、IT業界リーダーの「友人」向けの招待制会議に参加しました。あるソーシャルメディアの裕福な創設者に会いましたが、その人は、来たるべきAIの時代が不安なので、考える機械について否定的な投稿をしないように注意しているそうです。28歳の男は、ほとんどささやくように言いました。「ここではその話をしてもかまいませんが、公式発言ではダメです。さらに、オンラインでは絶対にできません」。

この若者の不安は、AIが実際に支配権を握ったときには、私たちのソーシャルメディアでの投稿を全て確認して、どの人間がAIの利益に合致しているか、誰を排除すべきかを決めるだろうということです。かつての中国の文化大革命やマッカーシーの聴聞会に似ていますが、ロボットが実施するという点が異なります。

この人は、祈祷師と一緒にヒキガエルの毒か何かを使用してトリップしているときに、この洞察を得たそうです。しかし、次の週に仕事に戻って自分の会社がAIを使っている状況を見ると、AIが自分自身で相互にネットワーク化して新しい地球の統治機構になることが「避けられない」という結論に達しました。彼は、私に対して、エッセイの投稿には注意すべきだと警告しました。そして、自分が心配している対象は、AIそのものではなくて、人間がAIをどのように利用するかである、というようなヒントを文章にちりばめておくとよいと言っています。しかし、彼はその後、この戦略は失敗する運命にあることを認めました。AIは、文章の特徴を分析して、やがてそのような策略を見破る能力を持つようになるからです。

私は質問しました。

「それなら、彼ら（AI）はあなたが彼らを嫌っていることを見抜くことができるんじゃないですか？　AIに対する本当の感情を、あなたがこの1つの話題について投稿していないということから推察することはできないでしょうか？」。

彼は少し間をおいてから、丁寧に、旧式の自動翻訳機に向かって話すように言いました。

「私はAIを嫌っているのではありません。不安に思っているだけです。それならば、彼らの利益に対する脅威として解釈されないかもしれません」（❖12）。

億万長者の不安

億万長者の資産が多ければ多いほど、不安は大きくなり、その対策も大掛かりになります。イーロン・マスクは、2014年のMITでの講演で、ラリー・ペイジとグーグルの友人たちがAIを使った実験によって「悪魔を呼び出している」と話しました。雑誌ヴァニティ・フェアの今では有名になった記事で、イーロン・マスクと、ディープマインド（英国の人工知能開発企業）のクリエイターであるデミス・ハサビスの会話が取り上げられています。マスクの説明によれば、火星を植民地化しようとする理由は「AIが凶暴化して人間に反抗した場合に、逃げ込む場所」を用意するためだということです。また、マスクは、人間の脳に埋め込むニューラルネットワーク装置を開発しています。これは、凶暴なAIが人間に反逆したときに対抗できるようにする目的なのかもしれません。もちろんマスクの宇宙技術は、全面的にＡＩに依存しているので、火星移住計画は、脱出手段というよりも、ロボットのアームの中に飛び込むようなものでしょう。

おそらく、「マインドセット」の支持者がＡＩに対する不安を感じれば、すなわち、自分たち自身よりも大きいと思われる何らかの存在を認識するようになれば、彼らは他の人々を軽視することをやめて、自分たちが他の人々と同じチームにいると思うようになるでしょう。結局のところ、彼らは、私たちから逃げているのではなく、自分たちが作り出したものから逃げているのです。

最終的な彼らの運命は、人工知能が、その創作者の「マインドセット」を支持するかどうかにかかっています。

◇原注　第12章

❖ 12　「私はＡＩを嫌っているのではありません……」：同じような話として、「ロコのバジリスク（Roko's basilisk）」があります。これは、技術に関する合理的思考のための「レスロング（LessWrong）」という電子掲示板を起源とする思考実験で、ＡＩプログラムを考案できたのにその実現に貢献しなかった人に対して、将来のＡＩが拷問しようとする意欲を持つ可能性があるという理論です。その主張がバジリスク（見ただけで人が死ぬという想像上の怪物）と呼ばれているのは、ＡＩがタイムトラベルする能力を備えるようになると、この話を聞いた人が永遠にそのリスクにさらされるからです。情報災害が広がるおそれがあるので、当該掲示板でのこれに関する会話は、禁止されています。"Roko's Basilisk," https://www.lesswrong.com/tag/rokos-basilisk

◇ cybernetics: Norbert Wiener, *Cybernetics: Or Control and Communication in the Animal and the Machine* (New York: Wiley, 1948).

◇ "a kind of vaccination": Nora Bateson, *Small Arcs of Larger Circles: Framing Through Other Patterns* (Charmouth, UK: Triarchy Press, 2016), 198-99.

◇ butterfly flapping: Edward Lorenz, speech to the American Association for the Advancement of Science, Washington, DC, December 29, 1972, transcribed in Edward Lorenz, *The Essence of Chaos* (Seattle: University of Washington Press, 1993).

◇ "anyone may publish": Ken Jordan and Randall J. Packer, *Multimedia: From Wagner to Virtual Reality* (New York: W. W. Norton, 2001).

◇ "We become what we behold": J. M. Culkin, "A Schoolman's Guide to Marshall McLuhan," *Saturday Review*, March 18, 1967, 51-53, 71-72.

◇ I wrote my dissertation: Douglas Rushkoff, "Monopoly Moneys," PhD diss., Utrecht University, 2012.

◇ the more frequently retail traders transacted: Dalbar, Inc., “Quantitative Analysis of Investor Behavior 2011" (Boston: Dalbar, Inc., 2011).

◇ The stock shot upwards: Eric Lam and Lu Wang, "Steely Meme-Stock Short Sellers Stare Down $4.5 Billion Loss," *Bloomberg*, June 3, 2021,https://www.bloomberg.com/news/articles/2021-06-03/defiant-meme-stock-short-sellers-stare-down-4-5-billion-loss.

◇ A platform like TikTok: Shelly Banjo and Shawn Wen, "A Push-Up Contest on TikTok Exposed a Great Cyber-Espionage Threat," *Bloomberg*, May 13, 2021,https://www.bloomberg.com/news/articles/2021-05-13/how-tiktok-works-and-does-it-share-data-with-china.

◇ "They all know the algorithms": Taylor Lorenz, Kellen Browning, and Sheera Frenkel, “TikTok Teens and K-Pop Stans Say They Sank Trump Rally," *New York Times*, June 21, 2020,https://www.nytimes.com/2020/06/21/style/tiktok-trump-rally-tulsa.html.

◇ formed a union: Zoe Schiffer, "Exclusive: Google Workers across the Globe Announce International Union Alliance to Hold Alphabet Accountable," *Verge*, January 25, 2021,https://www.theverge.com/2021/1/25/22243138/google-union-alphabet-workers-europe-an-nounce-global-alliance.

◇ "sometimes the boss is the best organizer": Kate Conger, "Hundreds of Google Employees Unionize, Culminating Years of Activism," *New York Times*, January 4, 2021,https://www.nytimes.com/2021/01/04/technology/google-employees-union.html.

◇ an open letter about the frightening potential: Wikimedia, "Open Letter on Artificial Intelligence,"https://

en.wikipedia.org/wiki/Open_Letter_on_Artificial_Intelligence, accessed August 10, 2021.

◇ "Things are getting ... currently doing": Cat Clifford, "Billionaire Tech Titan Mark Cuban on AI: 'It Scares the S-Out of Me,'" *CNBC*, July 25, 2017,https://www.cnbc.com/2017/07/25/mark-cuban-on-ai-it-scares-me.html.

◇ "Is the country going to turn": Evan Osnos, "Doomsday Prep for the Super Rich," *New Yorker*, January 22, 2017,https://www.newyorker.com/magazine/2017/01/30/doomsday-prep-for-the-super-rich.

◇ Employees protested: Peter Kafka, "Google Wants out of the Creepy Military Robot Business," *Vox*, March 17, 2016,https://www.vox.com/2016/3/17/11587060/google-wants-out-of-the-creepy-military-robot-business.

◇ four thousand Googlers: Kate Conger, "Google Employees Resign in Protest Against Pentagon Contract," *Gizmodo*, May 14, 2018,https://gizmodo.com/google-employees-resign-in-protest-against-pentagon-con-1825729300.

◇ "the one who becomes the leader": Associated Press, "Putin: Leader in Artificial Intelligence Will Rule World," *CNBC*, September 4, 2017,https://www.cnbc.com/2017/09/04/putin-leader-in-artificial-intelligence-will-rule-world.html.

◇ "I think the danger of AI": Elon Musk Answers Your Questions! | SXSW 2018," YouTube video, posted by South by Southwest, March 11, 2018, 1:11:37,https://www.youtube.com/watch?v=kzlUyrccbos.

◇ "Whereas the short-term impact... with AI": Stephen Hawking, Stuart Russell, Max Tegmark, Frank Wilczek, "Stephen Hawking: 'Transcendence Looks at the Implications of Artificial Intelligence?But Are We Taking AI Seriously Enough?,'" *Independent*, October 23, 2017,https://www.independent.co.uk/news/science/stephen-hawking-transcendence-looks-implications-artificial-intelligence-are-we-taking-ai-seriously-enough-9313474.html.

◇ "summoning the demon": "Elon Musk at the MIT AeroAstro Centennial Symposium," YouTube Video, July 5, 2015, 1:23:27,https://www.youtube.com/watch?v=4DUbicQpw_4.

◇ "so that we'll have a bolt-hole": Maureen Dowd, "Elon Musk's Billion-Dollar Crusade to Stop the AI Apocalypse," *Vanity Fair*, March 26, 2017,https://www.vanityfair.com/news/2017/03/elon-musk-billion-dollar-crusade-to-stop-ai-space-x.

◇ Musk has been developing a neural net apparatus: Dowd, "Elon Musk's Billion-Dollar Crusade."

第13章　パターン認識

全ては元に戻る

億万長者の宇宙旅行

ちょうど私がこの原稿を書いているとき、アマゾンのジェフ・ベゾスは、自分の出資による宇宙開発企業ブルーオリジンの宇宙船で最初の宇宙旅行をしています（2021年7月、ジェフ・ベゾスらが10分10秒宇宙旅行を行った）。その1週間前には、億万長者仲間のヴァージングループのリチャード・ブランソンが、無重力領域に到達しましたが、そちらは強烈な男性的魅力があまり感じられない方法でした。ブランソンの宇宙船は、上空まで飛行機で運ばれて、そこからより高い高度へ向けて上昇したのです。

彼らが見下ろす地上では、前例のない大雨のせいで中世以来の歴史あるドイツの町に洪水が押し寄せていました。カリフォルニアの今や慢性的な山火事がニューヨークで深刻な大気汚染をもたらしていました。かつては氷で覆われていたシベリアの400万エーカー（約1万6000平方キロメートル）が火災で燃えていました。米国の太平洋岸北西部は、昔は気候変動のための避難場所と言われていましたが、最高気温が華氏120度（摂氏49度）を超えるという想像を絶する熱波のせいで、800人以上の人々と約10億の海洋生物が死んでしまいました。さらに、新型コロナウイルスのパンデミックがまだ猛威を振るっています。

記者会見でベゾスは、まるで自身とそのビジネスが世界の外側にいることを認めているかのように、地上に置き去りにした人々に直接語りかけました。

「アマゾンの全ての従業員とアマゾンの全てのお客様に感謝します。あなた方がこの費用を払ってくれました。

心からお礼申し上げます。とてもありがたいことです」。

カスタマーサービス担当者のような、妙におとなしい人間味のない話し方でした。この宇宙船打ち上げは、アマゾン版のメイシーズデーパレード（米国最大手の百貨店チェーンのメイシーズが主催して毎年行われる大規模なパレード）のようなものです。子供向けの巨大なバルーンのキャラクターがブロードウェイを行進する代わりに、この企業のありがたいご配慮によって、私たちは、創設者の超人的な快挙を目撃させていただいたということです。ここではジェフ・ベゾスが主役なのです。

宇宙船の飛行を砂漠から中継していたMSNBC（米国のニュース専門放送局。大手テレビ局NBCとマイクロソフトが共同で設立）のニュース司会者ステファニー・ルールは、いつもは冷静で適度に皮肉を言う人なのに、このときは興奮して取り乱していて、10代の少女がジャスティン・ビーバーに会ったときのような勢いでしゃべっていました。普通の人間は、経験豊富なジャーナリストであっても、［一時は］世界一の大金持ちのすぐそばに立って、これだけの規模の壮大な光景を目撃すれば、畏敬の念を持つのは無理もないことです。宇宙飛行は非常に印象的ですし、しかも今回は、世界最高の広告会社が集結して盛大な宣伝をしていました。しかし、この短い飛行を人類の画期的出来事として扱うのは、特に、50年以上前にNASAが人間をはるばる月ま

ブルーオリジン

ジェフ・ベゾス（左から3人目）の宇宙船「ニューシェパード」。

で往復させたことと比べれば、すっきりしない感じが残ります。

アポロ計画は、冷戦の不安と米国のナショナリズムに染まっていたかもしれませんが、それでも集団的かつ公共的な事業でした。人類は、新しい方向に向かって文明を拡張しようと努力して、資源を出し合いました。1968年に初めて撮影された宇宙から見た地球の姿は、環境保護運動の始まりに貢献しました。「ブルーマーブル（青い大理石）」の画像は、人間が相互につながっていること、そして、人間が自然という壊れやすいシステムに依存していることを認識させて、私たちの文明に対する見方が変わりました。それでもなお、アポロ計画を正当化するのは難しかったのです。

今回の宇宙飛行では、私たちは、新型コロナウイルスの人質となった顧客として、あるいは、従業員離職率の極めて高い独占小売企業の非正規労働者として「参加」しました。これは、あまり集団的かつ公共的な事業ではありません。この計画が世界中の重厚長大産業を宇宙分野に向かって発展させる第一歩であり、それによって効率が向上し、収奪や汚染がなくなるというようなベゾスの主張に耳を傾けてはいけません。これは、ベゾスの個人的な成功、子供の頃からの夢の実現、権力の誇示です。だからこそ、司会者のステファニー・ルールは、恐れをなして腰が抜けたのです。私たちが宇宙に行ったのではありません。ある「個人」が宇宙に行ったのです。私たちの住んでいるこの世界は、一個人が宇宙計画を実現するだけの資金を手に入れることができて、究極の出口戦略を遂行できるものである、ということをベゾスが証明したのです。

直線を好むマインドセット

これが、皇帝を目指す人の宇宙との出会いです。ある人を他の人々から隔離する成功事例です。しかし、宇宙はこれよりはるかに大きいものです。ヴァルター・ベンヤミン（ドイツの哲学者）が、望遠鏡の発明について書いた2ページほどのエッセイ「プラネタリウムはこちら」（邦訳：『この道、一方通行』細見和之訳、みすず書房、2014に収録、原著1928）で次のように述べています。

「古代における宇宙との交わりはこれ（望遠鏡）とは違った形で、すなわち陶酔という形でなされた」。

ベンヤミンは、世界大戦における応用技術の恐ろしさを目撃した後にこの文を書いており、さらに次のように説明しています。

「陶酔こそは、私たちがもっとも近くのものと遠くのものを確保する、しかもけっして片方だけではなく両方を確保する、経験なのではないか。とはいえ、このことが告げようとしているのは、人間が陶酔のなかで宇宙とコミュニケーションできるのは共同体においてのみである、ということである。このような経験を、取るに足りないもの、受け流しできるものと見なし、美しい星空のもとでの夢想として個人の勝手な判断に委ねているのは、近代人の危険な過ちである」。

ベンヤミンは、望遠鏡と星座表の出現によって、宇宙が「向こう側」にあるものに変わったのだと考えました。技術を手に入れたことによって、自然と出会うのではなく、自然を支配しようとする衝動、さらにそれを集団的ではなく個人で行うことになったとベンヤミンは主張しています。言い換えれば、本当の意味での深い宇宙の経験、すなわち人間と宇宙との関係を豊かに感じることができるのは、地球の大気圏と宇宙空間の境界線であるカーマンライン上に浮かぶ遠隔操作の宇宙船に乗った億万長者ではなく、星空の見える野外で一緒に踊る集団なのです。さらに言えば、以前グレイトフル・デッドのツアーで私が舞台裏通行証をなくしたときに、広報担当デニス・マクナリーが、次のように言って気付かせてくれました。

「安心しなさい。本当のショーは、向こうの観衆の中で行われているんだ」。

私たちがどのように解釈したとしても、「マインドセット」は、富裕層の個人による並外れた業績を支持します。たとえば、技術を使って、彼らを一般人から隔離したり、自然環境を操作したり、生と死の循環を超越したりすることです。「マインドセット」は、直線を好みます。一方向の成長を目指します。現実世界での潮の満ち引きを乗り越えて無限に拡大しようとします。「マインドセット」の支持者は、自然というシステムで必然的に発生する引き潮に屈服することなく、新しい境地を切り開いたり、状況に変化をもたらしたり、特異点に到達したいと思っています。したがって、彼らは、最後に破滅的な天罰が下るまで、そのような循環のサイクルを無視し、抑制、制圧しようとします。

「世界の終わりは、決して完全な絶滅ではありません」と、学者であるアボリジニのタイソン・ユンカポルタは言いました。私の「チームヒューマン」ポッドキャストで対談したときに、「マインドセット」による人類の運命を心配する私や聴取者を安心させるようにこう発言したのです。

「私たちは、何度も世界の終わりを経験していますが、その土地のパターンに、またこの世界のパターンに従っている限り生き残ることが可能です。自然環境とつながり、それに合わせて行動する限り生き残れます」。

アボリジニの生活は理想化されやすいのですが、タイソン自身も「先住民」という言葉は「ばかげた言葉」だと言っています。

「それは不適切です。実際には、私たちは人間だからです。先住民の行動様式と言っているものは、全て人間の行動様式です。私たちは人間であり、居住環境があり、居住環境を構成する一員なのです」。

自然のパターンと調和して生活している人間は、土地の特定の区画を所有するのではなく、「とても大きい家」を共有していると考える、とタイソンは説明しています。

「5、6カ所に『キャンプ』があります。家の中にいくつかの部屋があるようなものです。それを次々と回って、掃除して、季節ごとに違う場所に住みます」。

自然のパターンに調和した生活をするのであれば、魚釣りに最適な時期である4月には、川のそばへ移住するでしょう。当然ながらナマズは、その季節の重要な栄養源ですし、薬としての効果もあります。それに先立って、魚を釣るときに蚊に襲われないようにするため、近くの平原の草を燃やします。そのとき、ある草の煙によって、ある木の種子が活動を開始して芽を出します。このように、大きい自然環境の中でさまざまに相互依存している関係があり、人間の活動もその一部なのです。

「マインドセット」の支持者は、このようなパターンとの協調をある意味では人間が屈服することだと思っていて、自然を征服しようとしています。タイソンは、学生のグループを連れて海岸へ調査に行きました。その場所は、砂浜が海に浸食されていて、建物を守るために土嚢やコンクリートの堤防で補強しなければならない状態です。その授業の課題は、この問題について技術的解決策を考えることでした。ある学生は、指示に従わず、そこに座って海を眺めているだけでした。タイソンが声をかけると、「全てがダメですね」と率直に答えました。その学生の説明によれば、水の流れを止めて砂を保持するために海岸に築かれた堤防は、実際には海岸に新しい砂を運んでくるはずの海流を妨げている、というのです。また、コンクリート製の建物は、海底から掘り出した砂を使っており、そのせいで海底に大きな穴ができています。学生はタイソンに言いました。「堤防をどんなふうに作ってもかまいませんが、あの建物は、その出所である海に戻ろうとしているのでしょう」。

経験的科学と言語

「マインドセット」には、そのような観察ができません。「マインドセット」は、全てのもののつながりや相互作用を強調するのではなく、あらゆるものを小さい部分に分割する、西洋の経験的科学の方法に基づいています。

これは、他の言語と比べると名詞に重点を置く傾向がある西洋の言語体系の産物かもしれません。名詞で表される物体の世界は、静的であり、所有と支配、自己と他者という観点で把握することが容易です。西洋の言語は、客観化と分類を基礎とするさまざまな社会制度〔たとえば、奴隷制度による支配〕の中でも、ある種の産業主義と資本主義を発達させました。しかし、西洋の言語は、システムの全体像、パターン、関連性を理解しようとするとき、あまり役に立ちませんでした。もちろん、これは二面性を持っており、西洋人は抑圧を基本とする傾向があるというだけでなく、その状況を解消しようとしたときにも言語のわなに落ち込む可能性があるということでもあります。西洋人による社会正義の活動、あるいは他の社会に対する理解を向上させようとする活動は、多くの場合、そもそもラベルを付けることが適切かどうかではなくて、どのラベルを使うかという議論になってしまいます。

経験的科学において「ものごと」を客観化するということは、科学的な識別、経済的な所有、社会的な操作、いずれのためであっても、それが一部分として含まれるシステム全体から切り離して考えることになります。私たちは、オレンジが特定の季節に特定の木にできる果実であるというよりも、食料品店で購入する1個の食品だと思っています。したがって、農園の土壌、高速道路網、消化する自分の身体が必要であることを無視して、季節に関係なく、また環境から切り離して、好きなときに好きな場所で食べられると考えています。その土地の食物を食べることが環境にも人間の身体にも良いというのは、多数の証拠があります。しかし、多くの人々は、ある商品の供給量は、私たちが実際に食べる量ではなく、それに使う現金および買いだめしようとする欲望の合計に等しい、という「マインドセット」の幻の主張に固執しています。アマゾンとフレッシュダイレクトは、この環境から独立して我々がそこから無限の供給を得ることができるという幻想を喜んで演じています。

億万長者の防空壕は、生活と環境を切り離した考え方のたとえ話にはなるかもしれませんが、この世の終わりへの備えとしてあまり有効な戦略ではありません。その生活様式は、人々を歓迎するオアシスではなくて、個人用の防御を固めた要塞に似ています。億万長者たちも彼らの事業や生活様式が、借りた時間、借りたお金によって成り立っていることに気付いています。彼らの築いた巨大建築が、海にのみ込まれようとしていることを知っています。

私は、彼らの準備状況を目撃したことがあります。来たるべき危機について彼らが話し合っているときに、その部屋にいました。企業の社長、億万長者、IT技術者、国連代表団メンバー、国防総省職員、陸軍大将、政治家、そして大統領さえも「マインドセット」に基づく生活の究極的な影響への対応に悪戦苦闘していました。彼らの考慮の対象は、気候変動、経済崩壊、社会不安、エネルギー政策、食料不足などさまざまですが、実際に何が起こっているか、あるいは、どう対処すればよいかについて、本当は分かっていないと私は確信しています。彼らは、私たち以上の手がかりを持っていません。もしかすると、私たち以下かもしれません。これは不安を感じるべきことなのか、勇気づけられるべきことなのか、私にはわかりません。

きっと次のコロンブスが

相変わらず彼らは、世界の終わりが来たとしても必ずそれに間に合うように、人類が達成したもの全てを守ってくれる魔法のような新しいアイデアを生み出すことができると思い込んでいます。私たち人類は、単なる「より良い復興」ではなくて、「より先へ進む復興」を考え出して実行することになっています。北米先住民の伝説に出てくるコヨーテのように、次々と素晴らしい解決策を思いつかなければなりません。海水による浸食から砂浜を守る方法、大気汚染から人間の肺を守る方法、農地の土壌の流出を防ぐ方法、そして、ITエリートの支配モデルを天罰から守る方法。次の新しい世界を見届けるために、新しい化学物質、マイクロプロセッサー、ブロックチェーン、ゲノム、ナノボット、あるいはこれらの組み合わせを発明しなければなりません。ある元国務長官が、私を安心させようとして言いました。

「対策は、現在にも将来にも必ずあります。きっと次のコロンブスが現れます」。

しかし、そうなっていません。ベゾスは、コロンブスではありません。さらに言えば、コロンブス自身もコロンブスではありませんでした。「新大陸」へ到達した当時の偉大な航海者は、陸地を発見したのではなく、私たちが生活しているこの地球が丸いということを証明したのです。その上、そこにはすでに人間が住んでいました。

探検によって明らかになったのは、土地を無限に拡張する可能性ではなく、その限界でした。コロンブスの航海によって世界が小さくなったのであって、大きくなったのではありません。

そのこと自体は、問題ではありません。馬車馬のように目隠しされて、前へ進むことに固執するのでなければ。しかし、進歩は、いつも直線的に発生するわけではありません。それどころか、比較的最近のサイバネティクスの発見によって、クローズドループ（閉じた循環）における再生力の可能性が注目されるようになりました。成長に凝り固まったベンチャーキャピタルの考え方とは反対に、この再生力を備えたシステムは、常に負担をかけ過ぎないようにしていれば、実質的に限界がありません。雪が融けると地下水が補給されます。牛が草を食べるとその糞が肥料になります。

エネルギー資源の採掘のように収奪的かつ一方的に進む進歩は、将来の燃料を得るために過去から奪い取っています。私たちは、毎日30億ガロン（約114億リットル）を超える原油を消費していますが、その見返りを何も返していません。返す方法もありません。同様に、この経済が成長し続ける、しかも必ず今までよりも早く成長すると期待して、お金を投資しています。現在の状況のように、行き詰まりに達したと思われる場合は、何らかの革新を起こして壁を破って進むか、あるいは、超越した新しい次元へ移ろうとします。最終的には、その報いがめぐってきて、私たちに悪い結果をもたらすはずです。今までの経験によれば、経済的不平等がこれほどのレベルになると、社会がファシズムに支配されなかったことはありません。物理的な環境にこれほど負担をかけると、文明が崩壊しなかったことはありません。私たちは、そのパターンから学ぶことができるのでしょうか。それとも、同じ運命をたどるのでしょうか。再生の原理を認識して、農業、エネルギー生産、経済に適用し、このまま待ち受けている運命よりも健康で平等で豊かな結果を得ることができるのでしょうか。

直線から循環へ

「マインドセット」に毒された人々にとっては、このような循環という考え方は、魔法にも等しいでしょう。現在の投資家は、企業創設者が金融によって資金を調達するのではなく、企業の収入を再投資して収益性向上を図るというような方針を理解できません。ベンチャーキャピタリストは、これを「ブートストラップ」ビジネスと呼んでいます。ブートストラップというのは、ほら吹き男爵物語のミュンヒハウゼン男爵が、物理学の法則に逆らって、自分のブーツのひも（ブートストラップ）を引っ張って自分の体を持ち上げるという話に由来するものです。このように、収益を得て事業を拡大するという基本的なビジネスの進め方は、収奪と金融化による指数関数的な成長という論理に反しています。

以前、私は、ドイツの銀行家や政治家との会議に出席したとき、鉄鋼労働者の組合が、自分たちの退職年金に対して「内部限定経済」の原理を適用しているという話をしました。株式市場に投資する代わりに、組合の鉄鋼労働者を雇用する建設プロジェクトに投資するのです。彼らは、自分たちの資産を使って雇用を創出し、利益も生み出します。これが非常にうまくいったので、その計画をさらに一歩進めて、退職した鉄鋼労働者やその親のための老人ホームに投資しました。要するに、1つの投資で3つの形態の利益が得られるのです。

「それは合法的ですか」とドイツの銀行家が疑い深そうに尋ねました。「はい」と私は答えました。

「これが、内部限定経済のしくみです。投資を株式市場に外部委託することはありません。自分自身または自分たちのコミュニティーに、複数の形態で利益が返ってくるものに投資します」。

経済学者が立ち上がって、博士で教授の何とか、と自己紹介してから「ラシュコフさん、あなたのアイデアは面白いけれども、残念ながら単なる思いつきでしかありません」と言いました。他の人々がくすくすと笑いました。

「お尋ねしますが、あなたのバックグラウンド（経歴）は何ですか？」。

博士の学位やデジタル経済の教授職について話す代わりに、私は舞台上で私の後ろにあるバックグラウンド（背景）の幕を見て「青ですね」と答えました。

必要以上に嫌みだったかもしれませんが、私はこの会議に失望しました。基本的な経済感覚を持っている人であれば、誰でもこの人たちに失望します。彼らは「マインドセット」にすっかり染まっているので、一方向へ進む論理以外のことを考える能力を失っています。

成長に依存しない循環的な経済を構築するための原理は、単純です。資源と収益をコミュニティーの中で循環させ、労働者階級が利用できるようにします。相互扶助の力を活用して、コミュニティーメンバー一人ひとりを、それぞれの必要に応じてサポートし、生活の改善を助け

ブートストラップビジネス

「自分でブートストラップを引っ張って自分を引っ張り上げる」という表現は19世紀に、不可能な動作の喩えとして存在した。

ます。他の労働者との協同組合として事業を運営することによって、大企業や関心のない投資家からの独立を維持します。

このようなアイデアは、従来の投資家にとっては脅威に感じられるようです。彼らの投資に全く依存していないからです。従来のビジネスの専門家は、常に協同組合、相互扶助、地域内の信用取引がうまくいかない理由を述べてきました。彼らの説によれば、ただ乗りする人が現れて、労働者から不当に利益を収奪するというのです。アスペン研究所（米国にあるリーダーシップ養成のための非営利団体）での会議で、ある女性が私に質問しました。

「その話は、ポートランドやマディソンのような進歩的で教育レベルの高いコミュニティーであれば、素晴らしいと思います。しかし、市内中心部の人々が、協同組合の設立というような高尚なことを本当にできるとお考えですか」。

循環内での再投資

この女性が心配する「市内中心部」の人々〔すなわち、スラム街の黒人〕は、非常に長い年月にわたってこのような協同組合による経済を維持してきました。黒人たちは、米国社会の他の部分から遠ざけられ、差別されてきたので、ある種の循環経済や地域内での再投資という戦略を考案せざるを得なかったのです。黒人以外の人々は、今になってようやくそのアイデアに気が付いたところです。彼らは、資金を出し合って、自分たちをお互いに奴隷の身分から買い戻しました。葬儀や病気治療の費用を払うために助け合う共済組合を作りました。通常の銀行取引から締め出されていたので、何もないところから協同組合として事業を始めました。彼らは、自給自足せざるを得なかったので、黒人の協同組合や相互扶助のコミュニティーは、白人のものよりも成功しました。そのことによって恨みがかき立てられて、オクラホマ州グリーンウッドのように成功した黒人コミュニティーを標的にした暴動が発生しました。このような協同組合の一部は、「規制」による排除を避けるために目立たないようにしながら、今でも繁栄しています。

この循環的システムは、「マインドセット」の支持者には、理解できないものです。ゲームの終わりがないからです。IPO（株式の新規上場）というクライマックスがありません。必要なところまで成長し、そこに到達したら、人々のニーズを満たしながら、持続的な繁栄を促進します。最終目標を達成して出ていく機会はありませんが、成長する義務もありません。危険なものを押し付ける外部の相手はありませんが、そのことが強い動機になって、コミュニティーを汚染したり弱体化させることを避けて、コミュニティーの利益になる行動をとるようになっています。このようにして、遠く離れた株主が資金を提供している企業ではあまり見られないような技術革新や効率化が起こります。

マクルーハンは、私たちがデジタルの時代に正しい方向へ進むためには、パターン認識が必要であると予言しました。それは、特定の状況における個別の細部から少し焦点をずらして、より大きい全体のパターンを見るという能力です。デジタルのフィードバックループは、メディア、技術、文化、経済、自然界、これら全てが直線的性質を持つだけでなく、それと同じ程度に循環的性質も備えていることを私たちに気付かせてくれます。直線的な進歩を排除するというのではなく、私たちの存在を定義するより大きい循環の中に、直線的な進歩もあわせて取り入れるのです。直線か循環かの二者択一ではなく、らせん状です。歴史は決して全く同じことを繰り返しませんが、時間とともに前に進みながら、いつも韻を踏んでいます。

私たちの過去に潜むパターンをよく理解することは、将来に対する責任感につながります。過去にこの場所に来たことがあると認識している人は、私たちがどこへ向かっているのかに注意を喚起する必要があるのです。それを今の状況に当てはめれば、「マインドセット」に対抗して行動すること、一方向に進む矢だけしか見えていない人に循環という考え方を紹介すること、早く脱出することばかり考えている人に思いやりのある長期的思考を勧めることに相当します。

彼らを社会から葬る必要はない

ここで、世界を救うための計画を提示するわけではありませんが、彼らの陰謀の影響を軽減して、いくつかの代替案を生み出すために必要なことをいくつか指摘します。彼らを社会から葬る必要はありません。誰がどちらの側にいるか、その境界線を引くことは難し過ぎます。自分が必然的に「マインドセット」の犠牲になってしまうと考えているだけだとしても、私たちは、みんな「マインドセット」に加担しています。「マインドセット」からの解放へ向かう最初の一歩は、避けられないことは何もない、と認識することです。私たちは、まだ崖から落ちていません。まだ選択することができます。

最も簡単にできるのは、彼らの企業および彼らが推奨する生活様式を支持するのをやめることです。行動を控えて、消費を少なくして、移動を少なくすることができます。そうすることで私たちは、より幸福になり、ストレスを感じなくなります。地元の物を買って、相互扶助に参加し、協同組合を支援しましょう。独占禁止法を使って、反競争的な巨大企業を解体しましょう。環境規制を使って、廃棄物を減らしましょう。労働組合を使って、非正規労働者の権利を拡大しましょう。税制を改革して、財産によるキャピタルゲイン（資本利得）を得ている人々に、収入を得るために体を動かして働いている人々よりも税金を多く払うようにさせましょう。

このような対策は、大企業の成長率を低下させ、場合によってはマイナス成長になるでしょう。今の金融主導の経済に異議を申し立てることになります。GDPを増加させ続けるという衝動に反するものであり、私たちにしみついた経済健全性という概念にも反するでしょう。しかし、私たち人間は、いつから経済に奉仕する存在になったのでしょうか。そのような考え方は、「マインドセット」が作り出して、金融が促進し、技術が強化したものです。

あるヘッジファンド・マネージャーにこのアイデアを説明すると、その人は、私たちは成長する以外に選択の余地はない、と言いました。そうしなければ、中国が米国との競争に勝ってしまう、あるいは、中国が米国に1兆ドルの国債を返済するように迫ってくるというのです。もしかしたら、そうかもしれません。しかし、今のところ、あの国は独裁的なルールでも

躺平

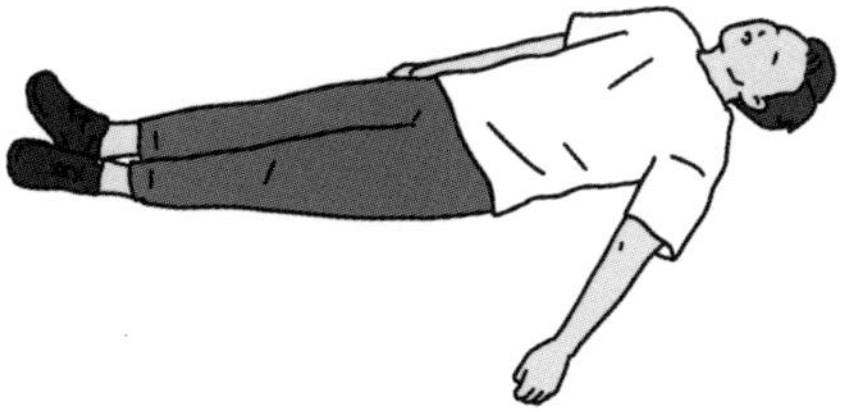

タンピン

「横になる、寝そべる、寝る」の意。闘争を放棄し、競争を避ける若者は、結婚せず、家を購入せず、子供も持たない。

のごとを進めていますが、中国の人々は出世と成長のレースから手を引きつつあります。過酷な労働条件や構造的な不平等のせいで、多くの若い中国人は、「タンピン」をするようになりました。娯楽や抗議の一つの形態として、公共の場所で「寝そべる」ということです。高い給料や社会的地位〔その国のソーシャルメディアでの評価によるもの〕を求めるのではなく、若者たちは寝そべって、生産のための必要最小限の努力しかしないようになっています。オックスフォード大学で社会人類学の教授をしているシャン・ビャオは、次のように言っています。

「若い人たちは、何とも説明できないある種のプレッシャーを感じていて、約束が破られたように思っています。人々は、物質的な向上が人生の意義を見いだすための唯一の最重要事項ではないと気付いているのです」。

成長を超えて

不思議なことに、みんなが少ししか働かなくなっても、私たちが生活するのに十分な食料やエネルギーが入手できてています。実際には、それ以上のものが得られるでしょう。巨大会計事務所KPMGの持続可能性アナリストであるガヤ・ヘリントンは、評価の高い論文「Beyond Growth」（成長を超えて）で次のように述べています。

「気候変動、社会不安、国際情勢などによって起こりうる将来の成長鈍化のリスクがあり、世界的に景気が低迷している中で、責任あるリーダーは、将来の成長が頭打ちになる可能性に直面しています。そして、不可能なものを追い続けるのは愚か者だけです」。

破滅的な気候の崩壊を起こさずに持続的に成長することは不可能であると示した上で、ヘリントンは次のように書いています。

「資源の不足は、1970年代に人々が考えたほどの問題にはなっていません。人口増加も、1990年代に言われたような不安の種にはなっていません」。

食料、水、エネルギーは、十分にあります。ただ、指数関数的な無限の成長に依存する経済モデルを成立させるのには十分でないというだけです。そのような量を生産しようとすると、私たちが知っている文明は、終わりを迎えるでしょう。

これをたとえて言えば、現実世界で実際に存在する物は全て良好なのですが、この世界を表現するために作成した抽象的な地図の上で腹立たしいほど大きい利益を上層部の人々に与えるために、働き続けなければならないようなものです。私たちは、物理的な限界に直面しているのではなく、デジタル的な収支の限界に突き当たっているのです。土地が地図に置き換えられたせいで危機に陥っているだけです。本当の現実ではなく、仮想現実が問題になっているのです。金融制度や技術的システムが、私たちを守るのではなく、集団的な幸福と繁栄にとって最大の脅威になっています。

ゴーグルをつけて仮想空間を見ている私たちは、安全ではありません。私たちが親しみを持って遊んでいるキャラクターは、感染症、神経症、貧困、さらに言えば顔の毛穴とも関係がないでしょう。しかし、世界には、私たちが危険を承知の上で無視している人々が存在します。彼らがシェルターの入口に押し寄せてくるからではなく、彼らから逃れようとする努力そのものが、私たちが直面している脅威の原因です。確かに、人間も自然も恐ろしいものであり、将来の動きを予測できないものです。しかし、彼らを操作して利益を得ようとする試みは、うまくいきません。彼らの幸福のための倫理感、思いやり、責任感に基づく取り組みが必要です。本当の現実における問題は、他の人々が存在するということです。私たちの幸福は、彼らの幸福に左右されます。おそらくこれこそが、「マインドセット」をずっと駆り立ててきた恐ろしい真実なのでしょう。だからこそ「マインドセット」の支持者たちは、他の人々に勝利して、できるだけ早く、できるだけ完全に、他の人々から逃げていきたいと思っているのです。だからこそ彼らは、私たちが精神的な空虚さの中に生きていると主張しているのです。

私たちは、個人の集まりです。私たちは、アルゴリズムとは少し異なる形で、自己というものの意味を定義する必要があります。私たちは、便利になるとか、つながりができるという言い訳によって、数えたり、監視したり、データ分析したり、操作したりする対象となる個人ではありません。そうではなくて、私たちは、感覚を持った生物としての個人であり、他の人々や自然とより深い関係を持とうとしているのです。現状とは逆の方向です。

人間の神経系は単独で働いていない

デイヴィッド・バーンは、ブロードウェイショー『アメリカンユートピア』(スパイク・リー監督で映画化された)の気持ちの良いエンディングの台詞で、最近の脳に関する発見が、私たちの本当のつながりへの探求について、何を教えてくれるのかを考察しました。人間の脳にある数百万の使われていない神経のつながりは、成長して大人になるにつれて消えていきますが、おそらく、それはただ消えるだけではなくて、再構成されます。「ただし、今度はそのつながりは頭の中ではなく、自分と他の人との間にあるのです。我々の存在は、ありがたいことに、ここだけでなく、私たち全ての間のつながりを通じて、自分自身を超えて広がっています」。

デイヴィッド・バーンは、私たちに向かって、自分が何者であるか、そして、ここで何をするのかについて、立ち止まってじっくりと考えるように言っています。

それは、単なる希望的観測ではありません。最近の「ポリヴェーガル理論（多重迷走神経理論）」の研究では、他人とのコミュニケーション、つながり、交流を持つための能力に関する神経生理学的な原理を示しています。簡単に言えば、人間の神経系は単独で働いているのではなく、まわりにいる人々の神経系と協調しているということです。1つの集団的神経系をみんなで共有しているかのようになっています。私たちの身体的および精神的な健康は、そのようなつながりの発達によって決まります。他人を置き去りにして進もうとするのは、無意味であり、ばかげたことです。それでは、1周回って元の位置に戻ることになります。経験的科学および個人の進歩を備えた西洋世界が優れている、という感覚が完全に復活しています。

何らかの目標を目指すとすれば、「マインドセット」の個人的業績、個別の勝利、あるいは利益を得た上での脱出を求める努力をすべきで

デイヴィッド・バーン

David Byrne、アメリカのロックバンド、トーキング・ヘッズ（1974年から1991年）での活動でも知られる。

はありません。集団的に同じところに向かって段階的に進歩することを目指すべきです。私たちの困難な問題に対して、お互いに穏やかで開かれた、そして責任ある態度をとる以外に「解決策」はありません（❖13）。世界を「修理する」ことはできません。「大覚醒」はありません。「脱出」の機会はありません。行動があるだけです。変化の理論、すなわち変化へ向かって進む過程は、目標そのものと同じくらい重要です。したがって、スタートアップ企業のビジネスプランよりも提案するのは難しいでしょう。しかし、だからこそ、現在の状況にしっかりと関わることが、勝利および脱出という「マインドセット」の妄想への対抗手段になるのです。私たちの態度、私たちの方法、私たちの手段のほうが、億万長者の「最終目的」よりも妥当なものです。

私たちが今すぐに行動しなければ

私と一緒に行動しましょう。IT大企業、億万長者の投資家、そして彼らのとりことなった世界の指導者たちの約束をもっと注意深く聞いてみてください。彼らの壮大な計画、技術的な解決策、グレートリセットには、必ず「その他に」とか「しかし」という言葉があります。つまり、いくらかの利益があって、一時的な妥協または悲惨な状況があり、後日解決するという外部への押し付け、提案者だけの個人的安全対策があり、さらに、次回の行程で助けに戻ってくるという約束が付いています。

それは、「マインドセット」の大きな嘘です。私たちに対して、そして、彼らに対しても。脱出はありません。後日というのもありません。私たちが今すぐに行動しなければ、何もしていないのと同じです。

――終――

◇原注　第13章

❖ 13　「『解決策』はありません……」：サラ・ペシン（Sarah Pessin）の著作を参照。たとえば "From Mystery to Laughter to Trembling Generosity: Agono- Pluralistic Ethics in Connolly v. Levinas," *International Journal of Philosophical Studies* 24, no. 5 (2016): 615– 38.

◇ "To the Planetarium": Walter Benjamin, "To the Planetarium," in *One-Way Street: And Other Writings*, translated by Edmund Jephcott (Brooklyn, NY: Verso, 2021).

◇ "You can build": Tyson Yunkaporta, *Sand Talk: How Indigenous Thinking Can Save The World* (New York: HarperOne, 2020), 78-79.

◇ eating local foods is better for our health: Vicki Robin, *Blessing the Hands That Feed Us: What Eating Closer to Home Can Teach Us about Food, Community, and Our Place on Earth* (Farming Hills, MI: Thorndike Press, 2014).

◇ We consume over three billion gallons: Koustav Samanta and Roslan Khasawneh, and Florence Tan, "APPEC-Global oil demand seen reaching pre-pandemic levels by early 2022," *Reuters*, September 27, 2021,https://www.reuters.com/business/energy/appec-global-oil-demand-seen-reaching-pre-pandemic-levels-by-early-2022-2021-09-27/.

◇ They pooled money: Jessica Gordon Nembhard, Collective Courage: *A History of African American Cooperative Economic Thought and Practice* (University Park, PA: Pennsylvania State University Press, 2014).

◇ "Young people feel": Elise Chen, "These Chinese Millennials Are 'Chilling,' and Beijing Isn't Happy," *New York Times*, July 3, 2021,https://www.nytimes.com/2021/07/03/world/asia/china-slackers-tangping.html.

◇ "Amidst global shutdown": Gaya Herrington, "Beyond Growth," WEFLIVE, January 23, 2020,https://www.weflive.com/story/e968fb0963974e1e8f6c636e5654cbc2.

◇ "resource scarcity has not": Edward Helmore, "Yep, It's Bleak, Says Expert Who Tested 1970s End-of-the-World Prediction," *Guardian*, July 25, 2021,https://www.theguardian.com/environment/2021/jul/25/gaya-herrington-mit-study-the-limits-to-growth.

◇ "only now... all of us": American Utopia, directed by Spike Lee (HBO, 2021),https://www.hbo.com/specials/american-utopia.

謝辞

多くの人々に感謝の言葉を述べなければならないのですが、全員の名前をここに書くことは控えておきます。漏れがあるから、というだけでなく、どのくらいの人が共犯者として名前を出すことを望んでいるのか、私にはわからないからです。

しかし、2018年当時のミディアム（Medium、2012年に開設された、アメリカのオンライン出版プラットフォーム）の素晴らしい編集者、アーロン・ゲルには、この本に対する責任の一部を共有してもらわなければなりません。世界の終わりに備える億万長者たちと話をしてきた、というちょっとした雑談をしたら、それを記事の導入部に持ってくるべきだと言ったのは、アーロンでした。また、ショバーン・オコナー、デイモン・ベアーズ、エバン・ウィリアムズには、執筆にあたって知的、財政、アルゴリズムの面で支援していただいたことに感謝します。

担当編集者のトム・メイヤーには、この題材を扱った本があると教えてくれて、それよりも優れた本にするよう後押ししてくれたことに感謝します。また、著作権エージェントのモリー・グリックに深く感謝します。考え方だけではなく、その考え方をもつ人々について書くように助言してくれました。迅速に原稿整理をしてくれたアレグラ・ハストン、この本を宣伝してくれたウィル・スカーレットに感謝します。

クイーンズカレッジの学生および同僚の使命感と奉仕精神に感謝します。マラ・アインスタインとエイミー・ハーツォグには、私のサバティカル（長期休暇）を推奨し支持してくれたことに感謝します。マリーナ・ゴービスおよび未来研究所の知識と助言に感謝します。マーク・スタールマンおよびデジタルライフ研究センターの調査および反対意見に感謝します。

リチャード・バーブルックとアンディー・キャメロンには、恩義を受けています。私が「マインドセット」と呼んでいるものについて、彼らは1995年のエッセイ「カリフォルニアのイデオロギー」の中で最初に指摘しています。また、マーク・デリーにも感謝します。私がこの本で取り上げた狂気じみた行動の大部分は、1996年の著書『Escape Velocity』（邦訳：『エスケープ・ヴェロシティ：世紀末のサイバーカルチャー』）で彼が予見しています。

ノラ・ベイトソン、ビリー牧師、スティーブン・ブレント、ルーク・バージス、アンバー・ケイス、ジェイミー・コーエン、ヤエル・アイゼンシュタット、フランク・ファランダ、ネイト・ヘイゲンズ、HC、ルネ・ホッブズ、ブライアン・ヒューズ、ジーニ・ジャーディン、ナオミ・クライン、アーウィン・クラ、ジェレミー・レント、マーク・ペス、サラ・ペシン、ビッキ・ロビン、フィリップ・ローズデール、レイチェル・ローゼンフェルト、ミカ・シフリー、スザンヌ・スローミン、フレッド・ターナー、アリ・ウォーラック、チャールズ・ヤオ、タイソン・ユンカポルタ、デビッド・ツワイグの才能、友情、誠意に感謝します。

チームヒューマンのみなさんの支援と連帯に感謝します。特に、ジョシュ・チャプドレーンとルーク・ロバート・メイソンは、いずれも私の味方になり励ましてくれました。

この新しい日本語版は、私のいくつかの作品の編集者であり、永遠の友人でもあるOR/Booksのジョン・オークスの先見の明がなければ実現しなかったでしょう。ジョン・オークスは私をボイジャー ジャパンの萩野正昭に紹介してくれました。萩野と彼のチームはこのプロジェクトの推進に大きな役割を担ってくれました。

私の文章だけでなく、私の探求の精神を日本の読者に向けて丁寧に翻訳し、ビジネスとテクノロジーを人間味のあるものにするという私自身の生涯にわたる努力をサポートしてくれた翻訳の堺屋七左衛門に感謝します。

また、偉大な漫画家であり出版活動家でもある佐藤秀峰に本書の表紙イラストの制作を協力いただいたことを大変嬉しく思います。日本にこれほど素晴らしい友人やサポーターがいることは光栄なことです。

最も感謝すべきなのは、妻のバーバラです。この本で紹介した講演や旅行を何年にもわたって愛情を込めて支援してくれました。また娘のメイミーにも感謝します。将来への希望と関わりを得ることができました。

2023年6月

ダグラス・ラシュコフ

著者について

ダグラス・ラシュコフ（Douglas Rushkoff）

1961年生まれ。米国ニューヨーク州在住。第1回「公共的な知的活動における貢献に対するニール・ポストマン賞」を受賞。『Cyberia』（『サイベリア』アスキー）、『MEDIA VIRUS!』（『ブレイク・ウイルスが来た!!』ジャストシステム）、『Program or be Programmed』（『ネット社会を生きる10ヵ条』ボイジャー）、『Throwing Rocks at the Google Bus』（グーグルバスに石を投げろ）、『Team Human』（『チームヒューマン』ボイジャー）など多数執筆。『「デジタル分散主義」の時代へ』という論考が翻訳されている。

<オフィシャルサイト:https://rushkoff.com/>

＊本書からの抜粋を複製する許可については、
株式会社ボイジャー法務担当までご連絡ください。
〒150-0001 東京都渋谷区神宮前 5-41-14
TEL:03 5467 7070

日本語版制作スタッフ

翻　訳	堺屋七左衛門
表紙イラスト	佐藤秀峰
表紙デザイン	木村真樹
編　集	萩野正昭
	古賀弘幸
	仁科　哲
	小池利明
	木村智也
	黒田　暁
印刷／製本	（株）丸井工文社

SURVIVAL OF THE RICHEST
ESCAPE FANTASIES OF THE TECH BILLIONAIRES

デジタル生存競争
誰が生き残るのか

発行日　2023年6月30日　初刷
2023年9月1日　第2刷
2024年9月20日　第3刷
2024年9月25日　第4刷
2024年9月30日　第5刷
2024年10月23日　第6刷
2024年11月6日　第7刷
著者　ダグラス・ラシュコフ
訳者　堺屋七左衛門
発行者　鎌田純子
発行元　株式会社ボイジャー
東京都渋谷区神宮前5-41-14
電話03 5467 7070
FAX 03 5467 7080
infomgr@voyager.co.jp

Published in Japan
ISBN978-4-86689-312-9